REPAS
DE
FAMILLE

De la même auteure
aux éditions Gabelire

Le Couple d'à côté
L'Étranger dans la maison
Un assassin parmi nous
Une voisine encombrante
En secondes noces

SHARI LAPENA

REPAS DE FAMILLE

Traduit de l'anglais (Canada)
par Romane Lafore

Publié aux États-Unis sous le titre original NOT A HAPPY FAMILY par Viking, une marque de Penguin Random House LLC, en 2021.

**Retrouvez nos titres
sur notre site Internet :
www.editionsgabelire.com**

*Aux héros de la pandémie du Covid
– les scientifiques,
le personnel médical,
les travailleurs de première ligne,
partout dans le monde –
merci*

Toutes les familles heureuses se ressemblent, mais chaque famille malheureuse l'est à sa façon.

Léon Tolstoï, *Anna Karénine*

Prologue

Les riches propriétés sont légion, ici à Brecken Hill, une enclave à la lisière d'Aylesford dans la vallée de l'Hudson, sur la rive orientale du fleuve du même nom et à plus d'une centaine de kilomètres au nord de New York. On pourrait se croire dans les Hamptons, en un peu moins tape-à-l'œil. De vieilles fortunes, des nouvelles. Et puis au bout d'une longue allée privée, dissimulée par un bosquet de bouleaux : le domicile des Merton, trônant au beau milieu de sa vaste pelouse comme une pièce montée sur un plateau. À gauche, on aperçoit une piscine. À l'arrière, un ravin, et de part et d'autre de la villa, des arbres touffus pour en garantir l'intimité. Un bien d'exception.

Tout est si calme, si paisible. Un pâle soleil est apparu, escorté de quelques nuages. Il est 16 heures en ce lundi de Pâques ; ailleurs, les enfants dévorent leurs lapins en chocolat et leurs petits œufs pralinés, un œil sur leur panier et l'autre lorgnant ceux de leurs frères et sœurs. Mais il n'y a pas d'enfants, ici. Les enfants ont grandi et déménagé. Pas très loin, d'ailleurs. Ils étaient tous là la veille, pour le repas pascal.

La maison a l'air déserte. Nulle voiture dans l'allée – elles sont à l'abri derrière les portes du garage quatre places. Parmi elles, une Porsche 911 décapotable ; Fred Merton aime la conduire, mais seulement en été, pour se rendre au golf. Pour l'hiver, il préfère la Lexus. Son épouse Sheila possède une Mercedes blanche avec intérieur cuir tout aussi immaculé. Ce qu'elle aime, elle, c'est enrouler autour de son cou l'un de ses carrés Hermès bigarrés, vérifier son rouge à lèvres dans le rétroviseur et sortir retrouver des amis. Chose qu'elle ne pourra plus faire à présent.

Dans une telle demeure – avec une entrée en marbre blanc étincelant, un lustre en cristal impressionnant et un bouquet de fleurs fraîchement coupées sur un guéridon – on pourrait s'attendre à trouver du personnel de maison. Mais il n'y a qu'une femme de ménage, Irena, qui vient deux fois par semaine. Elle travaille dur. Elle est au service des Merton depuis si longtemps – plus de trente ans – qu'elle fait presque partie de la famille.

L'endroit devait sembler parfait, avant tout cela. Mais des traces de pas ensanglantés maculent la moquette pastel de l'escalier qui mène à l'étage. À gauche, dans le charmant salon, une grande lampe en porcelaine repose sur le tapis persan, cassée, son abat-jour de travers. Et un peu plus loin, derrière la table basse en verre : Sheila Merton, en pyjama, parfaitement immobile. Morte. Les yeux ouverts et des marques sur le cou. Il n'y a pas de sang, mais son écœurante odeur flotte dans l'air.

Dans la grande cuisine lumineuse à l'arrière de la maison, le corps de Fred Merton gît sur le sol, vautré dans une mare de sang sombre et visqueux. Des mouches bourdonnent paisiblement autour de son nez et de sa bouche. L'homme a été sauvagement poignardé à de nombreuses, *très* nombreuses reprises, et on lui a tranché la gorge.

Qui ferait une chose pareille ?

1

Vingt-quatre heures plus tôt

Dan Merton enfile son blazer bleu marine par-dessus une chemise bleu pâle au col ouvert et un élégant jean, puis il s'examine d'un œil critique dans la psyché de la chambre.

— Ça va ? lui demande Lisa dans son dos.

Il lui offre un sourire maussade dans le miroir.

— Bien sûr. Pourquoi ça n'irait pas ?

Elle détourne le regard. Dan sait que la perspective d'un repas de Pâques chez ses parents ne l'enchante pas plus que lui. Il pivote sur lui-même pour l'observer un instant. Sa magnifique femme aux yeux bruns... Combien d'épreuves ont-ils affrontées, depuis quatre ans qu'ils sont mariés ? Lisa l'a toujours soutenu, il a de la chance de l'avoir et il en a conscience. C'est avec elle qu'il a compris pour la première fois ce qu'était l'amour inconditionnel – si on ne compte pas celui des chiens, évidemment.

Le malaise l'assaille. Toujours à cause de leurs problèmes d'argent, une source de stress permanent et un sujet de discussion récurrent entre eux. Heureusement que Lisa est là pour le rassurer et le persuader que tout ira bien. C'est quand elle s'absente que les ennuis commencent. L'angoisse, les doutes.

Lisa est issue de la classe moyenne, aussi n'a-t-elle jamais eu de grandes attentes quant à leur mode de vie. Ses origines plus modestes ont joué en sa défaveur au tout début de leur relation, même si lui-même ne s'en est jamais soucié ; ce sont ses parents les snobs, pas lui. Lorsqu'ils se sont rencontrés, elle ne savait d'ailleurs même pas qui il était, tant ils ne fréquentaient pas les mêmes cercles.

« Elle est la seule qui voudra bien de lui », avait-il un jour entendu sa petite sœur, Jenna, dire à sa sœur aînée, Catherine, alors qu'elles ignoraient qu'il se trouvait dans les parages.

C'était peut-être vrai. Il n'empêche que leur mariage est une réussite – tout le monde a dû l'admettre. Et en dépit des préjugés initiaux, sa famille s'est prise d'affection pour Lisa.

— Tu vas essayer de parler à ton père ? demande celle-ci, la voix pleine d'appréhension.

Il évite son regard et referme la porte du placard.

— Si l'occasion se présente.

Il déteste quémander de l'argent à son père. Mais il ne voit pas comment faire autrement.

Comme chaque année, Catherine Merton – elle a gardé son nom de jeune fille – attend le repas de Pâques avec impatience, ainsi que toutes les fêtes et occasions de se réunir avec sa famille dans la somptueuse villa de Brecken Hill. Sa mère sortira la belle porcelaine et l'argenterie, et Catherine se sentira comme un membre de l'élite à part entière, élégante et raffinée jusqu'au bout des ongles.

Personne n'ignore qu'elle est la préférée. Il n'y a que d'elle, leur fille aînée, dont les parents sont vraiment fiers : il faut dire qu'elle est devenue médecin – certes dermatologue et pas chirurgienne cardiaque, mais médecin tout de même. Dan n'a fait que les décevoir. Et Jenna – eh bien, Jenna est égale à elle-même.

Tandis qu'elle enfile une perle à son oreille, Catherine se demande justement quelle surprise sa cadette leur réserve pour le dîner. Jenna loue une petite maison en banlieue d'Aylesford, bien qu'elle passe une grande partie de son temps à New York, et son mode de vie si mystérieux est une intarissable source de désespoir parental. Dan dit souvent de Jenna qu'elle est incontrôlable, mais Catherine pense, au contraire, que Jenna utilise son train de vie débridé comme un moyen de contrôle : elle a le pouvoir de choquer et en abuse. À la différence de Catherine, les bonnes manières ne figurent clairement pas dans ses priorités. Non, Jenna est un ovni. Imprévisible. Enfant déjà, elle ne reculait devant rien, surtout lorsqu'on lui lançait un défi. À présent, leur père menace constamment de lui couper les vivres, mais tout le monde sait qu'il ne mettra jamais son chantage à exécution, parce que cela voudrait dire la voir revenir à la maison, ce qui est au-dessus de ses forces. Leurs parents la soupçonnent de prendre des drogues et de se débaucher, mais ils ne posent jamais la question. Ils auraient trop peur de la réponse.

Lorsque Ted entre dans la chambre, Catherine lève les yeux de sa coiffeuse. Toute la journée, son mari s'est fait discret – sa façon subtile de témoigner son mécontentement, même s'il ne l'admettra jamais. Ted n'a aucune envie d'aller à ce dîner de Pâques chez les riches parents de son épouse, de devoir supporter toutes les attentes que ces derniers y placent chaque année. La tension qui règne lors de ces repas de fête est palpable, sous la surface. « Bon Dieu, comment peux-tu supporter ça ? » s'étonne-t-il toujours, à peine ont-ils claqué les portières de leur voiture.

« Ils ne sont pas méchants », rétorque invariablement Catherine en essayant de dédramatiser tandis qu'ils s'éloignent de Brecken Hill.

— Essaie de faire contre mauvaise fortune bon cœur, lui suggère-t-elle à présent en se levant pour l'embrasser sur la joue.

— Je le fais toujours, répond-il.

Pas vraiment, non, pense-t-elle.

— Putain, j'ai pas envie d'y aller, souffle Jenna en jetant un coup d'œil à Jake, assis sur le siège passager.

Il a pris le train depuis New York pour venir passer la nuit chez elle et elle est allée le chercher à la gare d'Aylesford.

— Alors, arrête-toi sur le bas-côté, propose Jake en lui caressant la cuisse. On peut perdre un peu de temps. Fumer un joint. Pour que tu te détendes.

— Tu crois que j'ai besoin de me détendre ? fait-elle en haussant les sourcils.

— T'as l'air un peu coincée.

— Va te faire foutre, lance-t-elle avec un sourire.

Elle roule encore quelques instants, puis s'engage brutalement dans un embranchement connu d'elle seule. La voiture cahote avant de s'immobiliser sous un grand arbre. Jake est déjà en train d'allumer un joint et d'aspirer profondément la première bouffée.

— On va empester en arrivant là-bas, dit-elle en tendant la main. Mais c'est peut-être mieux comme ça.

— Je ne comprends pas pourquoi tu veux autant faire chier tes parents. Ils paient tes factures.

— Ils peuvent se le permettre.

— Ma petite rebelle, murmure-t-il en se penchant pour l'embrasser et passer ses mains sous sa veste en cuir noir, puis sous son haut, la caressant doucement. J'ai hâte de voir qui t'a mise au monde.

— Oh, tu vas rire. Ils sont tellement imbus de leur personne qu'on dirait qu'un pupitre va apparaître à chaque fois qu'ils prennent la parole.

— Ils ne peuvent pas être si terribles.

Elle prend une nouvelle taffe et lui repasse le joint.

— Maman est inoffensive, au fond. Mais papa est un gros con. Les choses seraient bien plus faciles sans lui.

— Les parents... Rien de tel pour vous foutre en l'air, fait Jake en voulant citer le poète Philip Larkin – mais il s'est trompé.

Il se trompe sur pas mal de choses, pense Jenna en regardant Jake à travers un nuage de fumée, excitée par le contact de ses doigts sur son mamelon. Mais il la fait rire et il se débrouille bien au lit, et ça lui suffit pour l'instant. Exactement ce qu'il lui faut : un mec follement sexy et brut de décoffrage. Elle a hâte de le présenter à sa famille.

2

Rose Cutter a commis une bêtise. Et la pensée de ce qu'elle a fait, et de ce qu'elle doit maintenant faire pour y remédier, l'obsède. Elle y pense tard dans la nuit, alors qu'elle devrait dormir. Elle y pense au bureau, alors qu'elle devrait travailler. Elle y pense même quand elle essaie de s'abrutir devant la télévision.

Comment va-t-elle pouvoir surmonter ce dîner de Pâques avec sa mère et sa tante Barbara, faire semblant que tout va bien pendant tout le repas ? Sa mère ne sera pas dupe, rien ne lui échappe. Déjà qu'elle n'arrête pas de dire à sa fille qu'elle a l'air fatiguée, qu'elle a perdu du poids... Rose balaie toujours ses inquiétudes, essaie de changer de sujet, de faire diversion, mais cela devient de plus en plus difficile. À tel point qu'elle a commencé à espacer ses visites à sa mère. Mais elle ne peut pas rater le dîner de Pâques.

Elle étudie son reflet dans la glace. C'est vrai que son jean, autrefois ajusté, semble à présent bien trop large pour elle. Elle décide de le camoufler en enfilant un gros pull rouge par-dessus sa chemise. Ça devrait faire l'affaire. Elle brosse ses longs cheveux bruns, met du rouge à lèvres pour égayer son visage terne et tente un sourire. Le résultat est artificiel, forcé, mais c'est le mieux qu'elle puisse faire.

Dès qu'elle franchit le seuil de chez sa mère, l'angoisse de cette dernière lui tombe dessus – les questions, les préoccupations. Si seulement sa mère pouvait l'aider. Mais elle ne doit pas connaître la vérité. Rose s'est mise dans le pétrin toute seule. Et c'est toute seule qu'elle devra s'en tirer.

— Regarde-toi, fait Ellen Cutter en secouant la tête, les bras tendus pour récupérer le manteau de sa fille. Tu es si pâle. Barbara, tu ne la trouves pas pâlotte ? Honnêtement, Rose, tu as trop maigri.

— Je la trouve très belle, rétorque Barbara en levant les yeux au ciel. N'écoute pas ta mère. Elle s'inquiète toujours pour rien.

— Merci, Barbara, dit Rose en rendant à sa tante son sourire. Je ne fais pas tant peine à voir, si ?

Puis elle se tourne vers le miroir du couloir, pour arranger sa frange.

Malgré le sourire qu'elle affiche elle aussi, Ellen est sous le choc. Et le rapide coup d'œil que lui adresse sa sœur le lui confirme : quoi qu'elle en dise, Barbara aussi a remarqué les changements chez sa nièce. Ellen n'invente rien – Rose a *vraiment* l'air épuisée, elle a perdu de son éclat. Comment ne pas s'inquiéter ? Ellen est veuve et Rose, sa fille unique. Et sa sœur, Barbara, n'a jamais eu d'enfants, aussi Ellen ne peut-elle pas reporter un peu de son attention sur d'éventuels neveux ou nièces.

— Bon, le dîner va être délicieux, fait-elle avec une joie feinte. Venez, je vais arroser la dinde.

— Alors ? lance Barbara à Rose tandis qu'elles se dirigent vers la cuisine. Qu'est-ce que tu racontes ?

— Pas grand-chose, répond Rose. Beaucoup de boulot.

— Ça ne te ressemble pas. Qu'est-ce que tu fais pour t'amuser ? Tu as un petit ami en ce moment ?

Penchée au-dessus du plat de volaille, humant à pleins poumons son réconfortant et familier fumet, Ellen observe furtivement le visage de sa fille. Rose était si populaire, avant. Aujourd'hui, elle ne mentionne plus aucun ami ou petit ami. Tout n'est que boulot, boulot, boulot.

— Personne pour le moment, répond Rose.

— J'imagine que diriger son propre cabinet d'avocats ne te laisse pas beaucoup de temps, commente Barbara avec un sourire.

— Tu n'as pas idée.

— On doit quand même pouvoir trouver un équilibre entre sa vie professionnelle et sa vie privée, non ? suggère gentiment Ellen.

— Pas quand on est jeune dans le métier, déclare Rose.

Mais Ellen se demande s'il n'y a que ça.

Cette année, Audrey Stancik n'a pas pris la peine de se faire vacciner et elle le regrette amèrement : la voilà clouée au lit par une vilaine grippe printanière, dans sa modeste maison, vêtue de son plus confortable et plus vieux pyjama. Ses cheveux sont retenus par un bandeau, mais, même malade, sa manucure reste soignée. Le dos calé contre plusieurs rangées d'oreillers, elle regarde la télévision sans la voir. Une corbeille à papier pleine de mouchoirs usagés repose à côté de son lit, et une boîte de mouchoirs neufs trône sur sa table de chevet, à côté de la photo encadrée de sa fille, Holly.

Audrey est au supplice – son nez coule comme un robinet et elle a des courbatures partout. Sans parler du dîner de Pâques chez son frère Fred qu'elle va louper, alors qu'elle l'attendait tout particulièrement cette année. Elle l'aurait d'autant plus apprécié sachant ce qu'elle sait. Elle va aussi manquer tous ces délicieux mets, et notamment son dessert préféré, la tarte au citron d'Irena. C'est vraiment dommage parce qu'Audrey adore manger.

Mais mise à part la grippe, Audrey se porte bien, ces jours-ci. Elle va bientôt recevoir une somme d'argent considérable. Dommage qu'il faille que quelqu'un meure pour qu'elle l'obtienne.

Elle va être riche. Il était temps.

3

Quand Catherine sonne à la porte, Ted à ses côtés, elle est nerveuse. C'est toujours la même chose – elle se demande comment les gens vont s'entendre, prie pour que tout se passe bien. Sauf que cette fois-ci, elle ne laissera personne lui gâcher la soirée.

Bien qu'elle n'ait pas à rougir de la maison qu'elle possède avec Ted à Aylesford – le genre de belle demeure qu'une dermatologue et un dentiste peuvent se permettre –, elle a tout à fait conscience que l'endroit où elle a grandi appartient à une autre catégorie. C'est un manoir plus qu'une maison. Un manoir dont, en tant qu'aînée, elle aimerait hériter quand ses parents ne seront plus là. Comme elle aimerait vivre ici, à Brecken Hill, dans le confort et l'opulence, recevoir ses frères et sœurs pour les fêtes, entourée de ses propres enfants ! Catherine est consumée par ce genre de rêveries. Dans ses fantasmes, elle n'est jamais très âgée, pas beaucoup plus qu'elle ne l'est aujourd'hui. En tout cas pas aussi âgée qu'elle le serait si ses parents mouraient de mort naturelle. Mais c'est le propre des fantasmes, n'est-ce pas ? Par définition, ils ne sont pas réalistes. Elle veut la maison et tout ce qu'il y a à l'intérieur – vaisselle, antiquités, œuvres d'art. Ses parents ne la lui ont jamais promise, évidemment. Mais ils ne la légueraient pas à Dan – il n'en voudrait pas de toute façon –, ni à Jenna qui, de toute évidence, la saccagerait – elle ou ses amis dépravés. Du reste, Catherine est persuadée que sa mère n'infligerait jamais sa sœur et son bruyant mode de vie à son riche voisinage.

La porte s'ouvre, révélant Sheila, tout sourire, en pantalon et talons noirs, chemisier en soie blanche et carré Hermès orange et rose autour du cou. Catherine étudie brièvement le visage de sa mère, à la recherche d'indices qui lui dévoileraient ce à quoi elle-même ressemblera plus tard. Aura-t-elle ces mêmes yeux bleu pâle, cette peau sans défaut, ces cheveux à la coupe irréprochable ? Sa mère a bien vieilli – l'argent aide.

— Bonjour, maman, lance-t-elle en embrassant sa mère, une accolade polie plutôt qu'une franche étreinte.

— Bonjour, ma chérie. Vous êtes les premiers. Entrez donc. Je vais vous chercher à boire. Qu'est-ce qui vous ferait plaisir ? ajoute-t-elle en disparaissant déjà dans la salle à manger à droite du vestibule. Champagne ?

Sheila sert toujours des bulles les jours de fête.

— Volontiers, oui, fait Catherine pendant que son mari et elle ôtent leurs vestes avant de les suspendre à la patère.

Ils n'ont jamais enlevé leurs chaussures dans la maison.

— Ted ?

— Oui, oui, pareil, répond celui-ci en souriant.

Il commence toujours du bon pied, songe Catherine. *Ce n'est qu'au bout*

31

d'un moment qu'il finit par céder sous la pression.

Sheila verse le champagne et, flûtes à la main, tous trois quittent le vaste hall d'entrée pour se rendre dans le salon et s'asseoir sur les sofas moelleux. Le soleil printanier se répand par les grandes baies vitrées. La vue sur la pelouse est somptueuse, se dit Catherine, comme à chaque fois. Et les plates-bandes ont commencé à se recouvrir de jonquilles et de tulipes. Mais elle pourrait rendre le jardin encore plus joli, si c'était le sien.

— Où est papa ? demande-t-elle.

— À l'étage, il sera là dans une minute, répond sa mère avec un sourire tendu, baissant la voix et posant sa flûte sur la table basse. En fait, il y a quelque chose d'important dont je voudrais vous parler, avant que ton père ne descende.

— Ah bon ? fait Catherine, surprise.

L'ombre – ou le malaise, peut-être – qui passe sur le visage de sa mère met aussitôt Catherine sur ses gardes. Mais quelqu'un sonne à la porte avant que Sheila puisse continuer. Ce ne peut être que Dan. Jenna est toujours en retard.

Comme si elle lisait dans ses pensées, sa mère tourne la tête vers la porte d'entrée et dit :

— Ça doit être Dan.

Elle se lève tandis que Catherine se tourne vers son mari, les sourcils froncés.

— Je me demande bien de quoi elle veut nous parler, chuchote-t-elle.

Ted hausse les épaules et boit une gorgée de champagne, puis Dan et Lisa les rejoignent au salon – une accolade rapide pour les femmes, un simple signe de tête pour les hommes – et prennent place sur le canapé d'en face pendant que Sheila va chercher deux autres flûtes. Dan a l'air encore plus tendu que d'habitude – Catherine sait qu'il sort d'une mauvaise passe. Elle se demande si leur mère va les mettre dans la confidence, lui et sa femme, mais quand Sheila réapparaît, celle-ci enchaîne les banalités comme elle sait si bien le faire. Catherine suit son exemple.

Quelques minutes plus tard, la sonnette retentit de nouveau, trois brefs coups annonçant Jenna. Leur père n'est toujours pas descendu et Catherine commence à s'inquiéter.

Du salon, les convives entendent Sheila accueillir Jenna à la porte et s'enquérir d'une voix empruntée : « Et qui avons-nous là ? »

Super, pense Catherine, amère. Jenna a amené quelqu'un. Bien sûr qu'elle a amené quelqu'un, elle le fait presque toujours. La dernière fois, c'était une « copine », et Catherine avait passé la soirée à se demander si les deux étaient juste amies ou si elles couchaient ensemble, d'autant que celles-ci prenaient un plaisir manifeste à se montrer particulièrement tactiles, mettant tout le monde très mal à l'aise. Personne n'avait eu le fin mot de l'histoire.

Catherine fait une grimace à l'intention de Ted et dresse l'oreille.

— Jake Brenner, répond une voix d'homme, grave et assurée.

— Bienvenue chez nous, dit Sheila, à la fois glaciale et excessivement polie.

Puis le pas lourd de leur père retentit enfin dans l'escalier. Catherine se lève d'un bond après avoir avalé une grande gorgée de champagne et fait un geste du menton à Ted pour qu'il l'imite. À contre-cœur, son mari s'exécute et le couple se dirige d'un même pas vers le hall.

À Catherine reviennent les premiers honneurs : elle s'avance en bas des marches pour pouvoir enlacer son père dès qu'il pose le pied sur le sol de l'entrée.

— Bonjour, papa. Joyeuses Pâques.

Son père serre brièvement son aînée dans ses bras, puis tend la main à Ted pour lui offrir une poignée ferme. Rien de chaleureux, juste une salutation d'usage. Dan et Lisa étant restés dans le salon, l'attention se porte vite sur le couple planté devant la porte.

Tiens, remarque Catherine, *Jenna a une nouvelle mèche violette*. Mais malgré sa nouvelle coiffure et le grossier trait d'eye-liner noir entourant ses yeux, sa petite sœur est d'une beauté saisissante. Grande et mince dans son immuable jean noir moulant, ses bottes à talons et son perfecto, elle a l'air tout droit sortie de la scène indé new-yorkaise et Catherine sent une pointe d'irritation familière – à moins que ce ne soit de la jalousie. Ce genre d'accoutrement ne pourrait jamais lui aller, à elle. Puis elle se rappelle qu'elle n'a aucune envie de ressembler à sa sœur. Catherine a son propre look – distingué, classique. Il reflète ce qu'elle est et lui convient parfaitement.

Jenna sculpte, et plutôt bien d'ailleurs. Mais elle n'est pas assez disciplinée pour percer. Elle a toujours été dilettante, une dilettante certes douée mais qui cherche n'importe quelle excuse pour aller faire la fête à New York. Ses parents redoutent que ce petit monde artistique ne finisse par la détruire. Aucune des œuvres de Jenna n'est exposée ici – ils les trouvent trop obscènes. Catherine plaint la position délicate de ses parents : ils auraient voulu pouvoir exhiber le talent de leur fille, mais ils ont trop honte de ses créations.

Aussi élancé qu'elle, Jake coche toutes les cases du type de Jenna : ténébreux, mal rasé et sexy en jean, tee-shirt et veste en cuir marron élimée. Même de là où elle se trouve, Catherine peut sentir l'odeur d'herbe qui flotte autour du couple.

— Salut, papa, fait Jenna avec désinvolture à l'intention de ce dernier qui la regarde d'un air réprobateur. Jake, je te présente mon père.

Celui-ci se contente d'un bref hochement de tête, sans tendre la main ni faire un seul pas en direction de son hôte. *Tu ne sais pas où tu as mis les pieds, jeune homme*, songe Catherine.

— Suivez-moi, il y a du champagne, lance Sheila en se dirigeant vers la salle à manger.

Fred Merton jette un coup d'œil à Catherine, comme pour dire : « Mais qui est ce type et que fait-il chez moi ? » Puis il part saluer Dan et Lisa.

Peu de temps après, pendant que toutes les femmes s'affairent dans la cuisine, rejointes par Irena, l'ancienne nounou devenue femme de ménage, invitée également à dîner – et à nettoyer après, bien sûr –, les hommes discutent au salon.

Dan, quant à lui, sirote son champagne en feignant d'admirer le jardin derrière la baie vitrée tandis que Ted s'amuse à faire la conversation au nouveau venu, Jake. Debout à côté de Dan, silencieux, Fred n'en perd pas une miette.

Ainsi viennent-ils d'apprendre que Jake est un « artiste visuel » et qu'il fait divers petits boulots, lesquels l'empêchent de créer autant qu'il le souhaiterait. Dan n'arrive pas à déterminer si le type est sérieux ou si c'est un imposteur. Connaissant sa sœur, il pourrait tout aussi bien s'agir du prochain Jackson Pollock comme d'un loser croisé la veille au soir dans une beuverie.

— Papa, j'espérais que nous pourrions parler après le dîner, dans ton bureau, glisse Dan à mi-voix dans l'oreille de son père.

Leurs regards se croisent, mais Dan détourne les yeux. Il a toujours été intimidé par son père. En tant que seul garçon de la famille, la pression était immense : il était censé reprendre le flambeau familial, se retrouver à la tête de l'entreprise.

Et il a fait de son mieux pour relever le défi. Or son père, qui a fait fortune dans la robotique, vient de revendre l'entreprise. Une décision soudaine qui a privé Dan de tout espoir de lui succéder un jour. Il a fait ce qu'on lui demandait, pourtant. Occupé depuis le lycée diverses fonctions dans l'entreprise. Obtenu son MBA. Bossé comme un dingue. Mais son père, buté et dominateur au possible, n'aimait pas sa façon de travailler et lui faisait sans cesse miroiter des choses pour ensuite les lui retirer. La vente de Merton Robotics a anéanti Dan. Non seulement celle-ci l'a mis sur la paille, elle l'a aussi plongé dans la dépression, lui a sapé toute confiance en lui. Il ne sait toujours pas ce qu'il va faire. C'était il y a six mois et depuis, il n'a cessé de s'enfoncer dans les difficultés financières. Sa recherche d'emploi n'a encore rien donné et il commence à désespérer.

Il n'en a jamais autant voulu à son père qu'à cet instant précis. C'est à cause de lui qu'il est dans le pétrin. Il ne le mérite pas, pourtant. Parfois, Dan en vient à se demander si son père n'avait pas l'intention de vendre l'entreprise depuis le début.

— Je suis un homme d'affaires avant tout, avait-il dit à Dan le jour où il lui avait annoncé la nouvelle. Et pas n'importe lequel. On m'a fait une offre que je ne pouvais pas refuser.

Avait-il seulement pensé à ce que cela signifiait pour son fils ?

— De quoi est-ce que tu veux me parler ? demande-t-il à présent, plus fort que nécessaire.

Dan sent la chaleur irradier depuis sa nuque. Loupé pour la discrétion : Ted et Jake se sont tus. Son père a toujours saisi la moindre occasion pour l'humilier. C'est presque un sport pour lui.

— Laisse tomber.

Il ne parlera pas à son père. Il n'en a plus la force.

— Non, non, dit son père. Il faut toujours finir ce qu'on a commencé. De quoi voulais-tu me parler ?

Puis, devant son fils mutique, Fred ajoute, brutal :

— Laisse-moi deviner. Tu as besoin d'argent.

Un sentiment de rage impuissante envahit Dan. Il a envie de frapper son père. Il ne sait pas ce qui l'en empêche, mais il finit toujours par renoncer.

— Eh bien, tu peux oublier, lâche cruellement son père.

À cet instant, Sheila les appelle :

— Le dîner est servi ! À table, s'il vous plaît !

Dan passe devant Fred, les joues en feu, et file vers la salle à manger. Il a perdu tout appétit.

4

Tandis que Sheila apporte la dinde rôtie sur un plat d'argent et la place précautionneusement à la droite de Fred, Irena abat le gros du travail, convoyant avec une efficacité silencieuse légumes, pommes de terre, salade et sauces en tout genre. En regardant sa patronne manipuler la volaille, la femme de ménage se demande combien de temps encore cette dernière pourra porter un plat aussi lourd. Sheila ne rajeunit pas. Et si elle se tordait la cheville sur ses hauts talons et s'écroulait avec la dinde sur le tapis ?

C'est toujours Fred qui s'occupe du découpage – une tâche qu'il prend très au sérieux, sa mission en tant qu'homme de la maison. Aujourd'hui encore, le voilà debout devant les autres convives, à palabrer tout en maniant le couteau, s'arrêtant pour enrichir de détails une anecdote, se fichant comme d'une guigne de laisser la viande refroidir.

Fred et Sheila siègent chacun à un bout de table. Catherine, Ted et Lisa ont été placés à la droite de Fred ; Jenna, Jake et Dan, à sa gauche. Irena est la plus proche de la cuisine, coincée entre Dan et Sheila.

« C'est trop compliqué de rajouter une rallonge », a argué celle-ci un peu plus tôt, même si tout le monde sait qu'Irena s'en serait chargée de toute façon. Si Audrey, la sœur de Fred, était venue, cela n'aurait posé aucun problème, évidemment. Mais Audrey n'est pas là, elle a attrapé la grippe.

Pendant que Fred opère, Irena observe les invités à la dérobée. Facile de passer inaperçue quand on est employée dans une maison depuis si longtemps qu'on a changé la couche de tous les enfants. Eux ne font pas attention à elle, mais elle les connaît par cœur. Sheila essaie de dissimuler un tremblement ; quelque chose la tracasse. Irena a remarqué les nouveaux anxiolytiques dans l'armoire à pharmacie de la salle de bains. Rares sont les secrets – de ce genre, du moins – qui résistent aux femmes de ménage. Ce qu'Irena ignore, en revanche, c'est pourquoi Sheila a commencé à en prendre. Elle tourne son attention vers Dan, qui a le teint rougi et le visage fermé, comme s'il avait encore subi une brimade – il est le seul à ne pas regarder le patriarche découper la dinde. Puis elle passe à Jenna, qui a apporté son nouveau jouet : un homme, cette fois. Et finalement à Catherine, qui se délecte de la porcelaine, du cristal et de l'argenterie, manifestement ravie d'être là – contrairement au reste des convives. Son mari, Ted, se tient à carreau, mais Irena peut lire sur son visage l'effort que cela lui coûte.

Devant ce tableau, Irena sent son cœur se pincer. Elle les aime tous, ces trois enfants, et se fait du souci pour eux, même s'ils ont grandi et quitté la maison depuis longtemps. Dan l'inquiète tout particulièrement. Mais il n'a plus besoin d'elle, à présent. Ni lui ni ses sœurs.

Le repas est finalement servi : viande, farce et sauce, pommes de terre sautées, jambon, petits pains beurrés, salades et assaisonnements variés. Comme dans n'importe quelle famille, les discussions vont bon train. Fred est intarissable au sujet du nouveau yacht d'un ami. Irena remarque qu'il boit beaucoup – le meilleur chardonnay de la cave –, et vite. Ce n'est jamais bon signe.

Repue, Jenna pose son couteau et sa fourchette en travers de son assiette cerclée d'or et parcourt la tablée du regard. Dan n'a pas pipé mot. Assise en face de lui, sa femme Lisa le surveille d'un œil préoccupé. Vu la tension familière qui flotte dans l'air, Jenna devine que Dan et leur père se sont encore pris la tête. D'ailleurs, leur mère bavarde encore plus joyeusement que d'habitude, signe indéniable que quelque chose cloche. Sous la nappe, elle sent la main droite de Jake remonter le long de sa cuisse. Seule Catherine semble tout à fait égale à elle-même – une vraie princesse bardée de perles, trônant à côté de son mari à la beauté si conventionnelle. Leur père, enfin, qui enchaîne les verres de vin avec l'air d'avoir une idée derrière la tête. Elle connaît ce regard.

De fait, quelques instants plus tard, Fred fait tinter sa fourchette sur le bord de son verre pour attirer l'attention de ses invités. Il aime faire des annonces. Doté d'un ego monstrueux, il est le genre d'homme qui lâche des bombes pour le seul plaisir d'étudier les réactions de chacun. C'est ainsi qu'il a dirigé son entreprise, et c'est ainsi qu'il dirige sa famille. Maintenant, huit paires d'yeux circonspects se tournent vers lui. Même Dan. Jenna sait que son frère en a déjà bavé, sans doute suffisamment pour ne plus rien avoir à craindre. Et si c'était son tour à elle, désormais ? Ou celui de Catherine ?

Elle se raidit.

— Il y a quelque chose qu'il faut que vous sachiez, commence Fred, balayant la tablée du regard.

Jenna lance un coup d'œil à Catherine, qui semble penser la même chose qu'elle : *c'est soit toi, soit moi.* Pendant ce temps, le chef de famille fait durer le suspense, savourant le malaise qui s'épaissit.

— Votre mère et moi avons décidé de vendre la maison, lâche-t-il enfin.

Catherine, donc. Son aînée a l'air d'avoir reçu un coup de poing dans le ventre. Manifestement, elle ne s'attendait pas à cela. Son teint est pâle et on dirait que son visage s'est affaissé. Tout le monde sait que Catherine comptait sur cette maison. Eh bien, elle va devoir revoir ses plans.

Jenna cherche à capter l'attention de sa mère, mais cette dernière baisse volontairement les yeux. Voilà pourquoi elle avait autant jacassé pendant tout le dîner, se dit Jenna. Soudain, Jenna est envahie par la rage. Pourquoi diable faut-il que son père soit si sadique ? Et pourquoi sa mère le laisse-t-elle faire ?

— La vendre ? demande Catherine en essayant – en vain – de ne rien laisser paraître de son désarroi. Je croyais que tu aimais cette maison.

— Elle est trop grande pour nous deux, répond Fred. Nous voulons acheter quelque chose de plus petit, qui nous demanderait moins d'entretien.

— Comment ça, moins d'entretien ? riposte Catherine, sans parvenir cette fois à étouffer sa colère. Ce n'est pas vous qui vous en occupez. Vous avez une entreprise de jardinage, une souscription à un service de déneigement, Irena fait tout le ménage. De quel entretien est-ce que tu parles ?

— Quoi, tu la voulais pour toi ? siffle leur père, comme s'il venait juste de comprendre sa détresse.

— C'est juste que… nous avons grandi dans cette maison, bafouille Catherine, son visage à la peau diaphane rosissant à vue d'œil.

— Je ne t'aurais jamais crue aussi sentimentale, Catherine, lâche-t-il en remplissant son verre avec désinvolture.

— Et Irena ? lance Catherine, maintenant rouge de colère, son regard passant de son ancienne nourrice à son père.

— Quoi, Irena ? demande ce dernier, s'exprimant comme si l'intéressée ne se trouvait pas dans la même pièce.

— Vous allez la renvoyer, comme ça ?

— Je suppose qu'on la gardera en réduisant ses heures, dit Fred en posant son verre sur la table. Mais, Catherine, elle ne vient déjà plus que deux jours par semaine. Ça ne va pas la tuer.

— Elle fait partie de la famille !

Jenna jette un coup d'œil à Irena, qui se tient parfaitement immobile face à leur père, mais dont le regard s'est durci. Catherine a raison, pense Jenna, ils lui sont redevables. Elle les a pour ainsi dire élevés.

— Je suis désolé de décevoir vos attentes, dit leur père, l'air tout sauf désolé, mais notre décision est prise.

— Je n'avais aucune attente, réplique Catherine d'un ton acerbe.

— Tant mieux. Car laissez-moi vous dire quelque chose à propos des attentes : il vaut mieux ne pas en avoir. Vous vous en mordrez les doigts. De la même façon, je n'aurais pas dû m'attendre à ce que Dan reprenne un jour l'entreprise familiale et j'ai été contraint de la vendre plutôt que de le voir détruire tout ce que j'avais bâti.

Lisa sursaute. Dan fixe son père, le visage livide, les lèvres crispées. Leur mère secoue la tête presque imperceptiblement, comme pour dissuader son mari de s'aventurer sur ce terrain. Mais il l'ignore, comme toujours. Elle est trop faible, songe Jenna, elle l'a toujours été. Ils l'ont tous détestée pour ça à un moment ou à un autre. Parce qu'elle ne les avait pas défendus, parce qu'elle ne les avait pas protégés. Aujourd'hui encore, leur mère pourrait tout aussi bien ne pas être là. Leur père a pris sa décision tout seul, quoi qu'il en dise. Jenna sent le regard gêné de Jake à côté d'elle. Sa main s'est détachée de sa cuisse.

Pourtant, les réjouissances ne font que commencer. Le *pater familias* en a encore sous le coude.

Joyeuses Pâques à tous, se dit-elle. *Vous ne risquez pas de l'oublier, ce dîner-là.*

— Et Jenna ici présente, continue-t-il en se tournant vers sa cadette.

Elle attend le coup de semonce. Ce n'est pas la première fois qu'elle est la cible de son ire. Mais elle ne se laissera pas faire, pas cette fois. Il n'est qu'une brute. Une brute méprisable. Et tout le monde le sait.

— Nous avions également placé de grands espoirs en toi, poursuit-il en se penchant par-dessus la table, son regard braqué sur elle. Tout ce supposé talent, quel gâchis. Combien d'années encore est-ce que tu crois que je vais t'entretenir ?

— L'art demande du temps, dégaine-t-elle.

— Tu es une telle déception.

Ça fait mal, mais elle ne mord pas à l'hameçon.

— Nous aussi, nous avions des attentes, en tant que parents. Ça va dans les deux sens. Nous attendions bien plus de vous, que vous nous rendiez fiers.

— Tu devrais l'être, pourtant, aboie Catherine. Tu as plein de raisons d'être fier, mais tu ne les vois pas, c'est tout. Tu n'en as jamais été capable.

— C'est vrai, fait-il avec une certaine condescendance, que nous sommes fiers de toi, Catherine. Toi au moins, tu es médecin. Mais où sont mes petits-enfants ?

Un silence de sidération s'abat sur la salle à manger.

— J'y crois pas, lâche Ted à la surprise générale, tout en repoussant sa chaise. Viens, Catherine, on part.

Il saisit le coude de sa femme, qui s'est levée elle aussi, et l'escorte hors de la salle à manger tandis qu'elle garde les yeux baissés pour ne croiser aucun regard.

— C'est ça, sauvez-vous. Une réaction d'une grande maturité, ironise Fred alors qu'ils sont déjà loin.

Sheila se précipite à leur suite tandis que les autres restent assis, encore sous le choc. Mais quelques instants plus tard, Dan jette sa serviette comme un gant et quitte la table à son tour, Lisa sur les talons.

— Nous partons aussi, lance Jenna en se levant, docilement imitée par Jake.

Personne ne goûtera au dessert. Depuis le hall, Jenna jette un coup d'œil par-dessus son épaule. Seul son père demeure dans la salle à manger, en bout de table, vidant cul sec son verre de vin. Elle le méprise plus que tout.

— Non, c'est bon, maman, pas de tarte, s'impatiente Catherine tandis que sa mère profite du moment où ils enfilent leurs manteaux pour les convaincre d'en emporter une part.

— Merci pour le dîner, Sheila, dit Ted avant de sortir d'un pas vif.

Puis c'est au tour de Dan d'embrasser précipitamment sa mère sur la joue, et de Lisa. La porte claque derrière eux. À ce moment précis, Irena déboule sans prévenir de la cuisine, attrape son manteau et s'en va sans un mot. Sheila la regarde faire, bouche bée.

Ne restent plus que Jenna et Jake. Finalement, Jenna se retourne pour affronter son père. Elle a changé d'avis.

5

Tant bien que mal, Catherine parvient à remonter l'allée pour rejoindre la voiture sans s'effondrer, mais les larmes affluent dès qu'elle boucle sa ceinture sur le siège passager.

Ted se tourne vers elle et l'enlace. Elle presse son visage contre la large poitrine de son époux et reste ainsi, en silence, plusieurs minutes. « Où sont mes petits-enfants ? » Cette remarque l'a piquée au vif. Deux ans ! Cela fait deux ans qu'ils essaient d'avoir un enfant... Son père ne le sait pas, bien sûr, mais comment peut-il ne pas s'en douter ? Il est si cruel, et si doué pour débusquer les faiblesses des autres, leur talon d'Achille. Et la maison... Comment ose-t-il ? Comment ose-t-il la vendre ? Elle ne croit pas une seconde à cette histoire d'entretien : il la vend afin qu'elle ne puisse pas en hériter, c'est tout. Exactement comme l'entreprise, qu'il a vendue pour couper l'herbe sous le pied de Dan.

Elle s'écarte de Ted, qui attache sa propre ceinture et démarre la voiture. Après un demi-tour brutal, il s'engouffre à nouveau dans l'allée, qu'il dévale à toute vitesse, faisant vrombir le moteur. Pour une fois, elle est aussi impatiente que son mari de rentrer.

— Tu as raison, je ne sais pas comment je fais pour supporter ça, fait-elle après avoir pris une grande inspiration. Même si c'était bien pire que d'habitude.

— Ton père est un sale con. Il l'a toujours été.

— Je sais.

— Et ta mère… pour l'amour de Dieu, c'est quoi son problème ? Elle n'a vraiment aucun cran ?

La question est rhétorique ; ils en connaissent tous les deux la réponse.

— Je suis désolé pour la maison, dit-il, une fois qu'il s'est calmé et que la voiture a retrouvé une allure normale. Je sais à quel point tu la voulais.

Désespérée, Catherine regarde la route à travers le pare-brise. Elle n'arrive pas à croire que tout ça ne sera jamais à elle…

— C'est ce qu'elle voulait te dire, tu penses ? demande Ted.

— Quoi ?

— Quand on est arrivés, tu sais, ta mère a dit qu'elle voulait te parler de quelque chose.

— Va savoir.

— Comment ça ? On se croirait dans un épisode de *Dallas*. Qu'est-ce qu'il pourrait y avoir d'autre ?

— Peut-être qu'elle est malade, lâche Catherine. C'est peut-être pour ça qu'ils vendent la maison.

Lisa a si peur de la réponse qu'elle aurait préféré ne même pas poser la question. Mais sur le chemin du retour, elle n'a plus le choix. Elle rassemble son courage.

— Tu as eu l'occasion de parler à ton père avant que… ? demande-t-elle.

— Non, répond Dan sèchement.

Puis il tourne la tête vers elle et adoucit le ton.

— J'ai essayé, mais il n'était pas d'humeur. Si j'avais su ce qui nous attendait, je n'aurais pas pris cette peine.

— C'est une vraie merde, fait Lisa, amère, en regardant défiler le paysage, consciente que son mari pense la même chose.

Bien qu'elle soit sincèrement désolée pour Catherine – personne ne mérite d'être traité de la sorte –, elle ne peut nier qu'une petite partie d'elle s'est réjouie de voir Fred Merton changer enfin de tête de Turc. Quelque part, ça l'a rassurée. C'était comme si cela atténuait un peu la responsabilité de Dan dans la revente de l'entreprise familiale. Dernièrement, sa foi en son mari, sans emploi ni projet, a été mise à mal. Elle aurait voulu lui faire confiance, pourtant. Mais elle ne peut pas oublier qu'il a commis une erreur, mal placé ses investissements, fait preuve d'imprudence. Dan est-il un bon homme d'affaires ou pas ? Elle ne sait plus quoi penser.

Quand elle l'a épousé quatre ans plus tôt, il occupait un poste en vue au sein de l'entreprise familiale, avec salaire généreux, primes enviables et avenir tout tracé. Il n'y était certes déjà pas heureux – son père lui rendait la vie impossible au bureau –, mais Fred était censé prendre sa retraite et laisser Dan aux commandes. Le monde leur appartenait. Lorsque Fred a vendu l'entreprise, ça a été comme… Ça a été comme une mort. Et Dan n'a toujours pas fait son deuil. Elle essaie de le réconforter et le soutenir, mais il a toujours eu un terrain dépressif et la situation s'est empirée avec la revente. Il y a des jours où elle peine à reconnaître l'homme qui lui a passé la bague au doigt.

— C'était un coup bas, l'histoire des petits-enfants.

— Oui, admet Dan.

— Tu crois qu'il sait qu'ils ont des problèmes ?

— J'en doute. Elle ne lui en a jamais parlé. À maman, peut-être, mais elle lui aura fait jurer de garder le secret.

— Catherine m'en a parlé en toute confidence. Elle m'a aussi dit qu'elle n'avait pas l'intention d'en parler à votre mère, mais je me demande si elle ne l'a pas fait au final.

Dan jette un coup d'œil à son épouse.

— Elle te l'a dit parce que tu as une grande capacité d'écoute. Et que tu es quelqu'un de bien. Contrairement à eux. Il a sûrement visé juste sans le savoir.

Lisa garde le silence un moment.

— Elle voulait la maison, n'est-ce pas ?

— Elle a toujours voulu la maison, confirme Dan. Personnellement, je m'en fiche. L'endroit peut être réduit en cendres pour ce que ça me fait.

Puis il ajoute, le ton soudain grave :

— Ce n'est pas comme si nous y avions beaucoup de bons souvenirs.

— Tout va bien ? demande Lisa en scrutant son mari, les sourcils froncés, tandis qu'une voiture les double par la droite.

— Oui, oui, ça va, fait Dan, raide derrière son volant.

— D'accord.

Mais Lisa n'est pas rassurée. Que vont-ils faire ? Ils comptaient sur Fred pour leur prêter de l'argent jusqu'à ce que Dan se remette à flot. Mais ce n'est visiblement plus d'actualité.

6

Arrivés chez eux, Dan et Lisa discutent un moment, puis Lisa se retire au petit salon pour lire. Dan, quant à lui, est incapable de rester en place, de se concentrer sur quoi que ce soit. À vrai dire, ces derniers temps, il n'a pas réussi à se concentrer sur grand-chose, à part sur ses problèmes. Il y pense sans cesse, de façon obsessionnelle et parfaitement infructueuse. Après ce qui s'est passé chez ses parents, il est pris d'une envie irrépressible d'accomplir un geste radical, voire irrévocable – n'importe quoi pourvu qu'il trouve une issue.

Ces pensées-là, Dan les garde pour lui.

Il se sert un whisky dans le grand salon sans prendre la peine d'allumer les lumières et fait les cent pas, l'obscurité s'épaississant peu à peu autour de lui.

Il n'arrive pas à envisager un nouveau départ. Comment le pourrait-il ? Il n'a toujours pas surmonté le choc de la revente. Ni de ce qui a suivi. Au début, il avait en effet espéré que les nouveaux propriétaires le garderaient en poste, au moins pour un an ou deux. Il avait même brièvement nourri l'ambition de gravir les échelons de l'ancienne entreprise de son père et de la mener vers de nouveaux sommets. Or, on lui a froidement annoncé qu'on n'avait pas besoin de lui. Ce fut le deuxième coup dur. « Tu t'attendais à quoi ? » avait ricané son père.

Lisa avait essayé de ne rien laisser transparaître – elle a toujours été son roc –, mais elle non plus n'avait pas bien pris la nouvelle.

S'il ne trouve pas rapidement un job très bien rémunéré, ils seront dans la panade. Il a un MBA, une solide expérience. Ce qu'il lui faut, c'est un poste de direction, mais ça ne se trouve pas sous le sabot d'un cheval. Il ne va tout de même pas aller bosser dans une station-service !

L'automne dernier, Dan a commis une erreur. Faisant fi des objections de son conseiller financier, il a retiré une grosse somme de leur portefeuille d'actions pour la placer sur un crédit hypothécaire qui garantissait un taux de rendement beaucoup plus élevé. Sauf que l'entreprise a été vendue et qu'il a perdu son emploi. Et, à la différence de ses précédents investissements qui offraient une certaine flexibilité en matière de retraits, il ne peut pas retirer de fonds avant la fin de l'hypothèque. Ne restait que son père, qui vient encore de lui planter un couteau dans le dos – pas foutu de lui accorder un prêt, même à court terme.

Une seule chose le fait tenir et lui donne de l'espoir pour l'avenir : son héritage. Mais dans combien de temps le touchera-t-il ? C'est maintenant qu'il a besoin d'argent. Ses parents sont assis sur une fortune. D'après leur testament, le capital sera équitablement réparti entre les trois enfants. Du moins est-ce ce qu'ils leur ont laissés croire, même si Catherine a toujours eu leur préférence. Dan, lui, c'est le vilain petit canard : ils ont beau pousser les hauts cris dès qu'il est question de Jenna, il sait que sa petite sœur vient en deuxième position dans l'estime de leurs parents. Leur fille belle et talentueuse, malgré son comportement souvent épouvantable.

Si son père était un père normal et pas la pire des enflures, Dan pourrait lui demander une avance sur héritage. Un vrai père accepterait. Un vrai père donnerait à son fils la possibilité de lancer son propre business. Mais ce salaud l'a ruiné et pire, il a pris son pied.

Dan s'affale dans un fauteuil et reste assis dans le noir pendant un long moment, ruminant cette situation merdique. Puis il finit par se relever.

— Je vais faire un tour, lance-t-il à Lisa en passant une tête dans le petit salon.

Il roule souvent la nuit. Ça le détend. Certains courent, lui conduit.

— Pourquoi tu ne vas pas plutôt te promener ? suggère-t-elle en posant son livre. Je peux t'accompagner.

— Non, fait-il en secouant la tête. Continue ta lecture et ne m'attends pas. J'ai juste besoin de me changer les idées.

Une fois dans la voiture, il met le contact et éteint son téléphone.

Lisa écoute la porte d'entrée se refermer, puis tente de se replonger dans son roman. En vain. Elle aimerait que Dan arrête de prendre la voiture le soir, surtout après avoir bu. Pourquoi cette manie ? Pourquoi préfère-t-il rouler pendant des heures plutôt que passer du temps avec elle ? Si seulement il pouvait trouver une autre façon de gérer son stress. Marcher ou courir, par exemple. Dire qu'ils ont un vélo d'appartement flambant neuf au sous-sol.

Mais elle comprend son anxiété – et pour cause : elle la partage. Si Fred ne leur donne pas rapidement un coup de pouce, les vrais ennuis vont commencer. Ils n'en seraient évidemment pas là si Dan avait trouvé un autre emploi. Elle-même pourrait travailler – elle a été à la fac, elle n'aurait aucun mal à décrocher quelque chose –, mais quand elle lui a soumis l'idée, elle a bien vu que son mari s'était senti blessé. Il n'aimait pas l'image d'eux que cela renverrait. Dan a sa fierté, même si ça ne les aide pas beaucoup en l'occurrence…

Une fois que Lisa commence à s'inquiéter, c'est la spirale infernale. Elle ne sait rien de sa recherche d'emploi, n'obtient que des réponses évasives à ses questions. Tout juste a-t-elle appris qu'il avait rejoint une agence de chasseurs de têtes et qu'ils lui avaient dégoté quelques rendez-vous. Depuis, plus grand-chose. Il a passé des semaines à peaufiner son CV dans son bureau, mais elle peut compter sur les doigts d'une main le nombre de fois où il a enfilé un costume pour un entretien. Il s'agissait en outre d'entretiens « préliminaires », destinés à évaluer la compatibilité entre employeur et futur employé. Elle ignore s'il y a eu des suites. Pourquoi ne reçoit-il pas plus d'appels du chasseur de têtes ? Les démarches sont-elles aussi lentes qu'il le prétend ?

Elle écarte le plaid douillet, se lève, et monte l'escalier qui mène à l'étage. Elle n'a encore jamais osé pénétrer dans le bureau de son mari en son absence. Fouiner dans ses affaires. Elle franchit une limite, certes, mais c'est plus fort qu'elle. Par mesure de précaution, au cas où Dan rentrerait à l'improviste, elle allume la lampe de bureau plutôt que le plafonnier.

L'ordinateur portable de son mari trône sur la table de travail. Mais elle sèche sur le mot de passe, alors elle abandonne rapidement l'idée. Ses yeux se posent sur son semainier : elle regarde la date du jour. Dimanche 21 avril. Rien sur les pages de la semaine écoulée. Rien non plus sur celles de la semaine à venir. Elle continue à parcourir l'agenda. Aucun rendez-vous à part le dentiste, dans trois semaines. Elle remonte dans l'autre sens. Pas un rendez-vous, sinon chez le médecin. Elle est pourtant convaincue que son mari a eu des entretiens, le mois dernier. Au moins deux. Elle le revoit encore quitter la maison dans son élégant costume gris acier. Et cet autre jour, en costume bleu marine – les deux souvenirs remontent au mois de mars. Et pourtant, l'agenda ne fait figurer aucun rendez-vous à ces dates-là. Peut-être ne note-t-il pas les entretiens dans son semainier ? Peut-être enregistre-t-il tout sur son téléphone ? Mais le rendez-vous chez le dentiste est reporté dans l'agenda. Ainsi que celui chez le médecin. Elle passe en revue les mois précédents, ne trouve mention que de deux autres rendez-vous, avec le chasseur de têtes.

Elle fixe ces pages vierges, désespérément vierges, et son cœur se serre. Lui a-t-il menti ? A-t-il passé son costume, noué sa cravate et attrapé son luxueux attaché-case dans le seul but d'aller s'asseoir quelques heures seul dans un café ?

De retour du fiasco de Pâques, Catherine et Ted se mettent devant une série Netflix pour se changer les idées. Mais quand Ted demande à sa femme si elle a envie de poursuivre à la fin du premier épisode, celle-ci décline. Elle semble toutefois trop préoccupée pour aller se coucher.

— Je nous sers un verre ?

— Non, merci, fait-elle en secouant tristement la tête. Mais vas-y, toi.

— Pas si tu ne m'accompagnes pas.

— Je me demande si maman ne voulait pas me parler d'autre chose.

Ted entend la détresse percer dans la voix de sa femme. *Quelles fêtes pourries,* se dit-il.

— Pourquoi tu n'irais pas la voir demain ? demande-t-il, patient. C'est férié. Tu en auras le cœur net. Inutile de te triturer davantage les méninges ce soir.

Il dit ça pour la forme : il connaît sa femme. Elle n'est pas du genre à lâcher le morceau quand elle a quelque chose en tête. Comme avec la grossesse. Mais il a entendu dire que c'était le cas de beaucoup de femmes dans la même situation. Ça devient une véritable obsession, avec un compte à rebours en prime.

Ted repense aux derniers mois qu'ils viennent de passer. Le suivi du cycle – courir à la clinique à l'aube, avant la journée de travail. Les prises de sang, le contrôle des follicules ovariens. Son rôle à lui a demandé moins d'effort, juste de fournir un échantillon de sperme pour les tests – ce qui n'en reste pas moins embarrassant. Les trois premiers mois, ils ont fait la chose « à l'ancienne » : à la maison, au lit. Mais le mois dernier, ils sont passés à la vitesse supérieure. Pour la première fois, ils ont tenté l'insémination artificielle. À part donner un nouvel échantillon de sperme, Ted n'a pas eu grand-chose d'autre à faire. Mais il espère que l'intervention portera ses fruits et qu'ils pourront enfin mettre un terme à toutes ces pratiques intrusives. Il en va aussi de leur vie sexuelle.

— Je crois que je vais l'appeler, lâche Catherine, interrompant ses élucubrations.

— Il est tard, Catherine. Il est 23 heures.

— Je sais, mais elle ne dormira pas. Elle bouquine toujours le soir.

Ted regarde sa femme composer le numéro. Avec un peu de chance, le coup de fil sera bref.

— Elle ne répond pas sur son portable, fait Catherine en se tournant vers lui, inquiète.

— Ils sont peut-être allés se coucher et elle l'a laissé en bas. Essaie la ligne fixe.

— Non, répond Catherine en secouant la tête. Je ne veux pas risquer de tomber sur mon père.

Puis elle semble se plonger dans une nouvelle réflexion.

— Je devrais peut-être y aller.

— Catherine, chérie, proteste-t-il. C'est complètement inutile. Elle a probablement juste laissé traîner son téléphone quelque part. Tu sais comment elle est.

Mais Catherine a l'air de plus en plus soucieuse.

— Elle voulait probablement te parler de la maison, insiste Ted. Ça peut attendre demain.

— Je crois que je vais y faire un saut.

— Tu es sérieuse ?

— Je ne serai pas longue, promet-elle. Je veux juste parler à maman. Autrement, je n'arriverai jamais à fermer l'œil.

Ted soupire.

— Tu veux que je vienne avec toi ?

— Non, fait-elle après l'avoir embrassé. Pourquoi tu n'irais pas plutôt te coucher ? Tu as l'air crevé.

Ted regarde sa femme partir, attend que la voiture ait disparu dans la rue pour monter à l'étage. En passant devant le guéridon en bas de l'escalier, il s'aperçoit qu'elle y a laissé son téléphone.

7

11 heures du matin, le mardi qui suit le week-end de Pâques. Debout dans l'allée, l'inspecteur Reyes de la police d'Aylesford observe le manoir qui se dresse devant lui. À ses côtés, l'inspectrice Barr, sa partenaire, suit son regard et dit tout haut ce qu'il pense tout bas :

— Parfois, l'argent ne fait pas le bonheur.

Il s'agit d'un « bain de sang », selon les termes de la centrale qui les a dépêchés sur place.

Désormais, l'endroit grouille. L'ambulance, la patrouille et l'équipe du médecin légiste ont débarqué. La scène du crime a été délimitée par du ruban jaune. La presse a commencé à se rassembler au bout de l'allée, et bientôt, sans nul doute, les voisins curieux vont faire leur apparition.

— Bonjour, inspecteurs, fait un policier en s'approchant.

Reyes lui rend son salut d'un signe de tête.

— La scène de crime est sécurisée, ajoute le nouveau venu.

— Dites-moi tout, dit Reyes.

— Les victimes sont Fred et Sheila Merton, un couple d'un certain âge. Un corps a été retrouvé dans le salon, l'autre dans la cuisine. Ils vivaient seuls.

L'agent jette un bref coup d'œil à l'inspectrice Barr, remarquant sans doute son teint frais et ses yeux bleus candides.

Cette précaution fait sourire Reyes ; il sait que Barr a l'estomac bien accroché, bien plus que la plupart de ses confrères. La curiosité de la jeune femme à l'égard des scènes de crime confine à la fascination macabre. Mais il faut admettre que sur le terrain, c'est bien pratique. Reyes se demande toutefois ce qui se passera si un jour elle veut fonder une famille – après tout, elle n'a que 30 ans. Tapissera-t-elle toujours les murs de sa cuisine de photos de cadavres ? S'il faisait une chose pareille, sa femme demanderait le divorce illico presto en embarquant leurs deux enfants avec elle. Il essaie de maintenir un bon équilibre entre son bureau et son foyer, de ne pas ramener son travail à la maison. Ce qui ne veut pas dire qu'il y parvient toujours.

— C'est la femme de ménage qui les a trouvés, poursuit le policier. Elle a appelé les urgences à 10 h 39. Elle est dans notre véhicule, si vous voulez lui parler, précise-t-il en indiquant la voiture du menton. Il semblerait qu'ils soient morts depuis longtemps.

Reyes et Barr le remercient pour son compte rendu et se dirigent vers la villa. La femme de ménage attendra. Un autre agent est posté près de la porte d'entrée, contrôlant les allées et venues, rappelant aux nouveaux venus de veiller à ne pas empiéter sur les traces de pas ensanglantées. Reyes et Barr enfilent chaussons et gants et pénètrent dans le hall. L'odeur du sang leur assaille aussitôt les narines. Professionnel et minutieux, Reyes commence par examiner du regard l'environnement. Un seul sillage de pas provient de la cuisine, à l'arrière de la maison, puis longe le corridor, vers l'endroit où il se trouve, s'estompant à l'approche de la porte d'entrée. Un autre sillage moins distinct semble quitter la cuisine pour s'acheminer vers l'escalier recouvert de moquette.

À sa gauche, dans le salon, une lampe cassée gît sur le sol. Plus loin, un technicien est agenouillé à côté d'un corps de femme. Évitant les traces de pas, Reyes s'approche, Barr à sa suite, et s'accroupit. La victime est vêtue d'une nuisette et d'un déshabillé. Sa gorge est cerclée de rouge et ses yeux injectés de sang, laissant peu de place au doute quant à la cause de la mort.

— Strangulation par ligature, remarque Reyes.

Le technicien acquiesce.

— Une idée de l'objet utilisé ?

— Pas encore. Nous venons juste de commencer.

Reyes note que les annulaires de la victime ne portent pas de bagues, repère un téléphone portable traînant sous une table d'appoint, puis se relève. Tandis que Barr observe le corps de plus près, il commence à échafauder dans sa tête des hypothèses : la femme ouvre la porte, réalise son erreur, s'enfuit dans le salon. Une lutte s'ensuit. Pourquoi son mari n'a-t-il rien entendu ? Il dormait peut-être à l'étage, et le bruit de la lampe tombant en se brisant a été étouffé par l'épais tapis.

Barr se redresse à son tour et les deux inspecteurs regagnent l'entrée. De là, Reyes jette un coup d'œil dans la salle à manger, voit les tiroirs du buffet encore ouverts. Au bout du long corridor qui mène directement à l'arrière de la maison, il aperçoit des silhouettes en combinaisons blanches se mouvoir dans la cuisine. Il les rejoint, le bruit de ses pas presque inaudible à cause de ses chaussons, longeant le mur pour éviter les traces au sol.

Les gars de la centrale n'ont pas exagéré : c'est un vrai bain de sang. Reyes retient son souffle un instant, submergé par l'odeur et la vision de ce crime atroce. Un coup d'œil à sa partenaire lui indique

que celle-ci est déjà en train d'examiner la scène sous toutes les coutures, pas le moins du monde perturbée.

Fred Merton est à plat ventre sur le sol de la cuisine, la tête tournée sur le côté, dans un pyjama trempé de sang. Il a été poignardé dans le dos à plusieurs reprises et sa gorge semble avoir été tranchée. En se penchant sur le corps, Reyes essaie de compter les coups de couteau. Au moins onze. Un crime violent, presque frénétique. Un crime passionnel dans ce cas, plutôt qu'un vol ? À moins que le voleur ait eu des problèmes de gestion de la colère.

— Bon sang, murmure-t-il.

Personne ne les aura entendus crier…

Reyes reconnaît May Bannerjee, qui dirige l'équipe médico-légale. C'est une enquêtrice hors pair.

— Une idée de combien de temps ils sont restés comme ça ? lui demande Reyes.

— Je dirais au moins un jour, répond Bannerjee. On en saura plus après les autopsies, mais je pense qu'ils ont été assassinés dans la nuit de dimanche à lundi.

— Des traces de l'arme du crime pour celui-ci ? demande Reyes en jetant un coup d'œil alentour.

Pas le moindre couteau ensanglanté en vue.

— Pas encore.

Tandis que Barr se livre à sa propre analyse silencieuse, Reyes essaie d'imaginer le scénario. La pièce est recouverte de sang : il y a des éclaboussures sur les murs, le plafond, l'îlot central. Et sur le sol, traversé d'empreintes de pas.

— À quoi ça ressemble, à votre avis ? demande-t-il encore à Bannerjee.

— À vue de nez, le tueur portait des chaussettes épaisses, peut-être plus d'une paire, pas de chaussures. Peut-être même des chaussons par-dessus. Aucun moyen d'avoir des empreintes, donc. Ni même une pointure fiable.

Reyes hoche la tête.

— On peut voir qu'il s'est dirigé vers le placard sous l'évier – il y a du sang partout – et qu'il est entré dans la salle à manger par ici, poursuit Bannerjee en montrant une ouverture donnant directement sur la salle à manger. Il a également fait un tour dans le bureau à côté, ajoute-t-elle en indiquant l'autre bout de la maison. Et il est allé dans le couloir et à l'étage. Il semblerait qu'il ait tout mis sens dessus dessous après les meurtres, peut-être pour chercher de l'argent ou des objets de valeur, puis qu'il soit ressorti par l'arrière. On a retrouvé des traces de pas et du sang sur la poignée de la porte de derrière et dans le patio. Il y a aussi une marque de sang sur la pelouse de derrière, à l'endroit où il s'est probablement changé. Et puis c'est tout.

— Comment est-ce qu'il est entré dans la maison ? On a trouvé des traces d'effraction ?

— On est encore en train d'examiner le périmètre, mais rien d'évident pour l'instant. La femme de ménage a dit que la porte d'entrée n'était pas verrouillée à son arrivée, donc peut-être que la femme a ouvert la porte à l'assassin.

Bannerjee se tourne vers l'évier, sous la fenêtre.

— Les empreintes de pas fraîches et plus nettes qui vont du corps jusqu'à l'évier, puis jusqu'à la porte d'entrée, ce sont celles de la femme de ménage.

Les victimes étaient en pyjama, sans doute déjà au lit, pense Reyes. Sheila Merton a peut-être enfilé son peignoir avant de descendre l'escalier pour ouvrir la porte. Elle a manifestement été assassinée en premier, car elle ne porte aucune trace du sang dont le meurtrier devait être recouvert après avoir tué le mari.

— Qu'est-ce que tu en penses ? demande Reyes en se tournant vers Barr.

— Cela me semble inutilement violent pour un cambriolage, répond-elle, les yeux toujours posés sur le corps gisant dans la cuisine. Je veux dire, pourquoi l'avoir poignardé autant de fois ? Peut-être que c'était juste *censé* ressembler à un cambriolage.

Reyes acquiesce.

— Et par rapport à la femme, ils se sont vraiment acharnés sur l'homme, ajoute Barr.

— Ce qui laisse à penser que c'était lui, l'objet de la rage, pas elle.

— Et qu'elle s'est juste trouvée au mauvais endroit au mauvais moment.

— Même si la strangulation a aussi une dimension très personnelle, objecte Reyes. Allons parler à la femme de ménage.

Alors que les deux inspecteurs sortent du manoir et descendent l'allée, le regard de Reyes est attiré par des formes sombres qui tournoient au-dessus de sa tête. Cinq ou six grands oiseaux planent très haut dans le ciel.

— Qu'est-ce que c'est ? demande Barr en levant les yeux à son tour, la main en visière.

— Des vautours à tête rouge, répond Reyes. Ils ont probablement été attirés par l'odeur du sang.

8

Assise seule à l'arrière de la voiture de police, recroquevillée dans sa veste légère, Irena grelotte. Malgré le grand soleil, le fond de l'air est frisquet en cette matinée d'avril. À moins que ce ne soit le choc : avoir froid n'a jamais donné la nausée. Irena se repasse les mêmes images en boucle. Fred et Sheila. Tout ce sang, cette odeur. Le regard de Sheila, qui la fixe comme si elle voulait lui dire quelque chose. Sa patronne connaissait probablement son tueur. Encore un secret qu'elle emportera dans la tombe.

Tremblant de plus belle, Irena baisse la tête et remarque du sang sur ses chaussures. À cet instant, une portière s'ouvre.

— Les deux inspecteurs voudraient vous parler, si vous êtes d'accord, lance l'un des policiers en passant la tête dans l'habitacle.

Irena sort de la voiture et observe les deux individus en civil qui se dirigent vers elle, un grand brun d'une quarantaine d'années et une jeune femme menue. À cette vision, elle avale péniblement sa salive.

— Bonjour, dit l'homme. Je suis l'inspecteur Reyes et voici l'inspecteur Barr, de la police d'Aylesford. J'ai cru comprendre que c'était vous qui aviez trouvé les victimes.

Sans un mot, Irena acquiesce.

— Ça vous dérange qu'on vous pose quelques questions ?

Elle hoche à nouveau la tête, avant de réaliser que le geste peut porter à confusion.

— Ça ne me dérange pas, précise-t-elle.

Mais elle tremble comme une feuille.

— Il y a une couverture dans le coffre, lance Reyes en se tournant vers Barr. Tu peux aller la chercher ?

Quelques instants plus tard, la jeune fonctionnaire a enroulé autour de ses épaules frissonnantes un plaid en laine bleu marine.

— C'est normal, vu votre état, la rassure Reyes avant d'indiquer le jardin un peu plus loin. Si nous allions nous installer au belvédère ? Nous serons plus tranquilles.

Arrivée à la tonnelle, Irena s'assied sur un banc en serrant la couverture autour d'elle. Les deux détectives lui font face. Dire qu'elle jouait ici avec les enfants, il y a une éternité de cela.

— Pourriez-vous me dire votre nom, s'il vous plaît ? commence Barr.

— Irena Dabrowski.

Puis elle l'épelle de son anglais parfait et sans accent – ses parents sont arrivés ici quand elle était bébé – en regardant la femme l'écrire sur son carnet. Les gens ont toujours eu du mal avec l'orthographe de son nom polonais.

— Et vous êtes la femme de ménage des Merton, c'est bien ça ? demande Reyes. Depuis combien de temps travaillez-vous pour eux ?

— Depuis longtemps… J'ai commencé à la naissance de leur premier enfant. J'ai été nounou à domicile pendant de nombreuses années – jusqu'à l'entrée à l'école de la dernière. Ensuite, j'ai continué à travailler comme gouvernante, puis comme femme de ménage. Je viens maintenant deux fois par semaine.

— Vous connaissez donc bien la famille.

— Très bien. Ils sont comme ma propre famille, confie-t-elle.

Elle se dit qu'elle devrait être en train de pleurer, mais le fait est qu'elle se sent juste engourdie. Elle prend une grande goulée d'air frais pour essayer de chasser l'odeur du sang.

— Pas de problème, dit doucement Barr. Prenez votre temps.

— Je n'arrive pas à y croire, lâchet-elle enfin.

— Quand est-ce que vous avez vu les Merton vivants pour la dernière fois ? demande Reyes.

— Dimanche, au dîner de Pâques. J'étais ici toute la journée du samedi, pour faire le ménage. D'habitude, je ne travaille pas le samedi, mais toute la famille était invitée le lendemain et Sheila voulait que la maison soit impeccable. Et puis je suis revenue le dimanche, pour le dîner.

— Qui était invité ?

— Tous les enfants. Catherine, l'aînée, et son mari, Ted. Dan, celui du milieu, et sa femme, Lisa. Et Jenna, la plus jeune. Elle a amené son petit ami. Ils viennent toujours à la maison pour les repas de fête. D'habitude, la sœur de Fred, Audrey, vient aussi, mais pas cette année.

Elle s'interrompt pour lever les yeux vers les deux inspecteurs :

— Les enfants sont au courant ? Est-ce qu'on leur a annoncé ?

— Pas encore, répond Reyes.

— Ils vont être dévastés, souffle-t-elle.

— Vraiment ? lance Barr en regardant le manoir – qui vaut à n'en pas douter plusieurs millions de dollars.

Quel manque de tact ! songe Irena. Elle jette un coup d'œil à Reyes, pour lui faire sentir sa désapprobation. Barr s'en aperçoit, mais cela ne l'empêche pas de renchérir.

— J'imagine qu'ils vont hériter de beaucoup d'argent.

— Sans doute, oui, répond froidement Irena.

— Donc vous êtes venue ici ce matin, fait Reyes en la regardant droit dans les yeux. C'était pour faire le ménage ?

Elle détourne son regard, qu'elle braque sur la maison.

— Oui. D'habitude, je viens le lundi et le jeudi, mais lundi était férié.

— Racontez-nous ce qui s'est passé quand vous êtes arrivée. Étape par étape.

Irena respire profondément, puis se lance :

— Je suis arrivée en voiture un peu après 10 h 30. C'était très calme, il n'y avait aucune voiture dans l'allée. J'ai frappé comme je le fais d'habitude, mais personne n'a répondu. Je suis entrée – la porte n'était pas fermée à clé, j'en ai déduit qu'ils étaient à la maison.

— Continuez.

— Dès que je suis entrée, j'ai senti l'odeur, et j'ai vu le sang dans le corridor. J'avais peur. Et puis j'ai aperçu la lampe sur le sol et puis… Sheila.

— Vous êtes-vous approchée de son corps ?

— Oui, mais je ne l'ai pas touchée, fait-elle en tentant de maîtriser le tremblement de ses mains. Puis je me suis dirigée vers la cuisine et… et je l'ai vu lui.

Elle déglutit, forçant la bile à redescendre.

— Vous êtes entrée dans la cuisine ? demande Reyes.

— Je ne sais plus, répond-elle, soudain saisie d'un vertige.

— C'est juste qu'il y a du sang sur vos semelles, intervient Barr.

Irena la regarde, comme tirée d'un songe.

— Alors j'ai sûrement dû le faire, oui… C'était tellement choquant… Mais oui, je m'en souviens maintenant. Je me suis approchée de Fred…

Elle déglutit à nouveau.

— L'avez-vous touché, ou avez-vous touché quoi que ce soit dans la cuisine ? demande Reyes.

Elle regarde ses mains sur ses genoux, les retourne à la recherche de traces de sang. Rien.

— Je ne crois pas.

— Vous n'avez pas marché jusqu'à l'évier ? insiste Reyes, la plongeant dans un grand trouble.

— Si, j'avais peur de vomir. J'ai vomi dans l'évier, en fait. Et je l'ai rincé ensuite.

Son récit n'est pas très limpide, elle en a conscience. Mais à quoi s'attendaient-ils ? Ce genre de choses n'arrive pas tous les jours, c'est normal qu'elle soit secouée.

— Ne vous inquiétez pas, fait Reyes comme s'il lisait dans ses pensées. Savez-vous si les Merton avaient des ennemis ? Avez-vous une idée de qui aurait pu faire ça ?

— Non, je ne crois pas, répond-elle en secouant la tête.

Puis elle fait une pause et ajoute :

— Mais on ne sait jamais vraiment, n'est-ce pas ? Je veux dire, ajoute-t-elle en levant les yeux pour affronter le regard de ses interlocuteurs, je ne viens plus que pour le ménage. Je n'habite plus ici.

— Et la sécurité ? demande Reyes. Y en avait-il ?

— Non. Il y a des caméras de surveillance tout autour de la maison, mais elles n'ont jamais fonctionné, à ma connaissance. C'était juste une mesure de dissuasion.

— Conservaient-ils des objets de valeur chez eux ? intervient Barr.

— La maison est *remplie* d'objets de valeur, dit Irena, irritée par l'absurdité de la question. Les tableaux, l'argenterie, les bijoux, et ainsi de suite.

— Et de l'argent liquide ? poursuit Reyes.

— Il y a un coffre-fort dans le bureau de Fred. Je ne sais pas ce qu'il y a dedans.

— Nous aimerions que vous fassiez un rapide tour de la maison avec nous et que vous nous disiez si vous remarquez des choses qui manquent. Vous en sentez-vous capable ?

— Je ne veux pas retourner dans la cuisine, murmure-t-elle.

— Je pense qu'on peut s'en passer pour l'instant, dit Reyes. Quelqu'un d'autre travaille-t-il sur la propriété ? Un jardinier, peut-être ?

— Non, ils font appel à une entreprise.

— Auriez-vous par hasard les coordonnées des trois enfants ?

— Bien sûr, confirme Irena en attrapant son téléphone.

9

Reyes étudie Irena tandis qu'elle observe le cadavre de sa patronne, une main devant la bouche.

— Ses deux gros diamants, lâche finalement Irena. Sa bague de fiançailles et une autre à sa main droite. Elle les avait toujours sur elle. Ils ont disparu.

La visite se poursuit. L'argenterie de la salle à manger s'est volatilisée ; en revanche, pas un tableau n'a été ne serait-ce que déplacé. Et dans le bureau de Fred, mis sens dessus dessous par le cambrioleur, le coffre-fort, caché derrière une toile de paysage, semble également avoir échappé à sa convoitise. Il faudra tout de même le faire ouvrir pour s'en assurer.

Après avoir prudemment gravi les marches de l'imposant escalier en évitant les traces de sang – sous l'égide d'un lustre parfaitement dépoussiéré, constate Reyes en parvenant à sa hauteur –, les deux inspecteurs et Irena atteignent le premier étage et pénètrent dans la chambre parentale – une grande pièce dotée de fenêtres s'étirant du sol au plafond. Les tiroirs des deux commodes en noyer assorties ont été brutalement ouverts et un sac à main maculé de sang a été jeté au milieu du lit king size défait. Dépouillés de toutes liquidités et cartes de crédit, les portefeuilles de Fred et de Sheila traînent par terre, tandis que le coffret à bijoux ouvert de guingois sur la commode de Sheila exhibe son intérieur en velours complètement vide.

— Elle avait des bagues en diamant, des boucles d'oreilles et des bracelets coûteux, des perles, constate Irena, debout à côté de Reyes. Mais elle les a peut-être mis au coffre du rez-de-chaussée.

— La compagnie d'assurance doit avoir un dossier.

On les aura lorsqu'ils essaieront d'utiliser les cartes de crédit ou de revendre les bijoux, songe Reyes une fois ressorti du manoir, après avoir remercié la femme de ménage pour son aide. Qui que ce soit, il n'a pris que des choses faciles à transporter, faciles à convertir en argent liquide.

Mais vu la brutalité du crime, il doute qu'il s'agisse d'un simple cambriolage.

Les détectives se garent devant le cabinet médical de Catherine Merton, en plein centre-ville. Reyes a envoyé deux agents au domicile des autres membres de la fratrie pour leur apprendre la nouvelle avant que les médias ne s'en chargent.

Partagée par plusieurs praticiens, la clinique est très fréquentée. Arrivés au troisième étage, les deux coéquipiers tendent leurs badges à une secrétaire et demandent à parler au Dr Merton.

— Je vais vous la chercher, balbutie cette dernière après avoir vu leurs insignes, les yeux ronds.

À son retour, elle les invite à patienter dans une salle d'examen.

— Le docteur vous rejoindra dans quelques minutes, précise-t-elle.

Mais ils n'ont pas à attendre bien longtemps. Après un bref coup à la porte, une trentenaire en blouse blanche apparaît. Jolie, traits réguliers, cheveux bruns jusqu'aux épaules et raie sur le côté. Perles autour du cou. La parfaite bourgeoise. Une étincelle d'inquiétude danse au fond de ses yeux.

— Docteur Merton, fait-elle en tendant la main. Ma secrétaire m'a dit que vous vouliez me voir ?

— Je crains que nous ayons de terribles nouvelles à vous annoncer, dit Reyes.

La médecin paraît sur le point de flancher.

— Peut-être devriez-vous vous asseoir.

Elle se laisse tomber sur une chaise en plastique face aux deux inspecteurs, et déglutit.

— Qu'est-ce qui se passe ? articule-t-elle.

— Cela concerne vos parents, je regrette. Ils ont été retrouvés morts chez eux.

Les mots restent là, à flotter quelques instants entre eux tandis qu'elle le fixe, incrédule.

— Quoi ? s'étouffe-t-elle.

— Ils ont été assassinés, précise Reyes aussi doucement que possible.

La sidération de la femme semble sincère. Les policiers lui laissent le temps d'assimiler l'information.

— Que s'est-il passé ? demande-t-elle après un temps.

— Cela ressemble à un cambriolage qui aurait mal tourné, dit Reyes. De l'argent a été dérobé, des cartes de crédit, des bijoux.

— Je n'arrive pas à y croire…

Puis elle ajoute en levant les yeux vers Reyes, un masque d'effroi sur le visage :

— Comment sont-ils morts ?

Il n'y a pas de bonne manière d'annoncer une chose pareille, et elle le découvrira de toute façon bien assez tôt.

— Votre mère a été étranglée, votre père a été poignardé et égorgé, lâche Reyes à voix basse.

— Non…, murmure Catherine Merton en secouant la tête, une main devant la bouche comme si elle était sur le point de vomir. Quand… quand est-ce que c'est arrivé ? demande-t-elle au bout d'un moment, d'une voix tremblante.

— Cela reste encore à déterminer, répond Reyes. Mme Dabrowski les a trouvés vers 11 heures ce matin. Elle a mentionné un dîner de famille dimanche dernier ?

— Oui, acquiesce Catherine Merton. Nous étions tous là dimanche.

— Et tout allait bien à ce moment-là ?

— Qu'est-ce que vous voulez dire ?

— Avez-vous décelé un signe inhabituel ? Vos parents semblaient-ils différents, nerveux, comme perturbés par quelque chose ?

— Non. Tout était comme d'habitude.

— À quelle heure avez-vous quitté leur maison ? demande Reyes.

— Vers 19 heures, dit-elle distraitement.

— Avez-vous eu des contacts avec vos parents par la suite ?

— Non.

Elle secoue la tête, regarde ses mains sur ses genoux.

— Nous pensons qu'ils ont été tués pendant la nuit de dimanche à lundi, rapporte Reyes.

— À combien s'élevait selon vous le patrimoine de vos parents ? demande Barr de but en blanc.

Interloquée, Catherine relève la tête.

— Ils étaient riches. Je ne sais pas à quel point, exactement.

— À la louche ? insiste Barr.

— Je ne sais pas. Vous devriez vous adresser à leur avocat. Walter Temple, chez Temple Black, glisse-t-elle avant de se relever de sa chaise. Il faut que je parle à mon frère et à ma sœur.

Reyes acquiesce.

— Nous avons envoyé des équipes chez eux, ils sont en train d'apprendre la nouvelle en ce moment même. Encore toutes nos condoléances.

Puis l'inspecteur dégaine sa carte de visite et la lui tend.

— Nous vous recontacterons sous peu, pour l'enquête. Inutile de nous raccompagner, on trouvera la sortie.

10

Catherine s'effondre sur sa chaise. Elle a tenu sur ses deux jambes chancelantes jusqu'à ce que la porte se referme derrière les inspecteurs, mais elle peine maintenant à respirer. Ses pensées vont dans tous les sens, et elle a le cœur au bord des lèvres. Des patients l'attendent. Cindy, à l'accueil, va se demander ce qui lui arrive. Il faut qu'elle se ressaisisse.

Mais c'est tellement dur. Qu'est-ce que les deux flics ont pensé d'elle ? Elle leur a menti. Est-ce qu'ils l'ont remarqué ?

Elle doit parler à Dan et Jenna. Demander à Cindy de décaler ses consultations. Personne n'attendrait d'elle qu'elle continue à travailler après un tel événement, ses patients comprendront.

On frappe doucement à la porte.

— Oui ?

Timidement, Cindy passe une tête dans l'entrebâillement.

— Tout va bien ?

— Mes parents ont été assassinés, déclare Catherine sans préambule.

Les yeux écarquillés par l'horreur, Cindy reste sans voix.

— Pouvez-vous reporter tous mes rendez-vous ? ajoute-t-elle. Je vais avoir besoin de quelques jours de repos. Il faut que je parte.

Catherine se relève brusquement, passe devant Cindy et se dirige à grands pas vers son bureau. Elle prend son imperméable, raccroche sa blouse, attrape son sac à main et traverse à la hâte la salle d'attente sans un regard pour ses patients. Une poignée de minutes plus tard, elle est déjà dans sa voiture, sur le parking. Là, elle sort son téléphone portable. Ses mains tremblent. Après une profonde inspiration, elle compose le numéro de Ted. Pourvu qu'il ne soit pas en rendez-vous.

— Oui, fait la voix de son mari.

En vain, Catherine essaie d'étouffer un sanglot.

— Catherine, qu'est-ce qui se passe ? s'inquiète Ted.

— Les flics sont venus au cabinet.

La panique enfle et sa respiration se fait saccadée.

— Mes parents sont morts. Ils ont été assassinés. Chez eux.

À l'autre bout de la ligne, un silence de plomb.

— C'est… c'est… Oh, Catherine, c'est affreux, finit par balbutier Ted. Qu'est-ce qui s'est passé ?

— Ils pensent à un cambriolage.

Même à ses oreilles, sa voix semble forcée.

— Reste là où tu es. Je viens te chercher.

— Non, non. Il faut que j'aille chez Dan et Lisa. Ils doivent être au courant, maintenant. Peut-être que tu pourrais me rejoindre là-bas ? Et je vais appeler Jenna pour lui dire de venir aussi.

— D'accord, dit-il, la voix blanche. C'est… c'est ahurissant. Je veux dire… Tu les as vus dimanche soir.

Elle hésite.

— À propos de ça, justement…

— Quoi ?

— Il faut qu'on parle.

— Comment ça ?

— Juste… Ne dis à personne que je suis retournée là-bas après le dîner, OK ? Je… je ne l'ai pas mentionné à la police. Je t'expliquerai.

La vibration réveille Jenna en sursaut. Elle ouvre un œil, voit le matelas vide à côté d'elle – là où Jake devrait être ; après tout, c'est son lit, son appartement, son odeur sur les draps – et tend la main pour tâtonner sur le sol à la recherche de son téléphone. Bon sang, il est tard. Jake a dû partir au boulot et la laisser dormir. C'est sa sœur Catherine qui l'appelle. Elle décroche.

— Quoi ?

— Jenna. Est-ce que les flics t'ont déjà contactée ?

— Hein ? Non. Pourquoi ?

— Où es-tu ?

Même comateuse, Jenna perçoit la détresse dans la voix de sa sœur.

— Je suis chez Jake, à New York. Pourquoi ?

— J'ai de mauvaises nouvelles.

Jenna se redresse dans le lit, dégage ses cheveux de son visage.

— Quoi ?

— Papa et maman sont morts. Ils ont été assassinés.

— Putain, souffle Jenna, son cœur s'emballant soudain.

S'ensuit une brève conversation – rendez-vous est pris chez Dan –, puis Jenna sort du lit, s'habille et gagne la cuisine pour y laisser un mot à l'intention de Jake. Mais il s'en est chargé avant elle.

Salut beauté,

Reste aussi longtemps que tu veux. Ou rejoins-moi au studio à ton réveil. Bisous.

Finalement, elle ne laisse pas de mot. Mieux vaut lui annoncer par téléphone.

Par la fenêtre de la cuisine, Lisa aperçoit la voiture de Catherine qui se gare dans l'allée. Il était temps. Elle jette un coup d'œil à son mari, toujours dans un état second. Il a été incapable de se calmer depuis qu'il a appris la nouvelle, et à présent on dirait une grenade sur le point d'exploser.

Elle se dirige vers la porte d'entrée, mais Dan se précipite pour aller ouvrir à sa sœur lui-même. Lisa entend la voix de Catherine qui dit « Allons à l'intérieur » avant de l'apercevoir.

Celle-ci a le visage pâle, ravagé par des larmes récentes. Puis le bruit d'un nouveau moteur se fait entendre et tous trois se tournent vers le portail. Ted est assis au volant de sa voiture de sport, le toit baissé en cette clémente journée. Sans attendre son mari, Catherine franchit le seuil, Dan sur les talons. Lisa accueille Ted, qui a l'air secoué, et, quelques instants plus tard, tous deux rejoignent leurs conjoints respectifs sans un mot.

Lisa se sent bouleversée par la douleur de Catherine. Elle a toujours été une éponge quand il s'agit de ses proches, et elle la considère comme une sœur – une sœur qu'elle s'empresse d'aller prendre dans ses bras, les yeux humides à son tour.

— Jenna est en route, annonce Catherine. Je l'ai appelée, elle était à New York. Il fallait que je lui dise.

Elle s'affale dans un fauteuil du salon et laisse tomber son sac à main à ses pieds. Dan, lui, fait les cent pas dans la pièce. Ted va se placer derrière sa femme et pose une main sur son épaule.

— Ils ont probablement été assassinés dans la nuit de dimanche à lundi, poursuit Catherine, son regard suivant les allées et venues frénétiques de son frère.

Quelque chose dans ce regard chiffonne Lisa.

— Je n'arrive pas à y croire ! s'exclame Dan.

Et quelque chose dans la nervosité de son mari la chiffonne encore plus.

— Je sais, abonde Catherine. Je n'arrive pas à y croire non plus. Mais deux inspecteurs sont venus me voir au cabinet.

Sa voix se fait légèrement stridente.

— Ils ouvrent une enquête pour meurtre.

— Mon Dieu, c'est… c'est surréaliste, lâche Dan en s'immobilisant d'un coup.

Lisa lui fait signe de venir s'asseoir à côté d'elle sur le canapé, où il se laisse lourdement choir.

— Est-ce qu'ils vous ont dit que c'était Irena qui les avait trouvés ? demande Catherine en les regardant fixement.

Dan hoche nerveusement la tête, saisit la main de sa femme et la serre.

Enfin, l'information arrive au cerveau de Lisa. *Ils sont morts tous les deux.* Elle ne peut pas y croire, elle non plus. Elle ne peut pas croire à leur chance. Cela change tout… Elle jette un coup d'œil à son mari. Peut-être la situation n'est-elle pas si abominable qu'il y paraît. Peut-être qu'ils sont riches, enfin.

— Qu'ont dit les inspecteurs ? demande Dan.

— Ils penchent pour un cambriolage qui aurait mal tourné, répond Catherine, une pointe d'hystérie dans la voix. Maman a été étranglée. Papa… il a été poignardé et égorgé.

— Mon Dieu, laisse échapper Dan en se redressant brusquement et en passant une main dans ses cheveux bruns. Quelle horreur ! Personne ne nous l'a dit.

Lisa regarde Catherine, saisie d'effroi. Les policiers à la porte leur ont épargné les détails. À présent, elle a envie de vomir.

— Mais…, lance Dan après une hésitation. Vous savez ce que cela signifie.

La main pressée sur sa bouche, Lisa reporte son regard sur son mari.

— Quoi ? dit Catherine, confuse.

— Nous sommes libres. Nous tous, nous sommes enfin libérés de lui.

Catherine se fige un instant sous l'effet de la consternation.

— Je vais faire comme si je n'avais rien entendu. Et je te conseille de garder ce genre de pensées pour toi.

Lisa observe la scène, un sentiment de malaise grandissant au creux du ventre. Si seulement Dan avait le sang-froid de sa sœur. Lisa est prête à parier que Catherine a pensé exactement la même chose que son mari en apprenant la nouvelle, mais qu'elle est juste trop maligne pour l'admettre.

11

— Pauvre Irena, lance Dan pendant que Lisa est partie faire du café à la cuisine.

— Ça a dû être horrible, renchérit Catherine, le regard dans le vide.

Puis elle lève les yeux vers Ted, qui lui presse l'épaule affectueusement.

— Qu'est-ce qui va se passer maintenant ? demande Dan.

— Je ne sais pas, dit Catherine.

L'incertitude de sa grande sœur le rend soudain nerveux. Comment vont-ils s'en sortir sans elle ? Mais elle se ressaisit vite, heureusement.

— Il faut qu'on organise les obsèques.

— Ah oui, c'est vrai.

Il n'y avait pas pensé.

— Et les inspecteurs voudront parler à chacun de nous.

— Parler à chacun de nous, répète Dan. Dans quel but ?

Pourquoi le regarde-t-elle comme ça ?

— Ce n'est pas moi qui les ai tués, proteste-t-il.

L'étonnement se lit sur le visage de Catherine et de son mari, qui le dévisagent tous les deux en fronçant les sourcils. Qu'est-ce qui lui a pris de dire une chose pareille ? Il faut qu'il se maîtrise.

Subitement épuisé, il s'effondre sur le canapé et rejette la tête en arrière, se laissant aller à une sorte d'agréable rêverie. Ses parents sont morts. Plus de dîners de famille. Plus d'humiliations publiques de la part de son père. Plus besoin de quémander de l'argent pour se le voir refuser. Et puis une fois les funérailles passées et tout rentré dans l'ordre, ils pourront s'occuper de la succession. Il se demande qui a été désigné exécuteur testamentaire. Catherine, probablement. Ou bien Walter, l'avocat de leur père. Pas lui, en tout cas, il en est sûr.

Tout ce pognon qui va leur tomber dessus. Dan sent sa poitrine se gonfler de bonheur. Catherine peut faire semblant si ça lui chante, il est sûr qu'elle se réjouit autant que lui. Elle aura la maison, maintenant ; sa part du gâteau. Lui veut la sienne en liquide. Et quel soulagement pour Lisa de les voir enfin libérés du joug paternel ! Ils vont pouvoir à nouveau être heureux. Quant à Ted – eh bien Ted aussi doit jubiler, malgré son air faussement contrit. Il ne supportait pas leur père. Et il apprécie les belles choses ; d'ailleurs Dan a toujours été un peu jaloux de sa voiture de sport, une BMW Z3 convertible. Mais il se consolait en se rappelant que c'était le propre des dentistes : acheter des grosses cylindrées pour compenser leur job ingrat et répétitif. Ted peut prendre sa retraite dès maintenant s'il le souhaite. Et Jenna, dans tout ça ? Dan devine que sa petite sœur ne fera même pas mine d'être triste.

La vérité, c'est que pour chacun d'eux, l'assassinat de Fred et de Sheila est une aubaine. Qu'ils n'auront plus besoin d'attendre de longues années – potentiellement des décennies – avant de toucher leur héritage. Ni d'obéir aveuglément à leur père ou de lui rendre visite à chaque fête de famille. Tout cela leur sera désormais épargné. Ils peuvent enfin commencer à *vivre*. Si ce n'était pas si inconvenant, ils fêteraient sûrement ça. Tout à coup, Dan a presque envie de mettre une bouteille de champagne au frais.

Ted est en train d'observer son beau-frère quand Lisa revient de la cuisine avec un plateau surmonté de tasses de café, de lait et de sucre. L'ambiance étrange qui règne dans la pièce le met mal à l'aise. Tout comme ce que Catherine lui a dit plus tôt au téléphone. Pourquoi diable veut-elle cacher qu'elle est retournée chez ses parents dimanche soir ? C'est complètement idiot de sa part. Bien sûr qu'elle doit le dire à la police – cela les aidera à mieux établir la chronologie des faits. Il essaiera de l'en convaincre dès qu'ils seront rentrés à la maison.

Lisa pose le plateau sur la table basse, l'expression de son visage dissimulée par son épaisse chevelure brune.

Dan est bizarre. Ted est-il le seul à avoir remarqué combien celui-ci semble surexcité ? Il étudie tour à tour son beau-frère et sa femme, se demandant à quel point il les connaît vraiment. Catherine, Dan et Jenna ont partagé une enfance peu commune. Une enfance faite de privilèges et de souffrances. Une enfance à l'ombre de deux parents avares d'affection et prompts à verser dans le favoritisme. D'après Catherine, cette éducation a attisé les conflits et les rivalités entre eux, mais les a aussi paradoxalement soudés. Ted est fils unique, alors il y a des choses qui lui échappent.

— On devrait appeler Irena, lui demander de venir, lance Dan une fois que tout le monde s'est servi en café. Après tout, elle est de la famille, ajoute-t-il en portant la tasse à sa bouche d'une main légèrement tremblante. Elle devrait être avec nous dans un moment pareil. Mais d'ailleurs... c'est bizarre qu'elle ne nous ait pas appelés, vous ne trouvez pas ?

— Je m'en occupe, fait Catherine en fouillant dans son sac à ses pieds.

La relation des riches avec leurs employés, voilà une autre chose que Ted n'a jamais vraiment comprise. Irena est comme un membre de la famille, disent-ils. Pourtant, il aurait juré que Fred et Sheila n'ont jamais traité Irena autrement que comme une domestique. Du reste, c'est du côté des enfants qu'Irena s'est rangée quand le dîner de Pâques a viré au drame. Eux, au moins, semblent lui vouer une affection sincère. Catherine a raconté à Ted que c'est elle qui les a élevés, qu'elle était beaucoup plus présente que leur propre mère. Se réjouira-t-elle elle aussi secrètement de la tournure des événements, une fois le choc passé ? Elle perd un client, certes, mais va savoir, un petit quelque chose a peut-être été prévu pour elle dans le testament.

Le testament. Personne n'a osé en parler, mais ils ne pensent tous qu'à cela. Jenna mettra sûrement les pieds dans le plat.

Ted est bien placé pour savoir que certaines morts peuvent vous soulager. Son père a succombé à une cirrhose du foie quand il avait 12 ans. Sa mère jouait parfaitement le rôle de la veuve éplorée, mais le soir venu, quand il était couché dans son petit lit, il l'entendait fredonner dans la maison, heureuse pour la première fois de sa vie.

— Elle arrive, dit Catherine en reposant son téléphone. Et quand Jenna sera là, on pourra commencer à discuter des obsèques.

— Vu que c'est Irena qui les a découverts, elle pourra peut-être nous dire ce que dit la police.

La suggestion de Dan est accueillie par un silence embarrassé.

— Quoi ? insiste-t-il. Vous n'êtes pas curieux ?

Ted l'est, en tout cas. Était-ce vraiment un cambriolage ? Il meurt d'envie de connaître la version d'Irena – et il est sûr que c'est le cas de tous les autres ici présents. Il se surprend toutefois à observer Dan. L'échange entre son père et lui dans le salon lui revient en mémoire, son visage rouge d'une colère impuissante. Ted sait par Catherine, elle-même informée par Lisa, que son beau-frère a des problèmes financiers, et que sa femme se fait du souci pour lui.

Puis il se demande quand est-ce que Fred et Sheila ont été tués, exactement. Il repense à ce triste dimanche soir, à ce dîner raté, au départ de Catherine. Quand elle est rentrée à nouveau de chez ses parents, il dormait – il n'a donc aucune idée de l'heure qu'il était. Il a juste ouvert brièvement les yeux lorsqu'elle s'est glissée dans le lit à côté de lui.

— Rendors-toi, lui a-t-elle murmuré.

— Tout va bien ?

— Oui, tout va bien, a-t-elle assuré avant de l'embrasser et de se retourner sur le côté.

Le lendemain matin, elle lui a raconté ce qui s'était passé. Sheila avait laissé son portable dans l'entrée, ce qui expliquait pourquoi elle avait manqué son appel.

— Et de quoi voulait-elle te parler ?

— Elle m'a demandé de parler à papa au sujet de Jenna. Il veut lui couper les vivres et elle a peur que Jenna revienne vivre chez eux.

À présent, Ted regarde sa femme avec un nœud à l'estomac. Il n'avait jusqu'alors pas réalisé qu'elle avait peut-être manqué les meurtres de peu. Et si elle était arrivée en plein carnage ?

Elle serait morte, elle aussi.

12

Le nez encore un peu rouge, mais la grippe enfin derrière elle, Audrey roule vers la supérette en fredonnant gaiement. La radio est allumée, le soleil brille, la faim recommence enfin à lui chatouiller l'estomac. Soudain, le flash info. L'assassinat d'un couple fortuné de Brecken Hill occupe presque l'intégralité du journal. Elle monte le volume.

Comme le journaliste ne mentionne ni nom ni adresse, elle s'arrête au bord de la route pour appeler Fred. Il en saura peut-être quelque chose. Le fixe ne répond pas, elle essaie son portable, tombe sur le répondeur. Tant pis. Mais la curiosité l'emporte. Après tout, elle n'habite pas si loin, même si son quartier à elle est beaucoup moins huppé. Elle peut faire un crochet pour aller voir de ses propres yeux.

Elle s'engage dans la sinueuse enclave de villas luxueuses. Jusque-là, rien d'inhabituel. Ce n'est qu'à l'approche de la maison de son frère et de sa belle-sœur qu'elle voit l'agitation. Une dizaine de voitures de police stationnent au bout de l'allée ; son pouls accélère brusquement. Quand elle essaie de franchir le portail, elle se fait refouler. Elle aperçoit alors l'ambulance, le ruban jaune, toute une flotte de véhicules et des dizaines de gens qui s'affairent.

Elle est obligée de se garer sur le bas-côté, les mains tremblantes sur le volant. L'information remonte lentement à son cerveau, implacable, inévitable. Fred et Sheila sont les deux époux assassinés. Cela semble impossible. Fred, assassiné. C'est la dernière personne qu'elle aurait imaginé se faire tuer – il a toujours été si puissant, si intimidant. Il doit être furieux, où qu'il se trouve à présent.

Cela change la donne, se dit-elle. Elle va toucher son pactole un peu plus tôt que prévu.

Audrey attrape son portable pour essayer, en vain, de joindre Catherine sur son fixe – le seul numéro dont elle dispose –, avant de réaliser que cette dernière doit être au travail. Elle ira faire les courses plus tard, elle doit d'abord se rendre chez Dan. Et si son neveu n'est pas là, elle tentera sa chance chez Catherine plus tard. Il y aura forcément une réunion de famille ce soir, chez Dan ou chez Catherine, et elle sait que personne ne la préviendra.

Après avoir quitté le bureau de Catherine Merton, Reyes et Barr regagnent la scène du crime. Les vautours tournoient toujours au-dessus de leurs têtes, sombres dans le ciel bleu pâle, et Reyes surprend le regard inquiet que Barr leur lance.

— Un vrai casse-tête, souffle Jim Alvarez, le médecin légiste dépêché sur les lieux, en s'avançant vers eux. On va embarquer les corps et procéder aux autopsies dans l'après-midi. On commencera sans doute par la femme. Vous n'avez qu'à passer demain matin, on devrait avoir des premiers résultats d'ici là.

Puis les deux inspecteurs pénètrent à nouveau dans la maison et rejoignent la cuisine. Le cadavre de Fred Merton y gît toujours.

— Du nouveau ? demande Reyes à May Bannerjee.

— Je crois qu'on a trouvé l'arme du crime pour l'homme, répond cette dernière. Tenez, jetez un coup d'œil.

Elle les conduit jusqu'à l'évier et leur montre le couteau dans un sachet transparent sur le comptoir adjacent.

— C'est le couteau à découper, il vient du bloc à couteaux juste là. Il a été nettoyé et rangé à sa place.

Le regard de Reyes va du couteau au bloc.

— Vous plaisantez ?

— Absolument pas.

— Des empreintes ?

— Non. Il a été soigneusement lavé et essuyé. Mais il y a encore de microscopiques taches de sang – elles sont plus difficiles à faire disparaître. On sera très vite fixés.

Reyes échange un regard avec Barr. La jeune femme semble aussi surprise que lui. Cela ne concorde pas avec la scène de crime qu'ils ont sous les yeux. Le scénario habituel voudrait que l'assassin embarque le couteau avec lui et le jette quelque part où il ne risquerait jamais d'être retrouvé, dans l'Hudson par exemple. Pourquoi l'avoir nettoyé et remis à sa place ?

— Et la femme ? Une idée de ce qui a servi à l'étrangler ?

— Non, on continue à chercher. Mais je n'ai pas fini avec le couteau. Regardez, ici, fait Bannerjee en s'accroupissant pour montrer du doigt des marques sur le sol, par-dessus le sang séché. Vous voyez cette forme, là ? Le couteau est resté sur le sol à côté du corps pendant un bon bout de temps, peut-être un jour ou plus, avant d'être ramassé, nettoyé et rangé.

— Quoi ?! s'exclame Barr.

— Donc pas par le tueur, commente Reyes.

Bannerjee secoue la tête.

— À moins qu'il ne soit revenu, et aucune preuve ne va dans ce sens.

— La femme de ménage, dit Barr. Ses empreintes de pas mènent à l'évier.

Reyes hoche la tête d'un air pensif.

— Possible. Et il n'y a qu'une seule raison qui aurait pu la pousser à faire ça.

Barr complète sa pensée :

— Pour protéger quelqu'un.

— Et le reste de la maison ? continue Reyes.

— Nous avons plusieurs jeux d'empreintes à éliminer, probablement celles des membres de la famille venus dîner pour Pâques et de la femme de ménage, répond Bannerjee. Quant aux traces de pneus, nous n'obtiendrons rien sur l'allée pavée, malheureusement.

— Entendu, merci, fait Reyes avant de se tourner vers sa coéquipière. Allons examiner le reste de la maison de plus près.

À l'étage, deux techniciens s'affairent dans la chambre parentale, toujours à la recherche d'empreintes digitales.

— Des traces de sang, mais pas d'empreintes sur les portefeuilles, le sac à main, les tiroirs et la boîte à bijoux, lance l'un des deux en levant les yeux vers eux.

Guère étonné, Reyes secoue la tête, puis il se dirige vers la salle de bains. Il ouvre l'armoire à pharmacie de ses mains gantées et examine les médicaments à l'intérieur. Il y a tout un assortiment – le genre de choses que l'on s'attend à trouver dans la pharmacie d'un couple d'âge mûr. Un flacon d'antidouleurs, étiqueté au nom de Fred Morton. Un autre au nom de Sheila, appelé Alprazolam. Il vérifie la date : le flacon a été délivré il y a moins de deux semaines.

— Tu as une idée de ce que c'est ? demande-t-il à Barr.

— Du Xanax, répond cette dernière.

— Regarde la date, fait Reyes. Sheila avait donc des raisons d'être particulièrement anxieuse, ces derniers temps…

Puis il replace le flacon dans l'armoire tandis que Barr note dans son carnet le nom du médicament et du médecin prescripteur.

Ils passent la maison au peigne fin, mais, à l'exception du rez-de-chaussée et de la chambre parentale, celle-ci semble avoir été relativement épargnée. Notamment le premier étage qui, outre la chambre parentale, est composé d'une chambre d'amis et d'une troisième chambre plus spacieuse – une suite avec salon et salle d'eau. L'appartement d'Irena lorsqu'elle vivait ici. C'est elle qui le leur a précisé.

La femme de ménage ayant déménagé depuis longtemps, sa commode et son placard sont vides. Nul livre, nul bibelot sur les étagères, rien dans la salle de bains ou le salon attenants. Cela fait manifestement des années que les lieux n'ont pas été habités.

Reyes se demande à quoi ressemblait l'endroit quand Irena y vivait, cette suite luxueuse qui n'abritait pourtant qu'une domestique, prête à se lever au beau milieu de la nuit pour consoler un enfant, debout aux aurores pour préparer les petits déjeuners. Et puis le ménage, les requêtes de Madame, de Monsieur. Était-elle vraiment si proche de la famille ? Peut-être de certains plus que d'autres, songe Reyes. Quelle était sa relation avec les enfants ?

Devenus adultes, continuent-ils encore à se confier à elle ? Il pense au couteau à découper, remis à sa place.

Rien à signaler non plus au deuxième étage. S'y trouvent les anciennes chambres des enfants, une salle de jeux et deux salles de bains. Toute trace de l'enfance des trois Merton a été balayée, remplacée par une décoration soignée. Aujourd'hui, ce sont trois coquettes chambres d'amis.

Reyes songe à sa propre maison remplie de bazar et se demande où sont passés toutes les photos, le matériel de sport, les livres, les anciens cahiers d'école, les Lego, les poupées, les animaux en peluche. À la cave, peut-être ?

— Pas des grands sentimentaux, n'est-ce pas ? fait Barr.

13

Jenna a eu tout le trajet depuis New York pour réfléchir à la mort de ses parents. Ou plutôt, aux conséquences de cette mort sur chacun de leurs rejetons.

Elle d'abord. Elle va toucher un tiers de leur fortune. C'est beaucoup d'argent. Mais combien exactement ? Et combien de temps devra-t-elle attendre avant de recevoir les fonds ? En toute logique, l'allocation qu'elle perçoit actuellement sera maintenue jusqu'à ce qu'elle obtienne sa part de l'héritage. Après quoi, elle sera riche. Elle pourra s'acheter un appartement à New York – ou un atelier, peut-être ? – dans le Lower East Side.

Dan, ensuite. D'eux trois, il a toujours été le maillon faible. Émotionnellement, mentalement. Jenna n'a jamais réussi à déterminer si c'est à cause de leur éducation ou s'il est né comme ça. Ils ont beau avoir grandi dans le même foyer de tarés, ils sont tous les trois si différents. Mais il faut dire qu'ils n'ont pas reçu le même traitement. Ça joue, forcément. Peut-être les blessures de Dan sont-elles plus longues à cicatriser. Sauf que leur père ne pourra plus lui faire de mal, à présent. Il va être riche, lui aussi. Il ne travaillera que s'il en a envie.

C'est drôle de voir ce qu'ils sont devenus, chacun d'entre eux. Catherine, par exemple. L'aînée, la plus conventionnelle, celle qui ne veut pas faire de vagues. Travailleuse, conservatrice. Bien sûr qu'elle est devenue médecin, qu'elle rêve de récupérer la maison. Elle n'a qu'une envie : devenir leur mère. Bon, d'accord, Jenna y va un peu fort. Mais elle en a marre d'entendre tout le monde dire que Catherine est un ange. Catherine n'est pas un ange, et Jenna le sait.

Les gens pensent aussi que Dan a eu toutes les chances de réussir. Or, ils se trompent, une fois de plus. Il a été bousillé par leur père depuis la naissance. Quant à

Sheila, elle ne s'est jamais vraiment intéressée à eux. Elle pouvait se montrer chaleureuse, parfois, et même (plus rarement encore) drôle, mais dès que le climat à la maison se gâtait, elle disparaissait – pas de la pièce, non, à l'intérieur d'elle-même. Ainsi pouvait-elle s'extraire de n'importe quelle situation. Pouf ! Plus personne. Elle n'a jamais su tenir tête à leur père, ne les a jamais protégés – comment auraient-ils pu le lui pardonner ? Jenna repense à la façon dont ils se disputaient pourtant son attention, continuaient à la rechercher alors même qu'ils avaient conscience qu'ils seraient déçus un jour ou l'autre. Pathétique, vraiment… Et leur père. Ils le détestaient. Jenna se réjouit de sa mort. Elle est prête à parier que Catherine et Dan aussi.

Cela n'enlève rien à l'horreur de leur assassinat, certes. Mais c'est mieux comme ça. Il y a beaucoup d'argent à la clé. Si leurs parents n'avaient pas été tués, ils auraient probablement vécu encore de longues années.

Tandis qu'elle file sur l'autoroute en direction d'Aylesford, les pensées de

Jenna se tournent vers Jake – Jake qui est resté avec elle, dimanche, après le départ des autres, et qui a assisté à la dispute qui s'est ensuivie. Elle l'a appelé tout à l'heure, alors qu'elle quittait son appartement pour sauter dans sa voiture, pleurant bruyamment au téléphone, lui disant combien elle regrettait la dureté de ses mots, les derniers qu'elle avait adressés à ses parents avant leur mort. Puis elle l'a convaincu qu'il valait mieux que personne ne soit au courant de cette altercation. « Si quelqu'un pose la question, a-t-elle suggéré, disons qu'on est partis juste après les autres et que tu as passé la nuit avec moi. Ce sera plus simple. »

Jake l'a assurée de son soutien. Il a un côté viril et protecteur qu'elle aime bien, au final.

Elle se rappelle la nuit de leur rencontre, trois semaines plus tôt, dans un club underground où elle s'était rendue avec des amis. Elle avait bu et pris de l'ecsta, mais elle savait que cela n'enlevait rien à son charisme, au contraire. Sur le dancefloor bondé et enflammé du club, au son de la musique étourdissante, c'était elle qui rayonnait. Quand elle avait vu ce type sexy l'observer depuis le bord de la piste, elle avait titubé jusqu'au bar, où il l'avait rejointe pour lui payer un verre. À son odeur de peinture et de térébenthine, elle avait deviné que c'était un artiste. L'attraction avait été immédiate.

Le type parlait peu, et il voulait l'emmener chez lui. Elle était plus que partante sur le principe, mais elle voulait profiter de la musique encore un peu. « Attends-moi », lui avait-elle glissé avant de rejoindre ses amis sur la piste. Là, elle avait tout simplement ôté son tee-shirt pour se mettre à danser les seins nus. Elle est comme ça, elle aime repousser les limites, provoquer. C'est une artiste aussi, elle est censée remettre en question les diktats de la société. Mais le plus électrisant, c'était de sentir le regard du Jake sur elle. De tout le monde. Quand un videur est venu lui chercher des noises, Jake s'est approché. Il a passé sa veste en cuir autour de ses épaules – son tee-shirt à elle était perdu quelque part, déjà piétiné – et l'a ramenée chez lui.

Le souvenir est si vivace, si prenant, que Jenna arrive dans le quartier de Dan sans même s'en rendre compte. Peut-être a-t-elle appuyé sur l'accélérateur à son insu, pressée d'atteindre sa destination. Elle aperçoit la voiture de Catherine dans l'allée de chez son frère et celle de Ted dans la rue – ils ont dû arriver séparément. Un peu plus loin, elle avise le vieux tacot d'Irena. Avec un soupir d'irritation, Jenna reconnaît également le véhicule de sa tante Audrey, l'agaçante sœur de leur père, parqué sur le trottoir d'en face. Qu'est-ce qu'elle fout là ? Personne ne veut d'elle ici, en tout cas pour le moment.

Jenna gare sa voiture et remonte l'allée. Par la grande fenêtre, elle peut voir toute sa famille réunie dans le salon. Elle entre sans frapper – ils l'attendent, de toute façon, non ?

Mais dès qu'elle pénètre dans la pièce, elle a la nette sensation d'interrompre quelque chose. Catherine est dans un fauteuil, les traits tendus ; Ted, à ses côtés, sur une chaise de la table à manger apportée pour l'occasion. Sur le canapé, Lisa et

Dan partagent la même mine consternée, non loin d'Irena, assise sur un autre fauteuil et dont le visage est figé. Tous semblaient écouter Audrey, qui s'est tue d'un coup à la vue de Jenna.

— Jenna ! fait Catherine en se levant pour la prendre dans les bras. Tu as fait vite.

À son tour, Irena se lève, mais Audrey, elle, reste à sa place, les bras croisés sur sa poitrine. Bien que sa tante semble contrariée par son arrivée, elle arbore un air... *triomphant*. Qu'est-ce qui peut bien se tramer ?

Lisa apporte une autre chaise de la table à manger sur laquelle Jenna s'assied.

Un silence de plomb s'est abattu sur le salon.

— Audrey nous apprenait à l'instant que papa a changé son testament avant de mourir, lance Catherine.

Audrey Stancik regarde autour d'elle tous ces enfants gâtés, tellement imbus d'eux-mêmes, tellement convaincus qu'ils vont bientôt toucher ce qu'ils prennent pour un dû. Sauf que c'est son tour, maintenant. C'est *elle* qui va toucher son dû. Malgré les circonstances, elle ne peut s'empêcher de sourire.

Jenna la regarde avec une franche hostilité. Ils étaient tous bien embêtés de la voir, même s'ils ont essayé de prétendre le contraire. Mais Fred était son frère. À l'exception de sa fille, il était la seule famille qui lui restait – ses trois enfants ne comptent pas.

— Qu'est-ce que c'est que ces conneries ? demande Jenna, glaciale.

Audrey lui rend son regard malveillant. Elle ne s'est jamais entendue avec Jenna, qui n'en a toujours fait qu'à sa tête, sans se soucier des conséquences. Comme il est plaisant, aujourd'hui, de pouvoir lui couper le sifflet. Elle ne prend même plus la peine de cacher sa joie.

— En fait, il l'a fait la semaine dernière.

Elle se délecte du spectacle de Jenna qui braque ses yeux sur Catherine, puis sur Dan. Audrey a déjà lâché sa bombe devant les autres, suscitant une réaction similaire.

— C'est quoi ce bordel ? insiste Jenna, tournée vers sa sœur.

Cette petite pimbêche n'a même pas la politesse d'adresser la question à Audrey. Rien de nouveau sous le soleil, cela dit. Ils l'ont toujours traitée comme l'intruse, la marginale, le parent pauvre resté à la porte de leur petit club de privilégiés. Ça la met en rage. S'ils savaient ce que son frère et elle ont traversé, ce qu'elle a fait pour lui. Ils n'ont jamais eu à grandir, eux. Ils ne connaissent rien à la vie.

— Dis-lui ce que tu nous as dit, Audrey, fait Catherine.

Audrey croise les jambes, théâtrale. Elle est ravie de pouvoir raconter à nouveau son histoire – c'est son moment, enfin, après toutes ces années.

— J'ai rendu visite à votre père il y a un peu plus d'une semaine, à sa demande. Nous avons eu une longue discussion. Il m'a dit qu'il allait modifier son testament – qu'il demanderait à Walter de le faire dans le courant de la semaine. Sheila disposait déjà d'une somme importante pour vivre jusqu'à sa mort et léguer ce qu'elle voulait, mais en ce qui concerne la plus grande partie de la succession, la moitié me reviendrait et le reste serait réparti entre vous.

— Je n'y crois pas ! s'exclame Dan avec véhémence depuis le canapé. Pourquoi aurait-il fait ça ?

— C'est ce qu'il voulait, réplique Audrey avec fermeté. Vous aurez toutefois largement de quoi voir venir.

Mais elle connaît ses neveux : ils sont cupides. Ils veulent le plus possible pour eux, et le moins possible pour elle. L'idée de partager l'héritage avec Audrey leur est insupportable.

— Je n'y crois pas non plus, dit Jenna. Tu nous fais marcher, tu en as toujours voulu après le pognon de papa.

C'est l'hôpital qui se moque de la charité, voudrait lui rétorquer Audrey. Au lieu de quoi, elle prend une profonde inspiration, puis déclare posément tandis que son sourire s'élargit :

— Ta mère était là aussi. La nouvelle ne lui a pas fait plaisir, mais elle n'avait pas son mot à dire. Elle avait déjà signé un accord postnuptial pour ce qu'elle avait reçu il y a des années ; Fred pouvait faire ce que bon lui semblait.

— C'est du délire ! explose Dan en se levant d'un coup.

Audrey sursaute.

— Du calme, intervient Catherine. Du calme, s'il vous plaît. Dan, rassieds-toi.

Son frère obtempère.

— Pour autant que je sache, poursuit Catherine, je suis l'exécutrice testamentaire des parents. J'appellerai Walter pour savoir ce qu'il en est. Je suis sûre qu'il n'y aura pas de surprise, ajoute-t-elle en regardant Audrey. Mais je ne vais pas m'en occuper dans la minute. Nos parents viennent d'être assassinés – de quoi aurions-nous l'air ?

Catherine dans toute sa splendeur, songe Audrey. Toujours soucieuse des apparences. L'exact opposé de sa sœur. Mais elle a raison. Il serait inapproprié d'appeler l'avocat quelques heures seulement après la découverte des corps de Fred et Sheila. *Quels sales gosses*, pense-t-elle. Ils n'ont pas changé d'un iota depuis leur enfance.

Fred pouvait être cruel et, comme tout le monde, elle en a fait les frais. Mais elle est peut-être la seule personne qui le comprenait vraiment. La seule qui savait de quel bois il était fait. Elle les dévisage un par un – Catherine, Dan, Jenna. Les nouvelles à la radio laissaient entendre qu'il s'agissait d'un cambriolage qui aurait mal tourné, mais si ce n'était pas le cas ? Et si c'était l'un d'entre eux ?

Elle les scrute à présent d'un œil nouveau. Elle n'a jamais eu à se poser la question avant, mais à présent, elle songe à la tare familiale, à cette prédisposition à la psychopathie qui circule dans la famille Merton, et se demande si l'un d'entre eux n'en aurait pas hérité.

Peut-être devrait-elle se montrer plus prudente, se dit-elle, saisie d'un soudain malaise.

14

L'après-midi vient de commencer et Rose Cutter a besoin d'un café. Elle pourrait s'en faire un au bureau, mais elle a les nerfs en pelote et préfère sortir prendre l'air. Ça tombe bien, son coffee shop favori est un peu plus loin dans Water Street.

Il y a la queue et, tandis qu'elle patiente dans la file, l'écran du téléviseur allumé sans le son au-dessus du comptoir affiche les images d'une luxueuse demeure envahie par la police. « Fred et Sheila Merton retrouvés assassinés à leur domicile », sous-titre le ruban défilant.

Quand elle récupère enfin son café à emporter, sa main tremble sans discontinuer.

Après en avoir fini avec la maison, Reyes et Barr arpentent les alentours à la recherche de potentiels témoins. La première propriété à la porte de laquelle ils vont frapper se trouve à l'est de celle des Merton, elle aussi au bout d'une longue allée. En sortant de sa voiture, Reyes constate que d'ici, la maison des victimes est parfaitement invisible. Les terrains sont immenses dans le coin, les propriétés trop éloignées les unes des autres et séparées par d'épais bosquets.

Quand Reyes sonne à la porte, c'est une sexagénaire qui lui ouvre. À la vue de leurs badges, elle semble soudain nerveuse.

— J'ai appris la nouvelle aux informations, souffle-t-elle.

— Peut-être pourrions-nous nous asseoir à l'intérieur ? suggère Reyes.

La femme les conduit alors dans un grand salon. Puis elle sort un téléphone portable de sa poche et écrit un message.

— Je demande juste à mon mari de se joindre à nous, dit-elle.

De fait, un homme ne tarde pas à descendre l'escalier. Le couple se présente comme Edgar et June Sachs.

— Avez-vous vu ou entendu quelque chose d'inhabituel dans la nuit de dimanche à lundi ? demande Reyes.

Mme Sachs regarde son mari et secoue la tête.

— Nous ne voyons ni n'entendons rien de chez les voisins, ici.

— C'est très calme chez nous, très isolé, renchérit son mari. Je n'ai rien remarqué de particulier.

À cet instant June Sachs penche la tête un instant, comme si elle venait de se rappeler quelque chose :

— Maintenant que j'y pense, j'ai vu passer une camionnette que je n'ai pas reconnue. Elle venait de chez les Merton.

— Quelle heure était-il, à peu près ? demande Reyes.

— Je ne sais pas. Nous étions montés nous coucher. Mais j'ai été réveillée par mon mal de jambes et je me suis relevée pour prendre de l'Advil. C'est là que j'ai vu la camionnette, en allant regarder par la fenêtre. Mais je n'ai aucune idée de l'heure qu'il était, désolée.

— À quelle heure êtes-vous montés vous coucher ?

— Vers 22 heures, peut-être ? C'était donc bien après. Je me réveille souvent en plein milieu de la nuit à cause de mes jambes.

— À quoi ressemblait la camionnette ?

— Elle ne passait pas inaperçue. Ce n'est pas le genre de véhicule que l'on voit par ici… Je connais les voitures de tout le monde dans le quartier. Les jardiniers ont tous des camionnettes blanches. Celle-là était d'une couleur foncée… noire, peut-être, avec des flammes jaune et orange sur le côté, comme ces petites voitures pour enfants. Vous savez, les Hot Wheels ?

Après les avoir remerciés pour leur aide, les deux policiers prennent congé. Il n'y a qu'une seule maison de l'autre côté de celle des Merton, puis la route s'arrête. Personne n'a vu de visiteur, et encore moins de camionnette. Même constat dans les autres propriétés du coin. Reyes en vient à se demander si Mme Sachs n'a pas eu une hallucination. Un voisin dit toutefois avoir reconnu la Mini Cooper de Jenna Merton qui s'éloignait de chez les Merton le soir de Pâques, alors qu'il promenait son chien, juste après 20 heures. Barr en prend note.

Derrière la baie vitrée de chez Dan et Lisa, Catherine regarde Audrey monter dans sa voiture, puis prend une longue inspiration. Tout le monde semble soulagé de son départ, bien que ce soulagement soit teinté d'inquiétude. Catherine s'enfonce dans son fauteuil et ferme les yeux, soudain exténuée.

— Ne me dites pas que vous croyez à ses conneries, commence Jenna. Elle veut juste nous faire culpabiliser pour qu'on finisse par cracher au bassinet.

— Je ne sais pas, répond Catherine en redressant la tête et en rouvrant les yeux. Tu te souviens comme moi de papa la dernière fois. Il était odieux avec tout le monde, il a dit qu'ils allaient vendre la maison. Va savoir, il a peut-être bel et bien changé son testament en faveur d'Audrey.

Puis elle ajoute, dans un murmure :

— Mon Dieu, j'espère que non.

— C'est pourtant exactement le genre de choses dont il était capable ! s'exclame Dan, amer. Donner la moitié de son argent à une vieille chouette pour le seul plaisir de réduire notre héritage. Il ne l'appréciait même pas.

— Je n'y crois pas, rétorque Jenna. Elle bluffe. S'il avait changé son testament, il nous l'aurait dit à Pâques. Il ne se serait pas privé.

— Pas faux, admet Catherine.

Depuis toujours, on leur a laissé croire que la succession serait partagée équitablement entre eux trois, mais si ce n'était plus le cas ? Catherine se rend compte qu'elle n'a aucune certitude.

— Allez, arrêtons un peu, reprend-elle. On dirait qu'il n'y a que l'argent qui nous intéresse.

Mais personne ne rebondit.

— Il faut qu'on se serre les coudes, insiste-t-elle en se tournant vers Irena, restée muette depuis l'arrivée d'Audrey. Tu as dit que la police semblait pencher pour un cambriolage, mais ils vont quand même probablement tous nous interroger, continue-t-elle en leur adressant à chacun un regard d'avertissement, y compris à son mari. Je vous suggère de garder pour vous vos sentiments personnels à l'égard de papa. Essayons de ressembler à une famille fonctionnelle. Et essayez de ne pas avoir l'air de trop vous réjouir pour l'argent. Ah, j'oubliais : aucune fuite à la presse, compris ?

Tout le monde acquiesce.

— Maintenant, au travail, conclut-elle. On a un enterrement à organiser, et il faut que ce soit fait correctement.

Ils passent l'heure qui suit à tout planifier. La cérémonie, d'abord. Tous les trois voudraient que les obsèques se tiennent à St Brigid, l'église fréquentée par leurs parents. Ils s'attendent à ce qu'il y ait du monde pour le service. Puis Fred et Sheila iront reposer dans le cimetière voisin, celui des riches, avec tous les mausolées. En sa qualité d'aînée, Catherine dira quelques mots.

Se pose ensuite la question de la réception. L'endroit le plus évident aurait été la maison familiale – c'est le seul lieu assez grand pour accueillir autant de gens, mais c'est une scène de crime à présent. Finalement, ils optent pour le country club du golf, auquel appartenaient leurs parents. D'autant que là-bas, le buffet sera pris en charge. Catherine les appellera demain à la première heure, juste après avoir prévenu l'église.

Quand cette dernière se lève pour partir, complètement vidée, elle a du mal à croire qu'il n'est que 16 heures. Elle se dit qu'elle se remémorera le jour où ses parents ont été retrouvés assassinés comme l'un des plus longs de sa vie. Mais elle doit encore parler à Ted quand ils rentreront à la maison. Là où personne d'autre ne peut les entendre.

15

En sortant de chez Dan, Audrey s'est précipitée chez Ellen Cutter. Elle a besoin de voir un visage ami après cette entrevue si déplaisante, et cela fait plusieurs dizaines d'années qu'Ellen est sa confidente. Elles se sont rencontrées aux débuts de Merton Robotics, alors qu'elles travaillaient toutes les deux pour son frère. Ellen était l'assistante personnelle de Fred, elle le connaît mieux que quiconque. Même si cela remonte à loin, maintenant.

Quand Audrey arrive chez elle, Ellen l'attendait déjà – elle avait entendu parler des meurtres à la radio. Les deux femmes se sont réconfortées autour d'un café dans la lumineuse cuisine d'Ellen, puis ont discuté de l'horrible événement. Elles n'avaient aucune idée de comment Fred et Sheila étaient morts, car les médias étaient restés muets sur le sujet – et même les enfants prétendaient ne rien savoir.

Comme c'est bizarre, de faire quelque chose de si banal, si familier – prendre un café chez sa meilleure amie – tout en discutant de quelque chose de si extraordinaire. Ellen est visiblement chamboulée par la nouvelle. Elle était déjà au courant, pour la moitié de l'héritage, et contrairement aux enfants de Fred, s'était réjouie pour son amie. Mais pas plus que cette dernière, elle ne s'attendait à ce que la succession arrive si vite. Audrey en a-elle trop dit sur la façon dont cet argent va changer sa vie ? C'est plus fort qu'elle. Même si c'est évidemment une tragédie, elle ne peut s'empêcher de se réjouir.

D'ailleurs, les deux amies ont évoqué la possibilité de faire bientôt un voyage. Une croisière peut-être, au large de l'Italie. Aux frais d'Audrey, bien sûr.

Debout sur le seuil de sa maison, Lisa regarde les gens partir : Irena s'arrêter à la voiture de Catherine tandis que Ted se dirige vers son coupé, s'adosse au capot et allume une cigarette ; Jenna le rejoindre pour s'en griller une à côté. Ce sont les deux seuls fumeurs de la famille. Puis elle reporte son attention sur Catherine et Irena, qui complotent à voix basse. De quoi parlent-elles qu'elles ne pouvaient évoquer à l'intérieur ? Dans son cou, Lisa sent le souffle chaud de son mari.

Catherine jette un coup d'œil vers la maison et, voyant Dan et Lisa sur le perron, s'interrompt brusquement. Puis elle s'installe à son volant, Ted et Irena ne tardant pas à l'imiter. Tandis que les trois voitures démarrent et s'éloignent, Jenna rejoint sa Mini, mais elle reste encore quelques minutes appuyée contre la carrosserie pour fumer une autre cigarette en balayant l'écran de son téléphone.

Quand Lisa s'arrache enfin au spectacle et se retourne, elle surprend une curieuse expression sur le visage de son mari, qui s'évapore presque aussitôt. Qu'était-ce ? Elle ne saurait le dire, maintenant qu'il lui adresse son habituel regard de chien battu. Puis il détourne la tête en passant une main dans ses cheveux.

Lisa l'accompagne dans la cuisine, se sert une nouvelle tasse de café.

— Tu vas bien ? fait-elle, adossée au comptoir.

Dan s'assied sur une chaise, pose ses coudes sur la table et joint ses mains.

— Je sais que tu as eu des problèmes avec ton père, reprend Lisa, cherchant ses mots. Mais je sais aussi à quel point tu aimais ta mère. Ça doit être si dur pour toi, je ne peux même pas imaginer.

Lisa a encore ses deux parents, avec lesquels elle entretient de bonnes relations. Le conflit entre Dan et son père allégera-t-il son deuil ? En ce qui la concerne, elle a eu vent de quelques anecdotes et elle a suffisamment côtoyé Fred pour savoir qu'elle ne le regrettera pas. Sa belle-mère, en revanche, lui était sympathique, malgré le fait qu'elle ait toujours été une mère défaillante, sur laquelle Dan n'a jamais pu compter. Comment peut-on aimer ses enfants d'un amour aussi… *conditionnel* ?

La vie n'a pas été simple, dernièrement. Mais le vent est peut-être en train de tourner. Peut-être Dan sera-t-il enfin capable d'enterrer ses parents et tout ce qu'ils lui ont fait avec.

Lisa se mord la lèvre inférieure en observant son mari. Va-t-il s'effondrer, éclater en sanglots ? Elle a presque envie qu'il le fasse, pour pouvoir le prendre dans les bras.

Mais il regarde dans le vide, l'air absent. C'est la première fois qu'elle entrevoit cet aspect de lui.

— Dan, insiste-t-elle, mal à l'aise, en posant sa main sur son bras et en le secouant doucement.

— Je n'arrête pas de les voir, dit-il en sursautant, ses yeux rencontrant enfin ceux de sa femme, les traits de son visage brièvement déformés.

— Qu'est-ce que tu racontes ? s'exclame-t-elle en reculant instinctivement.

— Je n'arrête pas de les imaginer, maman étranglée, la gorge de papa tranchée, son corps poignardé, encore et encore.

Sa voix tremble, son teint est cireux.

— Imagine comme ils ont dû souffrir.

— Essaie de ne pas y penser, l'implore-t-elle en agrippant sa main sur la table.

Mais elle a la nausée.

— Tu ne dois pas penser à tout ça. C'est fini, ajoute-t-elle. Ils n'ont plus mal, maintenant. Il faut se concentrer sur l'avenir. Les choses vont enfin s'améliorer.

Elle n'avait pas eu l'intention de le mentionner, mais c'est sorti tout seul.

— Une fois que tu auras reçu ton héritage, on n'aura plus à se soucier de l'argent. Tu te rends compte ?

Dan acquiesce sans rien dire.

— Peut-être qu'on pourra enfin voyager, comme on l'a toujours voulu, lance-t-elle, enhardie. On ne pouvait pas, quand tu travaillais pour ton père. Mais l'heure est peut-être venue d'un nouveau départ.

— Oui, un nouveau départ, répète-t-il enfin en posant sa main sur celle de sa femme et en l'embrassant.

Mais la douceur du moment est vite interrompue.

— Mais…

— Mais quoi ? s'inquiète Lisa.

— ... mais si papa avait vraiment changé son testament ? Et si Audrey obtenait la moitié ? Et si je n'avais rien du tout ? Après tout ce que j'ai fait, après tout ce que j'ai supporté pendant toutes ces années ?

— Fred ne ferait pas ça, tente-t-elle de le rassurer, la peur au ventre.

Vraiment ? songe-t-elle. Elle repense à Pâques.

— Et il va y avoir une enquête, poursuit Dan. Les flics vont poser des questions, fouiner dans nos histoires familiales. Ça va être horrible.

— Il faut juste serrer les dents, Dan, le temps que ça passe. Vous allez y arriver, tous les trois. Et je suis là.

— Je vais appeler Walter, dit Dan, les traits toujours aussi tendus. Je me fiche de l'image que ça renverra.

Puis il se lève et quitte la pièce.

À ce moment-là, une pensée traverse Lisa, comme un rat qui se réfugierait dans un coin de son esprit, à l'abri des regards.

Elle n'avait pas percuté jusque-là. La nuit des meurtres, Dan était ressorti faire un tour en voiture. Et il s'était absenté longtemps. Elle était restée au lit, éveillée, puis avait fini par s'endormir. Et si la police les interrogeait à ce sujet ?

Le claquement de la porte la fait sursauter. Jenna se tient dans l'entrée. Elle n'est pas partie avec les autres, finalement.

— Dan est en train d'appeler Walter pour le testament, lui glisse-t-elle avant de monter les marches quatre à quatre pour rejoindre le bureau de son mari, sa belle-sœur sur les talons.

16

À quelques mètres seulement derrière Catherine, au volant de sa propre voiture, Ted cogite. Il est content d'être seul, il a une sacrée pelote à démêler. Fred et Sheila morts. Une enquête pour homicide. Sa femme qui a menti à la police. Pourquoi donc cacher qu'elle était retournée là-bas la nuit du meurtre ? Pourquoi ne pas l'avoir dit, tout simplement ? Ses parents allaient évidemment très bien quand elle les a quittés.

Il se gare dans l'allée, rejoint Catherine à l'intérieur, la trouve assise sur le canapé du salon, les yeux dans le vide.

— Catherine, qu'est-ce qu'il y a ? Qu'est-ce qui se passe ? demande-t-il, inquiet.

— Assieds-toi, fait-elle.

L'expression toujours soucieuse, il s'exécute.

— Je... je pense que j'ai peut-être fait une erreur, poursuit-elle, se tordant les mains.

Plus de trace du sang-froid dont elle a fait preuve chez Dan.

— Les inspecteurs m'ont demandé si j'avais eu des contacts avec mes parents après le dîner de dimanche, et je leur ai dit que non.

— Mais pourquoi ? s'alarme-t-il.

— Je ne sais pas, soupire-t-elle en secouant la tête. C'était un réflexe. J'imagine que... j'imagine que j'avais trop peur qu'ils voient en moi une suspecte.

Consterné, Ted se redresse.

— Catherine. Ne sois pas ridicule, voyons. Pourquoi te soupçonneraient-ils ? C'était un cambriolage.

Depuis le canapé, Catherine lui lance un regard empli de détresse comme il ne lui en a jamais vu.

— Tu n'étais pas là quand ils sont venus me l'annoncer, se défend-elle en haussant le ton. La façon dont ils m'ont regardée, comme s'ils avaient déjà des soupçons.

Elle se met à parler de plus en plus vite.

— Ils vont penser que c'est quelqu'un de la famille. Ils vont tous nous soupçonner, tôt ou tard, à cause de l'argent. Je ne voulais pas qu'ils sachent que j'étais retournée là-bas. Ça m'aurait… porté préjudice.

— Mais non, insiste-t-il en secouant la tête. Tu voulais juste parler à ta mère. Tu dois le dire à la police.

— Non, rétorque-t-elle farouchement. Je ne peux pas leur dire maintenant. Pas après leur avoir menti !

— Et s'ils finissent quand même par le découvrir ? proteste-t-il, maintenant franchement inquiet. Ce sera encore pire.

— Alors qu'est-ce que tu proposes, hein ? Que je leur dise que j'avais juste *oublié* y être allée cette nuit-là ? Que ça m'était sorti de la tête ? Je leur dis que tout allait bien, que j'ai parlé à maman et que je suis partie ? Et s'ils ne me croient pas ?

— Catherine ! Pourquoi ne te croiraient-ils pas ? Tu te rends compte de ce que tu dis ! Tu ne peux pas honnêtement penser qu'ils te soupçonneraient d'avoir assassiné tes propres parents !

Catherine se relève d'un bond et arpente nerveusement la pièce.

— Irena m'a dit quelque chose, devant la voiture, quand on s'apprêtait à partir, lâche-t-elle enfin. Elle voulait me prévenir.

— Quoi ? Qu'est-ce qu'elle a dit ?

— Que les inspecteurs pensent que les parents connaissaient le meurtrier.

— Et pourquoi donc ? s'étrangle Ted.

— Elle les a entendus dire que le meurtre avait l'air *personnel*.

— Mais Irena elle-même nous a dit qu'ils pensaient à un cambriolage qui aurait mal tourné !

— Peut-être, fait Catherine après une pause. Mais elle a aussi dit qu'ils semblaient très intéressés par l'héritage.

Malgré lui, Ted pense immédiatement à Dan. Mais sûrement que…

— Je ne veux pas que ces flics sachent que j'étais là, tranche Catherine, interrompant ses élucubrations. Et Dan et Jenna non plus. Il ne faut pas qu'ils sachent que j'ai menti à la police.

— Pourquoi ?

— Je ne leur fais pas confiance, dit-elle en détournant les yeux.

Après le départ d'Audrey, Ellen Cutter reste assise dans la cuisine un long moment, fixant sa tasse de café, ressassant l'effroyable nouvelle. Puis elle se lève pour aller verser le reste de café froid dans l'évier. Elle n'arrive toujours pas à réaliser. C'est la première fois qu'une personne qu'elle connaît de près ou de loin est assassinée. Elle pensait que c'était le genre de drame qui n'arrivait qu'aux inconnus, à la télé.

C'est super pour Audrey, bien sûr. Elle va devenir riche. Mais pourquoi en a-t-elle parlé autant ?

Et Catherine. Catherine est l'une des meilleures amies de sa fille, elles se connaissent depuis toujours. Quel choc cela a dû être pour elle et pour son frère

160

et sa sœur. Et puis tout cet héritage dont ils seront privés…

Ellen se demande si Rose est au courant. Elle ferait mieux de l'appeler.

Le petit commissariat d'Aylesford est en ébullition. Bien qu'ils soient les deux inspecteurs en charge de l'enquête, Reyes et Barr ont mis sur pied deux équipes pour les épauler. L'une est chargée de fouiller les environs de la propriété des Merton à la recherche de vêtements tachés de sang ou de l'objet utilisé pour étrangler Sheila Merton. Peu à peu, les recherches s'élargiront au fleuve Hudson tout proche, aux bois alentour, aux bennes à ordures. Ils ont diffusé un avis de recherche pour retrouver la camionnette.

L'autre équipe s'occupe de recueillir les informations concernant la famille. Il y en a peu, hélas. Fred Merton était un homme d'affaires brillant et son entreprise a fait l'objet d'une large couverture médiatique, mais sa vie privée a toujours été jalousement protégée. Avaient-ils des secrets ?

17

On est loin des standards de Brecken Hill, mais le quartier d'Aylesford qu'habitent Dan et Lisa Merton, avec ses pavillons rupins et ses larges rues bordées d'arbres, attire son lot de médecins, avocats et cadres supérieurs.

— Ces riches, lance Barr en claquant la portière de la voiture de Reyes, ils en veulent toujours plus.

— Tu en connais beaucoup, on dirait, la taquine Reyes en la rejoignant sur le trottoir, face à une coquette maison à deux étages en briques jaunes, parfaitement entretenue.

— Pas vraiment, non, admet la jeune femme.

Un parterre d'arbustes et de fleurs longe la façade, sous la grande baie vitrée du salon. Les deux flics s'avancent jusqu'au perron, sonnent à la porte.

— Lisa Merton ? demande Reyes à la petite brune séduisante qui vient leur ouvrir.

Cette dernière acquiesce, une lueur d'inquiétude dans ses jolis yeux noirs.

— Je suis l'inspecteur Reyes et voici l'inspectrice Barr. Pouvons-nous entrer ?

Le son d'une télévision allumée leur parvient de l'intérieur.

— Je vous en prie, fait la jeune femme en s'écartant pour les laisser passer.

Puis elle tourne la tête et crie :

— Dan !

Un homme de taille et de corpulence moyennes, déjà dégarni sur les tempes, apparaît dans l'entrée. L'exemple parfait du mec « quelconque ». Derrière lui se découpe la silhouette d'une autre femme, la vingtaine, grande et mince, toute de noir vêtue. Elle, pour le coup, est d'une beauté saisissante.

Reyes brandit son badge.

— Je suppose que vous êtes Dan Merton ? demande-t-il à l'homme, qui hoche la tête.

— Et moi, Jenna Merton, devance la femme en noir.

Rien à voir avec sa sœur aînée, songe Reyes, se remémorant le collier de perles et la blouse de médecin. Jenna a une mèche violette dans ses cheveux noirs et un épais trait d'eye-liner sous les yeux. Intact, d'ailleurs. Pas la moindre trace de coulure causée par d'éventuelles larmes.

— Pouvons-nous nous asseoir ? suggère Reyes.

— Bien sûr, s'empresse de répondre Lisa, gênée, avant de les conduire tous au salon.

Reyes et sa coéquipière prennent place sur les fauteuils, face aux trois Merton, sur le canapé.

— Je voudrais d'abord vous présenter mes condoléances, commence Reyes en prenant un long moment pour les observer un par un.

Dan Merton semble tendu. Sa sœur, beaucoup moins, mais elle a tout de même l'air de se tenir sur ses gardes.

— Nous enquêtons sur le meurtre de vos parents, poursuit Reyes.

— Et nous voulons que vous arrêtiez l'ordure qui a fait ça le plus rapidement possible, l'interrompt Dan. Je n'arrive toujours pas à y croire. Je veux dire… Nous sommes tous dévastés.

Reyes est frappé par une curieuse sensation de déjà-vu : ce sont exactement les termes que la femme de ménage a employés, un peu plus tôt.

— Nous n'avons que quelques questions à vous poser. Pour l'instant, en tout cas. Comme vous le savez sans doute, nous avons déjà brièvement parlé à votre sœur, Catherine.

— Allez-y, fait Dan, tel un candidat de jeu télévisé s'apprêtant à appuyer sur son buzzer.

— À votre connaissance, vos parents avaient-ils des ennemis ? s'enquiert Reyes en regardant tour à tour Dan et Jenna.

— Des ennemis ? répète Dan nerveusement. Non.

165

— Réfléchissez bien à la question, s'il vous plaît, insiste Reyes. Votre père était un riche homme d'affaires à la tête d'une entreprise très prospère, si j'ai bien compris. Aurait-il pu provoquer la colère de quelqu'un ?

Dan secoue la tête.

— Les affaires de mon père étaient tout à fait légales, inspecteur. Je le sais, j'y ai travaillé. J'étais son bras droit, en quelque sorte. Et par ailleurs, il était à la retraite ; il a vendu l'entreprise il y a quelques mois.

— Je vois. Savez-vous si quelque chose tracassait vos parents, ces derniers temps ? Semblaient-ils inquiets ?

Dan secoue à nouveau la tête, les sourcils froncés.

— Pas que je sache.

Puis il interroge sa sœur du regard.

— Comment le saurais-je ? s'exclame cette dernière en haussant les épaules. Je ne les voyais pas si souvent que ça.

— Je demande ça parce que votre mère prenait depuis peu des anxiolytiques, lâche Reyes.

Les deux enfants semblent sincèrement surpris.

— Vous ne savez pas pourquoi ?

Dan et Jenna secouent la tête.

— La dernière fois que vous les avez vus, c'était pour le dîner de Pâques, n'est-ce pas ?

— Oui, fait Dan. Nous étions tous là. Lisa et moi, Catherine et son mari, Irena, Jenna et... comment il s'appelait, déjà ?

— Jake, répond Jenna.

— À quelle heure êtes-vous partis ?

— Catherine et Ted sont partis les premiers, vers 19 heures. Lisa et moi les avons suivis de près, et j'ai vu Irena sortir quand j'étais en train de monter dans ma voiture.

— Et vous ?

Reyes se tourne vers Jenna.

— On est partis quelques minutes plus tard, répond-elle, évasive.

Elle ment, note Reyes. Il sait qu'elle n'est partie qu'après 20 heures. Mais il ne relève pas, pour le moment.

— L'un d'entre vous les a-t-il vus ou leur a-t-il parlé après ça ?

Dan et Jenna secouent la tête.

— Et rien ne vous a semblé sortir de l'ordinaire ? Je vous rappelle qu'ils ont été assassinés un peu plus tard dans la nuit.

Reyes sent l'atmosphère changer, même si aucun des deux ne réplique. Il mettrait sa main au feu que quelque chose a mal tourné ce soir-là.

— Il ne s'est donc rien passé au dîner de Pâques ? insiste Barr.

Elle aussi a dû flairer le mensonge, pense Reyes.

— Non, dit Dan en fronçant à nouveau les sourcils. C'était juste un dîner de Pâques tout ce qu'il y a de plus normal. Avec de la dinde et de la tarte.

— Comme d'hab', renchérit Jenna.

Reyes jette alors un coup d'œil à Lisa. Elle est comme statufiée, son regard verrouillé quelque part entre Barr et lui.

L'enquêteur laisse le silence s'étirer jusqu'à ce que tout le monde se sente mal à l'aise.

— Ils ont dit aux infos qu'il s'agissait d'un cambriolage, lance Dan, que l'argent et les bijoux ont été volés. Ce n'est pas le cas ?

— C'est l'une des hypothèses, oui, répond Reyes.

Puis il les interroge sur l'argent.

Son gros chat tigré sur les genoux, un ouvrage de Dickens acheté d'occasion posé à l'envers sur l'accoudoir de son fauteuil, Irena laisse l'obscurité envahir le salon de sa petite maison sans bouger. Elle n'arrive pas à lire. Elle n'arrive à rien faire d'autre que penser à Fred et Sheila, au carnage sur le sol de la cuisine, au carrelage poisseux du sang de Fred. Elle a si souvent lavé le sol de cette pièce… Les enfants jouaient à ses pieds quand elle y préparait des gâteaux.

Heureusement qu'on ne peut pas prédire l'avenir.

Et les enfants, justement. Que va-t-il advenir d'eux ? Ils seront soupçonnés, évidemment. Il y a trop d'argent en jeu. Mais tant qu'ils gardent leur langue et restent solidaires, les choses peuvent s'arranger. Il ne faut surtout pas que la police découvre la vraie face des Merton.

Dès le début, elle a su que c'était une famille dysfonctionnelle, mais elle est restée pour les enfants. Pour veiller sur eux, pour les protéger. Elle a toujours essayé de les guider, de les aider à devenir meilleurs.

Au point de trafiquer une scène de crime.

Après avoir raccompagné les inspecteurs à la porte, Jenna, Dan et Lisa restent un long moment sans dire un mot, comme s'ils avaient tous trop peur d'être le premier ou la première à exprimer une opinion. Mais ils ont besoin de disséquer ce qui vient de se passer. Ils retournent au salon.

— Mon Dieu, lâche Dan en traversant la pièce à grandes enjambées, j'ai besoin d'un verre. Quelqu'un d'autre ? lance-t-il après s'être servi un grand whisky.

— Non, merci, font Jenna et Lisa en chœur.

Puis Dan se laisse tomber sur le canapé et Lisa l'imite.

— Ils font leur job, tu sais. Ils sont obligés de poser des questions, tempère Jenna en prenant place sur le fauteuil que l'inspecteur Reyes vient de libérer.

— Merde ! éructe Dan.

— Qu'est-ce qui ne va pas ? demande Jenna.

— Ils pensent que c'est l'un d'entre nous, c'est clair. Tout ce foin autour de l'argent de papa et de qui va en hériter…

Sa main tremble lorsqu'il porte son verre à sa bouche. Jenna jette un coup d'œil à Lisa – sa belle-sœur l'a remarqué, elle aussi.

— Ils vont probablement penser que c'est moi, dit Dan. Peu importe que je sois complètement innocent ! Tout le monde sait que papa a vendu l'entreprise sous mon nez, qu'il a foutu ma vie en l'air. Ils le découvriront bien assez tôt. Et ils découvriront…

Il s'arrête soudainement.

— Ils découvriront quoi, Dan ? relance Jenna après un nouveau coup d'œil à Lisa, dont le visage a pâli.

— Qu'on n'a plus un rond, avoue Dan après une hésitation.

Jenna ne s'attendait pas à cela. Elle étudie son frère un moment avant de réagir.

— OK, t'es au chômage et les temps sont durs. N'importe qui comprendrait. Mais tu ne peux pas être sur la paille. Vous avez forcément des économies. Jamais ils ne penseront que tu es un meurtrier.

— C'est pire que ce que tu crois, rétorque Dan en secouant la tête, au désespoir. Avant que papa vende la boîte et que je perde mon job, j'ai fait un investissement. La plupart de nos économies y sont bloquées et je ne peux pas sortir le fric avant six mois. J'ai essayé, crois-moi. Le reste, nous l'avons dépensé pour vivre. On a vécu sur nos cartes de crédit, ajoute-t-il avant de finir son verre cul sec.

Lisa semble sur le point de disparaître dans le canapé.

— Je suis désolée, ma chérie, fait Dan en se tournant vers elle. Je suis vraiment un tocard.

Puis il se prend la tête entre les mains.

18

Il est 9 heures le lendemain matin, mercredi, et le soleil brille déjà lorsque s'ouvre devant le commissariat la conférence de presse consacrée à l'affaire Merton. La foule est nombreuse, agitée : journalistes, bien entendu, mais également habitants du coin. Tous semblent s'attendre à l'annonce d'une arrestation imminente. *Ils vont être déçus*, pense Reyes tandis qu'il monte sur l'estrade et laisse les flashes crépiter avant de parler dans le micro.

— Merci d'être venus, commence-t-il. Je suis l'inspecteur Eric Reyes de la police d'Aylesford, en charge de l'enquête sur le double homicide de Fred et Sheila Merton. Les deux corps ont été découverts hier au domicile des victimes, à Brecken Hill. Nous lançons un appel à témoins afin de retrouver la ou les personnes responsables de ces deux meurtres. Nous souhaitons tout particulièrement entrer en contact avec quiconque aurait aperçu une camionnette de couleur sombre avec des flammes orange et jaune sur les panneaux latéraux. Le véhicule a été vu sur la route en provenance du lieu du crime, dans la nuit du dimanche 21 au lundi 22 avril.

Reyes fait une pause, prend une inspiration et poursuit :

— Nous encourageons la population à utiliser le numéro suivant.

Puis il énonce lentement le numéro, deux fois de suite.

— Nous allons tout mettre en œuvre pour que les auteurs de ce crime atroce soient traduits en justice le plus vite possible. Je vous remercie.

Les premières questions des journalistes fusent mais Reyes descend de l'estrade et, leur tournant le dos, s'engouffre dans le commissariat.

C'est à la télévision qu'Audrey Stancik regarde la conférence de presse. Mais elle n'en apprend rien. Il y avait plus d'informations dans le *Aylesford Record* du matin. Un journaliste débrouillard a découvert que Sheila a été étranglée, Fred poignardé à plusieurs reprises et égorgé, et que c'est Irena qui a appelé la police. La lecture de cet article l'a secouée, mais au moins elle sait, maintenant. Elle sait également que la maison a été mise sens dessus dessous et que des objets de valeur ont disparu. Dire que personne ne lui a rien raconté, la veille chez Dan, alors même qu'Irena était là. Qu'il a fallu qu'elle apprenne tout ça dans le journal !

Quelques minutes plus tard, Audrey saute dans sa voiture, direction le cabinet de l'avocat de son frère, Walter Temple. Elle n'a pas de rendez-vous, mais elle est sûre que compte tenu des circonstances, il acceptera de la voir, d'autant qu'ils se connaissent depuis des années. Elle ne peut pas attendre une seconde de plus.

De fait, Walter la reçoit immédiatement, la salue avec gravité, lui présente ses condoléances, lui dit combien il est désolé, et ainsi de suite. Mais il a l'air excessivement mal à l'aise, et Audrey s'en aperçoit.

— Fred est venu vous voir la semaine dernière pour son testament, n'est-ce pas ? fait-elle après avoir pris son courage à deux mains.

Autant dire que la réaction de l'avocat ne la rassure pas : il détourne les yeux et commence à redresser les coins des piles de papiers sur son bureau. L'inquiétude d'Audrey se mue en angoisse. Walter s'éclaircit la voix :

— J'ai été absent toute la semaine dernière pour une urgence. Je ne l'ai pas vu, répond-il enfin.

Son sang se glace d'un coup et le visage de l'avocat se met soudain à danser devant ses yeux.

— Comment ça ? bafouille-t-elle.

— Apparemment, il voulait me voir, en effet, mais comme j'étais absent, il a pris rendez-vous pour cette semaine – il était censé venir aujourd'hui, à 10 heures. Mais il est mort avant…

Sa voix s'évanouit.

Audrey s'affaisse dans son fauteuil, tous ses espoirs anéantis.

— Ce n'est pas possible, proteste-t-elle. Il avait promis de le faire la semaine dernière.

— Oui, il voulait venir, mais j'étais en voyage d'affaires. Je suis désolé.

— Peut-être a-t-il vu un autre avocat ?

— Je ne crois pas, non.

— Il allait changer son testament, déclare-t-elle en haussant le ton tandis que tous ses projets s'écroulent un à un. Il m'avait promis. Il allait faire en sorte que je reçoive la moitié et que ses enfants se partagent l'autre moitié. Et si je mourais avant lui, ma part irait à ma fille.

Walter lui adresse un long regard navré, mais elle n'a que faire de sa compassion.

— Je suis vraiment désolé, Audrey. Mais il est mort avant d'avoir pu modifier quoi que ce soit. Il ne pouvait pas savoir ce qui allait se passer...

Audrey reste quelques instants immobile, le temps que la rage, peu à peu, remplace la stupéfaction. C'était leur seule chance de toucher quelque chose, à sa fille et elle. Et voilà qu'elle vient de s'envoler, pschitt, comme ça. Comme son frère. Et maintenant, tout l'argent de Fred si durement gagné va aller directement dans la poche de ses trois enfants pourris gâtés qui n'ont rien fait pour le mériter.

— Elle savait ! s'écrie Audrey.

— Quoi ? fait l'avocat, surpris.

— Sheila savait. Elle savait que Fred allait changer son testament pour me donner la moitié. Elle était là – et elle désapprouvait. Elle ne m'a jamais aimée.

Le malaise de Walter est palpable : il ne veut visiblement rien avoir à faire avec toute cette histoire.

— Vous savez ce qui a dû se passer, pas vrai ? ajoute Audrey, le regard mauvais. Elle a tout répété à ses enfants. Et l'un d'eux les a assassinés avant que Fred ne mette son plan à exécution. Et ils n'ont rien vu venir, conclut-elle avec amertume.

— C'est absurde, Audrey, souffle Walter en blêmissant.

Mais elle se lève brusquement et quitte le bureau sans un mot, furieuse. Elle en est convaincue à présent. Dans l'ascenseur, elle continue à cogiter. Sheila a dû prévenir l'un d'entre eux. Mais lequel ? Ou bien l'a-t-elle dit à tous ? Et voilà comment elle a été récompensée...

Tandis qu'elle franchit les portes du cabinet, Audrey s'en fait solennellement le serment : elle découvrira qui a fait ça. Et ils paieront.

Comme prévu, Reyes et Barr se rendent au bureau du médecin légiste, à deux pas du commissariat, dans un bâtiment en briques de deux étages. Avec ses comptoirs métalliques luisants sous la haute rangée de fenêtres, ses corps reposant sur les tables à roulettes, et surtout son odeur de mort – à laquelle Reyes ne s'habituera jamais. Il glisse dans sa bouche une pastille contre la toux, jette un coup d'œil à sa coéquipière qui semble, elle, imperturbable. Parfois, il se demande même si elle n'a pas perdu le sens de l'odorat.

Vêtue d'une combinaison, Sandy Fisher, l'une des médecins, est penchée au-dessus de la dépouille de Fred Merton.

— Bonjour, inspecteurs, lance-t-elle.

Ils l'ont interrompue en plein travail. Le corps est encore ouvert et l'estomac, posé sur une balance. Reyes détourne les yeux pour porter son attention sur l'autre cadavre recouvert d'un drap, un peu plus loin. Sûrement celui de Sheila Merton.

— J'en ai fini avec elle, les informe Sandy en faisant un signe de tête par-dessus son épaule, mais j'ai encore beaucoup à faire sur celui-ci.

Elle repose cependant ses instruments et se dirige vers l'autre table d'autopsie. Son assistant retire le drap pour découvrir le haut du corps de Sheila Merton.

— Pas très compliqué, commence Sandy, tandis que les deux flics observent le cadavre de la malheureuse femme. Étranglement par ligature, avec quelque chose de lisse, très probablement. Un fil électrique, par exemple.

— Et on n'en a retrouvé aucune trace, commente Reyes, songeur. Le tueur l'a donc sûrement emporté avec lui. Il n'y avait aucun signe d'effraction – il devait savoir que c'était Sheila qui ouvrirait.

Il s'interrompt un instant, fixant le visage rigidifié de Sheila Merton.

— Quelqu'un s'est présenté sur le pas de la porte avec des gants, des chaussettes épaisses et sans chaussures, tenant dans ses mains de quoi l'étrangler. Puis, quand Sheila a été liquidée, cette même personne a pris un couteau dans la cuisine et attendu Fred.

Barr hoche la tête d'un air pensif.

— Possiblement quelqu'un qui les connaissait, qui connaissait la maison, renchérit-elle.

— L'heure du décès ? s'enquiert Reyes.

— Vous savez comme moi que ce n'est qu'une estimation, répond Sandy, mais je dirais entre 22 heures et 6 heures du matin. J'en saurai plus quand j'en aurai fini avec lui. Mais je peux d'ores et déjà vous confirmer que l'arme du crime est bien le couteau de cuisine.

19

De retour au poste, les dires de la femme de ménage se vérifient : les caméras de sécurité du domicile ne fonctionnaient pas. Quant au coffre-fort, ouvert par les équipes de Reyes et Barr, il ne semble pas avoir été touché. Aucun bijou ne se trouvait de toute façon à l'intérieur.

Reyes parcourt rapidement le rapport préliminaire de l'expertise médico-légale : pas d'information décisive de ce côté-là non plus. On a retrouvé de nombreuses empreintes digitales dans la maison, notamment dans la cuisine, mais rien d'étonnant après un dîner de fête. Les empreintes seront comparées à celles d'Irena et de chacun des membres de la famille dans la journée. Qui sait, une empreinte étrangère ressortira peut-être du lot, mais Reyes se fait peu d'illusion à ce sujet. Le tueur a manifestement été d'une extrême prudence. Et il faudra aussi qu'ils se mettent en quête de Jake.

— Allons parler à l'avocat de Fred et Sheila Merton, fait Reyes à Barr en attrapant sa veste sur le dossier de sa chaise.

Quelques minutes de route seulement séparent le commissariat du cabinet en centre-ville, l'un des meilleurs d'Aylesford.

— Maître Temple est occupé, les informe la réceptionniste avant de changer son fusil d'épaule à la vue des deux badges de police brandis devant elle. Je vais voir ce que je peux faire.

Elle revient en leur disant que l'avocat va les recevoir et elle les conduit jusqu'à son bureau.

— J'imagine que vous êtes ici pour Fred et Sheila, fait ce dernier en leur tendant la main et en les invitant à prendre place.

— En effet, répond Reyes.

— Je suis encore sous le choc, souffle Temple. Fred était un ami et un client de longue date.

— Que pouvez-vous nous dire à son sujet ?

— Fred Merton était un homme d'affaires extrêmement talentueux. Il a fait fortune dans la robotique, puis il a revendu sa société – Merton Robotics – pour une autre fortune l'année dernière. Au moment de sa mort, son patrimoine net s'élevait à environ 26 millions de dollars.

— C'est beaucoup d'argent, commente Reyes.

— Tout à fait, reconnaît l'avocat. Sheila laisse également 6 millions de dollars.

— Connaissiez-vous des ennemis à Fred ou Sheila Merton ?

L'avocat se laisse aller contre le dossier de sa chaise et détourne les yeux, fixant le bloc-notes sur son bureau.

— Non, je ne crois pas. Ils étaient appréciés, respectés. Fred pouvait être charmant.

Puis il lève les yeux et ajoute :

— C'étaient des gens bien. Mon épouse et moi dînions souvent avec eux.

— Avez-vous remarqué chez l'un ou l'autre quelque chose qui sortait de l'ordinaire, ces derniers temps ? Semblaient-ils préoccupés ? Ont-ils mentionné quelque chose d'inhabituel ?

L'avocat secoue la tête et fronce les sourcils.

— Pas à ma connaissance. Mais vous devriez demander à ma femme. Elle est beaucoup plus perspicace pour ces choses-là. Elle ne m'a rien dit, bien sûr, mais Sheila et elle étaient proches. Caroline est à la maison, si vous voulez lui parler.

L'avocat inscrit son adresse sur un bout de papier, qu'il tend à Reyes.

— Qui va hériter de la fortune des Merton ? poursuit l'inspecteur.

— Je peux vous le dire, j'imagine... La fortune de Sheila revient à parts égales à ses trois enfants. Quant au testament de Fred, mis à part quelques legs spécifiques, l'essentiel de la succession doit également être réparti entre ses enfants.

— Quel genre de legs spécifiques ? relève Reyes.

— Un million à la sœur de Fred, Audrey Stancik. Un million à leur gouvernante de longue date, Irena Dabrowski...

L'avocat toussote :

— Et il y a autre chose que vous devriez savoir. Quatre enfants sont nommés dans le testament de Fred, et non pas trois. Mon client a voulu inclure dans la succession un enfant né hors mariage. Il s'agit d'une certaine Rose Cutter. Je suppose que la nouvelle fera trois malheureux et une heureuse. Je doute que cette jeune femme ait la moindre idée de tout cela...

Walter Temple poursuit :

— Pourriez-vous attendre que les autres enfants apprennent la nouvelle par moi avant de lui parler ? Je m'en occuperai en début de semaine prochaine, après l'enterrement.

— Entendu, assure Reyes en se levant.

— Ah, j'oubliais, lance alors Temple d'un ton embarrassé. Un autre fait curieux.

Aussitôt, Reyes se rassied.

— Dan Merton m'a appelé hier après-midi. Audrey, la sœur de Fred, se serait apparemment rendue chez Dan après l'annonce du drame. Elle prétend que Fred allait modifier son testament pour lui léguer la moitié de sa fortune.

Walter Temple se mord la lèvre et précise :

— Elle était ici ce matin même et m'a répété la même chose. Elle était catégorique. Selon elle, Fred voulait faire apporter les modifications la semaine dernière.

Reyes hausse les sourcils, sceptique.

— Je sais, ajoute l'avocat, cela semble improbable. Mais j'ai été appelé par une urgence la semaine dernière et, à mon retour, j'ai constaté que Fred avait en effet cherché à me voir. Mon assistante lui a donc proposé un rendez-vous cette semaine. Ce matin, en fait, à 10 heures. Je crains que nous ne sachions jamais le fin mot de l'histoire.

Walter reste longtemps songeur devant son bureau après le départ des inspecteurs. La visite d'Audrey l'a troublé. Pour ne pas parler de celle des policiers. Il est avocat d'affaires, il n'a pas l'habitude des enquêtes pour homicides.

C'est vrai qu'il aurait pu être plus coopératif. Il ne voulait pas dire de mal du défunt. Mais il n'a pas menti non plus. Fred pouvait être tout à fait charmant et n'avait pas d'ennemis à la connaissance de Walter. Cependant, Fred avait aussi sa part d'ombre et il n'était pas toujours un enfant de chœur.

Et il ne leur a pas non plus répété l'intégralité des propos d'Audrey – ses accusations au sujet des enfants. C'était bien trop horrible à mentionner. Tout comme à imaginer.

20

Elle a beau insister pour servir le thé dans les règles de l'art, Caroline Temple est remuée, et Reyes le voit. Il faut dire que ce n'est pas tous les jours qu'on a l'occasion de recevoir des inspecteurs de la criminelle dans son salon, d'autant moins lorsqu'on est une femme du statut de Caroline Temple.

— À quel point connaissiez-vous Sheila et Fred ? demande Reyes.

— Socialement, depuis des années. Des décennies, même.

— Votre mari nous a dit que vous étiez proche de Sheila.

— Ah, tiens. C'est ce qu'il croyait, probablement. Mais nous n'étions pas si proches que ça. Sheila n'était pas du genre à s'épancher. Walter était ami avec Fred, certes, mais pour être honnête, moi je ne l'appréciais pas.

— Pourquoi donc ? demande Barr.

— Vous connaissez les hommes, répond Caroline Temple après un instant d'hésitation.

Elle jette un coup d'œil à Reyes, comme pour s'excuser, et poursuit :

— Il semble n'y avoir que le golf et le cours de la Bourse qui les intéressent. Ils n'abordent jamais les sujets personnels. Mais Sheila m'a confié des choses qui m'ont permis de me faire mon idée.

— Quoi, par exemple ? insiste Reyes.

— Je ne pense pas qu'il était facile à vivre. Il avait un mauvais fond.

Elle s'interrompt pour boire une gorgée de thé.

— Je veux dire, la façon dont il a vendu l'entreprise à la barbe de son fils !

Puis elle raconte tous les détails, l'abnégation de Dan pendant tant d'années, le choc de se retrouver à la porte, le chômage. Comment Fred prétendait que c'était le seul moyen de sauver l'entreprise de la mauvaise gestion de son fils, d'éviter le désastre financier.

— On ne traite pas ses enfants comme ça. Sheila n'était pas contente, je peux vous le garantir.

— A-t-elle essayé de le faire changer d'avis ?

— Personne ne pouvait faire changer Fred d'avis. Il était têtu comme une mule. Je doute par ailleurs qu'elle ait même essayé. Elle ne lui a jamais tenu tête.

— Sheila semblait-elle particulièrement soucieuse ces derniers temps ?

— Oui, maintenant que vous me posez la question, elle l'était, admet Caroline. Elle avait commencé à prendre des anxiolytiques.

— Vous a-t-elle dit pourquoi ? s'enquiert Barr.

— Non, fait Caroline en secouant la tête. J'ai cherché à lui tirer les vers du nez, mais avec Sheila... c'était un pas en avant, deux pas en arrière. Elle remontait aussitôt dans sa tour d'ivoire. Moi, je suis toute chamboulée quand quelque chose me tracasse, elle ne montrait rien.

Elle marque une pause, comme frappée par un souvenir.

— La dernière fois que je l'ai vue, elle m'a tout de même glissé que les enfants n'allaient pas être contents à propos du testament de leur père – qu'ils ne s'y attendaient pas.

Reyes et Barr échangent un regard.

— Comment ça ?

— Je n'en sais rien. Elle n'a pas voulu m'en dire plus. Je vous l'ai dit, elle était très réservée.

Elle se ressert une tasse de thé avant de poursuivre :

— Les enfants ne s'entendaient pas avec leur père, et la situation allait empirant. Aucun d'entre eux ne l'aimait – c'est ce qu'elle m'a dit. Fred semblait prendre un malin plaisir à les maltraiter. Il n'a jamais été intéressé que par lui-même.

Puis Caroline se penche en avant, comme pour jeter un pavé dans la mare.

— De vous à moi, je suis presque sûre que Fred Merton était un psychopathe. Apparemment, c'est le cas de beaucoup de grands patrons.

Ce matin-là, Ted a appelé le cabinet dentaire pour prévenir de son absence. Sa femme a besoin de lui, aussi bien d'un point de vue émotionnel que pratique. Un double enterrement ne s'organise pas en un claquement de doigts. Catherine est constamment pendue au téléphone, et la sonnette n'arrête pas de retentir, pressée par des amis ou voisins venus faire part de leurs condoléances ou apporter des plats cuisinés. D'autant plus que Catherine a du mal à se concentrer sur quoi que ce soit : son ordinateur portable est ouvert au milieu du salon, et elle est à l'affût des moindres avancées de l'enquête.

Du mieux qu'il peut, Ted essaie de se rendre utile, mais il ne sait pas comment soulager sa femme. Et comment l'aider à sortir de cette impasse dans laquelle elle s'est fourrée toute seule. Les flics voudront sûrement l'interroger officiellement, et lui aussi, peut-être, en tant que témoin. Qu'est-ce qu'il va bien pouvoir leur dire ? S'il ne parvient pas à la faire changer d'avis, devra-t-il mentir à son tour ? Prétendre que Catherine est restée à la maison avec lui toute la nuit ? Il n'aime pas ça.

Le mal est fait, mais c'était tellement stupide de sa part. Il ne comprend pas quelles raisons elle peut bien avoir de mentir et il lui en veut.

Selon lui, des trois enfants, Dan est le suspect le plus évident. Et que dire de son curieux comportement, la veille... Bien que celui de Catherine le soit tout autant, en réalité.

Ted repense au coup de fil qu'elle a passé dimanche soir, quand elle essayait de joindre sa mère. Il y aura forcément une trace de cet appel. Ne risque-t-on pas de l'interroger à ce sujet ? Ils verront l'heure de l'appel en absence et en déduiront peut-être que ses parents étaient déjà morts, alors que Catherine et lui savent parfaitement qu'ils étaient encore en vie. Toutes ces réflexions tourbillonnent dans sa tête tandis qu'il tend les bras pour récupérer un énième plat de lasagnes.

Ted est encore en train de remercier ses visiteurs quand il aperçoit la voiture de Jenna se garer dans la rue. Ces derniers étaient justement sur le point de partir, mais quand la jeune femme les rejoint sur le perron, tout le manège des condoléances et des embrassades recommence.

— Comment va-t-elle ? s'enquiert-elle enfin, après leur départ.

Elle parle de Catherine, bien sûr. Ted étudie sa belle-sœur d'un œil nouveau. Pourquoi Catherine refuse-t-elle de lui faire confiance ? Que s'est-il passé entre elles ?

— Étant donné les circonstances, je dirais que ça va, fait Ted. Je suis content que tu sois là. Comment tu vas, toi ?

— Mieux que Dan, en tout cas, répond Jenna en passant devant lui pour s'engouffrer dans la maison. Il faut qu'on parle, lance-t-elle une fois qu'ils sont tous dans le salon.

— Qu'est-ce qui ne va pas ? demande Catherine, les sourcils déjà froncés.

— Les inspecteurs sont passés chez Dan hier après ton départ. J'étais encore là. Ils nous ont posé tout un tas de questions. Ça s'est bien passé, mais Dan s'est effondré dès qu'ils sont partis.

Jenna va s'asseoir à côté de Catherine sur le canapé, puis lâche au bout d'un moment :

— Tu penses qu'il aurait pu le faire ?

Catherine détourne les yeux un instant avant de répondre :

— Je ne sais pas.

Ted déglutit, en proie à un haut-le-cœur.

— Moi non plus, admet Jenna.

Un silence long et pesant s'écrase sur le salon.

— M'est avis qu'il est en train de perdre les pédales, reprend-elle enfin. Il est persuadé qu'ils vont penser que c'est lui, le meurtrier. À cause de la vente de la boîte. Et... tu étais au courant qu'il n'a plus un rond ?

Catherine hoche la tête d'un air las.

— Ah, tu le savais ? s'étonne Jenna. Pas moi. Il dit qu'il est le coupable tout désigné et que les flics vont mener leurs interrogatoires avec cette idée préconçue en tête, qu'ils vont se convaincre que c'est lui qui a fait le coup et ignorer tout le reste.

— Peut-être qu'il devrait prendre un avocat ? suggère Ted après s'être raclé la gorge.

— Peut-être, oui, consent Catherine. En attendant, on ne dit rien. D'accord ? insiste-t-elle en plongeant ses yeux dans ceux de sa sœur.

— D'accord, opine celle-ci.

— Tu ne leur as pas raconté pour le dîner de Pâques, si ?

— Bien sûr que non.

— Bon, fait Catherine en paraissant se détendre un peu.

Puis elle ajoute, la mine de nouveau assombrie :

— Dan a raison de se faire du souci. Hier, en sortant de chez lui, Irena m'a dit que la police ne croyait pas tant que ça à la théorie du cambriolage. Qu'ils avaient plutôt l'air d'envisager qu'il s'agissait de l'un d'entre nous.

— Pourquoi est-ce qu'elle ne nous l'a pas dit à nous tous ? s'exclame Jenna.

— Elle ne voulait pas stresser Dan, sans doute.

Jenna hoche la tête.

— J'imagine que Dan vous a annoncé la bonne nouvelle ? demande-t-elle.

— Quelle bonne nouvelle ?

— Il a appelé Walter hier, après votre départ. Avant l'arrivée des flics.

— Hein ? fait Catherine d'un ton brusque, manifestement contrariée.

— Papa n'a pas modifié son testament en faveur d'Audrey. Il avait pris rendez-vous, mais il a été tué avant. C'est toujours ça de pris, glisse Jenna avec un sourire en coin. Je me demande si Audrey est au courant.

21

C'est surtout pour sortir de la maison que Jenna a proposé d'aller chez le fleuriste. Elle a besoin de prendre l'air. Quelque chose dans la façon dont Catherine veut tout régenter l'exaspère, même si elle est bien contente, il faut l'avouer, de ne pas avoir à s'occuper elle-même des obsèques. Commander les fleurs, au moins, c'est à sa portée.

Tandis qu'elle roule vers l'atelier du fleuriste qui livrait régulièrement des bouquets à ses parents, Jenna repense aux propos d'Irena. Alors comme ça, les détectives les soupçonneraient déjà… À cause de l'héritage, évidemment. Mais y a-t-il autre chose ? Qu'est-ce qu'Irena a entendu, exactement ? Jenna décide de lui rendre visite après le fleuriste pour lui poser directement la question.

La clochette à l'entrée tinte lorsque Jenna pousse la porte de la boutique. À l'intérieur, elle est assaillie par une explosion de couleurs et par la vivifiante odeur des plantes fraîchement coupées. Elle prend son temps pour sélectionner plusieurs arrangements pour la cérémonie à l'église – des lis et des roses, elle sait que cela plaira à Catherine. Alors qu'elle s'apprête à remonter dans sa voiture, elle aperçoit Audrey sur le trottoir d'en face, qui l'épie. Sa tante l'aurait-elle suivie ? Est-elle déjà au courant pour l'héritage ?

Peu importe. Nonchalamment, Jenna lui adresse un sourire et un signe de la main et s'installe au volant.

L'ambiance est studieuse, au poste de police. Reyes et Barr sont en train de compiler toutes les informations disponibles sur les enfants Merton. Financièrement, Catherine et son mari sont plutôt bien lotis, mais ils passeront dans une tout autre catégorie une fois qu'ils auront touché l'héritage.

La situation de Dan Merton semble, elle, un tantinet plus problématique. Il est sans emploi depuis six mois, c'est-à-dire depuis que son père a vendu son entreprise. Lisa Merton ne travaillant pas non plus, le couple a dû vivre sur ses économies. Ils ont récemment souscrit un nouveau crédit à la consommation pour payer les intérêts d'un ancien. La mort de Fred et Sheila ne pouvait pas mieux tomber, se dit Reyes avec une pointe de cynisme.

La plus jeune, Jenna, paraît vivre au jour le jour, comptant davantage sur la généreuse allocation versée par ses parents que sur les occasionnelles – et modiques – ventes de ses œuvres. Pas de signe de dispute récente avec les victimes. Mais pourquoi donc avoir menti sur l'heure de son départ le dimanche de Pâques, dans ce cas ?

Mais la personne qui intéresse le plus Reyes, pour le moment, c'est Irena Dabrowski, la femme de ménage. Elle a forcément nettoyé le couteau pour protéger quelqu'un. C'était plutôt stupide de sa part, mais elle n'avait sans doute pas les idées claires. Manifestement, elle pense que les meurtres ont été commis par un proche de Fred et Sheila, quelqu'un à qui elle tient – probablement un des enfants.

Et Reyes veut savoir pourquoi.

Irena raccroche, mécontente. On l'a convoquée au commissariat pour répondre à quelques questions, et déjà une désagréable appréhension enfle en elle.

Elle est en train de fermer sa porte à clé quand elle voit la Mini Cooper arriver.

— Irena ! s'écrie Jenna en sortant de sa voiture. Irena ! Tu as une minute ?

— J'allais partir, fait-elle tandis que Jenna la rejoint et la serre brièvement dans ses bras.

— Où ça ?

— L'un des deux inspecteurs vient de m'appeler ; ils veulent m'interroger.

— Qu'est-ce que tu vas leur dire ? demande Jenna sans détour.

— Rien, répond Irena. Je n'ai rien à leur dire. Qu'est-ce que tu voudrais que je leur dise ?

— Bien, lâche Jenna en étudiant son ancienne nourrice. J'étais chez Catherine ce matin. Elle m'a parlé des soupçons de la police. Qu'est-ce qu'ils t'ont dit exactement ?

Irena détourne les yeux. Elle n'a pas envie de discuter de ça maintenant.

— C'est juste que… ils ont fait tout un plat de l'héritage.

— Bien sûr qu'ils vont en faire tout un plat, tente de la rassurer Jenna. Mais ça ne veut rien dire. C'était probablement un cambriolage.

— Je les ai entendus dire que Fred et Sheila connaissaient sans doute le tueur, ajoute Irena, qu'un vertige saisit.

— Pourquoi pensent-ils une chose pareille ? s'inquiète Jenna.

— Parce que Sheila a ouvert la porte alors qu'il était tard dans la nuit.

— Et alors ? Maman a toujours été comme ça, non ? Elle ouvrait la porte à n'importe qui, n'importe quand, tu le sais aussi bien que moi.

Irena acquiesce.

— Mais c'était si violent, objecte-t-elle cependant.

Elle s'arrête là. Elle ne veut pas décrire la scène, elle ne veut pas la revivre.

— Selon eux, la violence du crime semble indiquer que c'était… une affaire personnelle, que le meurtrier avait une dent contre eux.

Jenna paraît soupeser l'information.

— Il faut que j'y aille, souffle Irena.

— Passe chez Catherine dès que tu auras fini. Tu nous raconteras.

— D'accord.

— Irena ? lance Jenna alors que son ancienne nourrice a déjà tourné les talons.

— Oui ?

— Catherine et moi, on se fait du souci pour Dan.

22

Dan bricole dans le garage. Malgré toutes ses années d'études et ses ambitions de devenir un jour chef d'entreprise, il n'aime rien tant que mettre les mains dans le cambouis. Réparer des choses, s'occuper l'esprit. Présentement, il doit vérifier les lames de son tracteur tondeuse. D'habitude, l'odeur du garage – l'huile sur le sol en béton, et même la vieille herbe collée aux lames – a sur lui un effet réconfortant, mais aujourd'hui, elle ne suffit pas à l'empêcher de penser aux récents événements. À ces deux inspecteurs, venus chez lui la veille lui poser tout un tas de questions, et à leurs insinuations.

Il sait bien ce qu'ils pensent. Et ce qui le tracasse le plus, là tout de suite, c'est l'image qu'il leur a renvoyée. Qu'ont-ils pensé de lui ? Avait-il l'air aussi agité qu'il l'était intérieurement ? Avait-il l'air coupable ?

Lisa est la seule personne à qui il peut parler de tout cela, la seule en qui il ait confiance. Il a peur de demander à Jenna, peur de ce qu'elle pourrait répondre.

— Je sais que la situation est difficile, lui a dit Lisa au lit la veille, mais ils ne vont pas t'inculper.

— Et si c'est le cas ? a-t-il murmuré, l'angoisse lui gelant les entrailles.

Elle l'a regardé à la faible lueur de la lune qui filtrait à travers les fenêtres, ses yeux bruns grand ouverts.

— Dan, tu es ressorti, après notre retour de chez tes parents. Où est-ce que tu es allé ?

— Je suis juste allé faire un tour, a-t-il répondu après avoir dégluti. Comme d'habitude.

— Où ça ?

— Je ne sais pas. Je ne me souviens pas. Dans le coin. J'avais besoin de m'éclaircir les idées. Tu sais que j'aime bien rouler quand j'ai la tête qui explose.

— Quand est-ce que tu es rentré ?

— Je n'ai pas regardé l'heure. Pourquoi l'aurais-je fait ? Il était tard, tu dormais, a-t-il répondu, sur la défensive.

Il s'est dit qu'elle devait dormir, sinon elle ne lui aurait pas posé la question.

— La police va nous interroger. Il faut qu'on se mette d'accord sur notre version des faits.

Elle lui proposait de mentir pour lui. N'est-ce pas ?

— Quoi ?

— Je veux dire... Je pense que tu devrais leur dire que tu étais à la maison toute la nuit, avec moi. Et j'attesterai des faits.

Plein de reconnaissance, Dan a acquiescé.

— D'accord, a-t-il soufflé, soulagé.

Cette question le rongeait depuis mardi, et sa femme a résolu le problème sans même qu'il ait besoin de le lui demander.

— Tu n'as pas à t'inquiéter, a-t-elle fait en lui prenant doucement le visage entre ses mains. Tu ne les as pas tués. Peu importe ce que tu pensais de ton père, je sais que tu es un homme bon.

Elle a plongé à nouveau ses yeux dans les siens avant de poursuivre :

— Tu ne pourrais jamais faire une chose pareille.

Puis elle l'a embrassé brièvement sur les lèvres et a conclu :

— Tout va bien se passer. Et quand ce sera terminé, tu toucheras ton héritage, et on pourra tourner la page.

À présent, Dan observe dans la pénombre les lames de la tondeuse. Il essaie de penser à l'argent. À la liberté. Il essaie d'imaginer un avenir radieux.

Assise dans sa voiture sur le parking du commissariat, les doigts crispés sur le volant, Audrey fulmine. Elle repense au sourire de Jenna devant la boutique du fleuriste. Ils doivent savoir, maintenant, que Fred n'a pas modifié son testament. Elle aimerait bien taper dans quelque chose, donner un coup de pied, se défouler, mais pas facile quand on est coincée dans une voiture. Elle pourrait sortir pour s'en prendre à ses pneus, mais elle risquerait d'attirer l'attention. Sa respiration est saccadée et elle lutte contre les larmes. Elle n'arrive toujours pas à y croire. Que cette chose sur laquelle elle avait fondé tant d'espoirs lui ait été arrachée d'un coup, comme ça, juste parce que cet idiot de Walter était absent cette semaine-là. Furieuse n'est pas un mot assez fort. Elle est folle de rage.

Mais non, ce n'est pas tout à fait vrai. Ce n'est pas parce que cet idiot de Walter était absent qu'elle a été privée de la fortune qui lui était due. C'est parce que Fred a été assassiné, de sang-froid, avant son rendez-vous avec Walter. Et ça, elle ne peut strictement rien y faire.

L'argent promis a disparu et il va aller à ces foutus enfants. Elle sent le goût de l'amertume dans sa bouche. Elle a toujours voulu être riche. C'est ce qui arrive quand on a grandi dans la misère. Fred y est parvenu, pas elle. Il était sa dernière chance.

Audrey veut découvrir qui a assassiné Fred et Sheila. Et surtout qui, exactement, lui a soufflé tous ces millions de dollars.

Vu qu'elle a été exclue de la famille et mise au ban, ils ne vont certainement pas la tenir au courant. Dès qu'elle est arrivée chez Dan, la veille, ils se sont tus d'un coup.

Et pendant ce temps, la police semble obnubilée par cette satanée camionnette. Elle espère que les flics ne vont pas perdre trop de temps avec une telle broutille. Bien sûr que des objets de valeur ont été dérobés – le meurtrier n'était pas idiot, il lui fallait maquiller la scène de crime en cambriolage. Mais un cambrioleur n'égorge pas sa victime. Ne lui assène pas un incalculable nombre de coups de couteau. La personne qui a tué son frère le détestait profondément.

La voilà condamnée à attendre à l'extérieur du poste de voir si l'un des membres de la famille va être formellement interrogé. Parce qu'ils vont l'être, c'est sûr. Le lendemain de la découverte des corps, il était temps ! Les yeux rivés sur le com-

211

missariat, elle se demande si elle n'a pas déjà raté quelque chose.

Au bout d'un moment, elle aperçoit une silhouette familière gravissant les marches du perron. Manifestement, c'est Irena qui ouvre le bal.

Irena Dabrowski prend place face à l'inspecteur Reyes dans une salle d'interrogatoire dépouillée de tout mobilier, à l'exception d'une table et de trois chaises. Assise à côté de son coéquipier, Barr propose un verre d'eau à la nouvelle arrivée, laquelle refuse poliment.

Reyes détaille la femme. Son visage est ridé, ses cheveux bruns grisonnants, tirés en arrière en une courte queue-de-cheval. Dépourvues de bagues, ses mains fortes et rugueuses arborent des ongles courts, non vernis. De vraies mains de femme de ménage, pense l'inspecteur.

— Merci d'être venue, lance-t-il en s'asseyant à son tour. Vous êtes ici de votre plein gré et vous pouvez évidemment partir à tout moment.

Irena Dabrowski hoche la tête sans rien dire, ramenant ses mains sur ses genoux, sous la table, là où il ne peut pas les voir.

— Vous étiez nourrice à domicile chez les Merton il y a de nombreuses années, n'est-ce pas ?

— Oui, je vous l'ai déjà dit.

— Combien d'années ?

Elle semble réfléchir.

— J'ai commencé peu après la naissance de Catherine, il y a environ trente-deux ans. Dan est arrivé deux ans plus tard. Et Jenna, encore quatre ans après. J'ai vécu à la maison jusqu'à ce que Jenna entre à l'école, donc en tout, probablement une douzaine d'années.

— Vous les connaissez tous très bien, j'imagine, avance Reyes.

— Oui, je vous l'ai dit. Ils sont comme ma propre famille.

— Et vous êtes toujours proche d'eux ?

— Oui, bien sûr. Mais je ne les vois plus autant qu'avant.

— Diriez-vous que vous étiez plus proche des enfants ou des parents ? poursuit Reyes.

La question semble la mettre mal à l'aise.

— Les enfants, je suppose.

Reyes attend qu'elle en dise plus. Le silence peut être un puissant allié.

— Fred et Sheila étaient mes employeurs, finit-elle par ajouter. Ils gardaient une certaine distance.

Elle sourit légèrement, et poursuit :

— Mais les enfants ne font pas ça. Et ils étaient tous les trois adorables, très affectueux.

— Y avait-il des problèmes dans la famille ? s'enquiert Reyes.

— Des problèmes ? répète Irena.

Aussitôt, il sait qu'il a visé juste.

— Oui, des problèmes.

— Pas vraiment, fait-elle en secouant la tête. Rien qui sorte de l'ordinaire, en tout cas.

— Nous savons pourtant que Fred Merton s'est brouillé avec son fils, rétorque Reyes. Que pouvez-vous nous dire à ce sujet ?

— Ce n'était pas vraiment une dispute. Fred a reçu une offre exceptionnelle pour son entreprise, du genre qu'on ne peut pas refuser, alors il l'a vendue. Il n'avait qu'une idée en tête quand il s'agissait d'affaires : prendre les meilleures décisions possible.

Puis elle ajoute en serrant ses lèvres minces :

— Je sais que Dan était très déçu.

— Comment les filles s'entendaient-elles avec leurs parents ? demande Reyes.

— Très bien, répond Irena.

— Est-ce qu'il s'est passé quelque chose d'inhabituel lors du dîner de Pâques ?

Une fois de plus, elle secoue la tête.

— Non, rien du tout.

— Pourquoi tout le monde est-il parti si vite ?

— Pardon ?

Reyes se doute qu'elle essaie de gagner du temps.

— Catherine et son mari, Dan et sa femme, vous-même, vous êtes tous partis à quelques minutes d'intervalle.

— C'était l'heure de partir, c'est tout, fait-elle en haussant les épaules.

— Et vous n'êtes pas restée pour nettoyer ? Ce n'est pas ce qu'on attendait de vous ?

— J'étais en congé, précise-t-elle, irritée. J'ai été invitée au dîner de Pâques. Je n'étais pas censée faire le ménage.

Reyes recule sur sa chaise et observe longuement la femme qui lui fait face.

— Vous semblez très protectrice à l'égard des enfants, suggère-t-il.

Elle ne mord pas à l'hameçon.

— Peut-être devrions-nous revenir sur ce qui s'est passé lorsque vous avez trouvé les corps.

Reyes écoute Irena dérouler son récit, et une fois qu'elle a terminé, il lâche :

— Je crois que vous avez oublié quelque chose.

— Pardon ? dit-elle une fois de plus, en rosissant légèrement.

— Le moment où vous avez ramassé l'arme du crime, l'avez nettoyée dans l'évier de la cuisine et l'avez remise dans le bloc à couteaux.

23

Irena semble s'être figée sur place. *Touché*, se dit Reyes.

— C'est faux, avance-t-elle enfin, sans grande conviction.

L'inspecteur pose ses coudes sur la table et se penche en avant.

— Pas la peine de mentir. L'expertise médico-légale est formelle. Le sang a séché sur le sol autour du couteau pendant 24 heures au moins. Vos empreintes de pas vont clairement du corps à l'évier. Le couteau a été nettoyé et remis dans le bloc à couteaux. Et nous savons aussi que c'est l'arme du crime.

Irena reste assise sans bouger, comme un lapin pris dans les phares.

— La question est donc de savoir pourquoi vous l'avez fait.

— Je ne sais pas pourquoi, bafouille-t-elle. J'étais en état de choc. J'ai vu le couteau à découper par terre. Je l'ai reconnu. Il est dans la famille depuis des décennies. Je l'ai ramassé, lavé et remis à sa place. Par habitude, j'imagine.

Reyes sourit.

— Et on est censés vous croire ?

— Qu'est-ce que j'y peux, si vous ne me croyez pas...

— Je vais vous dire ce que je crois, moi, énonce patiemment l'inspecteur. Je crois que vous êtes arrivée sur place, que vous avez trouvé Sheila étranglée et Fred baignant dans son sang, que vous avez vu le couteau par terre, que vous l'avez ramassé, avez enfilé la paire de gants en caoutchouc que vous rangez toujours sous l'évier, et que vous l'avez astiqué à fond au cas où le tueur y aurait laissé des empreintes. Parce que vous vouliez protéger le ou la coupable. Ce qui nous fait dire que vous pensez que le coupable est l'un des enfants.

— Non, proteste-t-elle.

— Nous pourrions vous inculper, vous savez.

Elle reste silencieuse, le regardant fixement tandis qu'il se cale à nouveau dans sa chaise pour lui laisser un peu d'air.

— Y a-t-il quelque chose que vous voulez nous dire maintenant ?

— Non.

— L'ironie, c'est que le tueur ou la tueuse, qui que ce soit, a fait preuve d'une très grande prudence et portait des gants. Vous n'aviez donc pas besoin d'interférer avec la scène de crime.

Le visage d'Irena se fait de pierre.

— Mais merci quand même pour l'info, conclut Reyes.

Alors que la femme de ménage se lève pour partir, Barr l'interpelle :

— Nous allons juste devoir prendre vos empreintes digitales, afin de vous disculper. Tout le monde y aura droit.

Irena déboule hors du commissariat et se précipite jusqu'à sa voiture. Puis, une fois dans l'habitacle, elle reste immobile quelques minutes, rassemblant ses pensées. Pose sa tête contre l'appuie-tête, ferme les yeux, essaie d'inspirer profondément. Qu'a-t-elle fait ?

Enfin, elle démarre la voiture, les mains tremblantes, et prend la route en direction de chez Catherine. Elle redoute ce qui va suivre.

À son arrivée, la voiture de Jenna est garée dans la rue et deux autres dans l'allée. Aucune trace, en revanche, de celle de Dan.

Ted vient lui ouvrir, un faible sourire éclairant son beau visage grave.

— Entre, Irena. Jenna nous a prévenus que tu passerais.

Quand elle voit son ancienne nourrice pénétrer dans le salon, Catherine se lève. Jenna est déjà debout, près de la fenêtre. La tension dans la pièce est palpable.

— Viens t'asseoir et dis-nous tout, fait Catherine après une rapide accolade.

Irena s'exécute puis, à peine installée dans un fauteuil, elle craque.

— Je suis désolée, lâche-t-elle.

Trois paires d'yeux inquiets la dévisagent. Alors elle raconte tout : ce qu'elle a fait du couteau et comment la police l'a découvert, tandis que les autres l'écoutent, estomaqués.

— Mais pourquoi ? s'écrie Catherine, l'étonnement le disputant à la colère. Pourquoi as-tu fait ça ?

Voyant Irena incapable de répondre, Jenna s'en charge. Sans prendre de pincettes, comme à son habitude.

— Parce qu'elle pense que c'est l'un d'entre nous.

Irena fixe le sol, mutique. Pendant un moment, tout le monde semble oublier de respirer. Jusqu'à ce que Catherine brise le silence :

— Irena, voyons, tu ne peux pas croire une chose pareille.

La femme de ménage ne dit rien. Que pourrait-elle répondre à ça ?

— Alors, insiste Jenna, qui est le coupable, à ton avis ?

Irena secoue la tête, navrée, puis elle regarde chacune des filles à tour de rôle, espérant leur pardon tout en sachant qu'elle ne l'obtiendra pas.

— Je n'aurais pas dû faire ça. Maintenant, les soupçons de la police semblent porter sur vous. Je suis désolée.

Catherine, Jenna et Ted la dévisagent, consternés.

— Eh ben merci ! lance Jenna.

Depuis son poste d'observation sur le parking, Audrey a vu Irena courir jusqu'à sa voiture et y rester longuement assise, à l'arrêt, comme si elle essayait de se ressaisir. Elle est partie, maintenant, et Audrey désespère de savoir ce qui s'est passé au commissariat.

Elle a très envie de faire pipi, mais elle ne peut pas quitter sa planque. D'autant qu'elle aperçoit dans son rétroviseur la voiture de Dan. Il se gare, en sort, seul, et se dirige vers l'entrée du poste de police sans un coup d'œil dans sa direction. Une fois qu'il a disparu derrière les portes, elle sait qu'elle a le temps d'aller au magasin sur le trottoir d'en face, d'utiliser leurs toilettes, de s'acheter un donut au chocolat et un café et de retourner se glisser derrière son volant.

À son tour, Dan Merton est invité à s'asseoir dans la salle d'interrogatoire. Il porte un jean bien coupé, une chemise ouverte au col, un blazer bleu marine et une montre de luxe au poignet. Ce type respire l'argent : il a cette nonchalance avec laquelle les riches exhibent des articles hors de prix. *L'assurance qu'on acquiert après avoir vécu toute sa vie avec une garde-robe de première qualité à sa disposition*, songe Reyes. Toutefois, même si Dan Merton porte bien ses vêtements, tout le reste semble gauche, incertain. De fait, il s'installe sur sa chaise en se raclant nerveusement la gorge, ses doigts pianotant sur la table.

— Dan, commence Reyes, nous avons juste quelques questions à vous poser. Vous êtes ici de votre plein gré, vous pouvez partir à tout moment.

— Bien sûr. Si je peux aider à quoi que ce soit. Surtout si cela peut permettre d'arrêter le monstre qui a fait ça. Vous avez retrouvé le conducteur de la camionnette ?

Reyes secoue la tête. De son côté, comme à son habitude, Barr se contente d'observer et d'enregistrer le moindre détail de la conversation.

— Maintenant que vous avez eu le temps de réfléchir, poursuit l'inspecteur, avez-vous la moindre idée de qui aurait pu tuer vos parents ?

Dan plisse le front.

— Non, hélas. Je ne peux pas imaginer ce qui pourrait pousser quelqu'un à faire une chose pareille.

Puis il paraît regretter ses propos, et ajoute avec maladresse :

— Je veux dire à part pour cambrioler la maison, bien sûr.

Reyes opine du chef et demande :

— Qu'avez-vous ressenti lorsque votre père a vendu Merton Robotics ?

Le visage de Dan Merton s'empourpre.

— Quel rapport ?

— C'est une simple question.

Reyes observe les mains de Dan qui s'agitent sur la table.

— Pour tout vous dire, je n'étais pas ravi, admet ce dernier. J'ai travaillé dur pendant des années pour cette entreprise, en espérant qu'elle me revienne un jour. Et mon père l'a vendue sans tenir compte un instant de ce que cela signifiait pour moi.

Il s'arrête soudain, comme s'il en avait trop dit.

— Ça paraît en effet assez dégueulasse de sa part, l'encourage Reyes.

Dan le regarde, sur le point, semble-t-il, de baisser sa garde.

— C'est vrai qu'il pouvait faire des trucs dégueulasses parfois. Mais je n'ai rien à voir avec ce qui lui est arrivé.

— Je ne dis pas que vous y êtes pour quelque chose, assure Reyes. Nous essayons juste d'avoir une vue d'ensemble de la situation. En raison de la vente de l'entreprise, ajoute-t-il après une pause, j'ai cru comprendre que vous traversiez des difficultés financières. Voulez-vous nous en parler ?

— Non, pas particulièrement, siffle Dan Merton. Je ne vois pas en quoi cela est pertinent pour votre enquête.

— Vraiment ? Vous avez un grief envers votre père, vous avez des difficultés financières et vous êtes à présent sur le point d'hériter d'une immense fortune.

Le regard de Dan oscille nerveusement entre lui et Barr.

— Est-ce que je dois prendre un avocat ?

— Je ne sais pas. À vous de me le dire.

— Je n'ai rien à voir avec tout ça, répète Dan, un peu plus fort cette fois.

Puis il se lève de sa chaise et déclare :

— Je ne répondrai plus à aucune question. Je connais mes droits.

— Libre à vous de partir, en effet, reconnaît Reyes. Mais nous devons d'abord prendre vos empreintes digitales.

24

— Tu as mis fin à l'interrogatoire ? Mais pourquoi ?

L'inquiétude perce dans la voix de Lisa, assise dans la cuisine en face de son mari qui agite la jambe nerveusement. Il faut dire que la situation n'a rien de rassurant. Dan va sans doute devoir prendre un avocat. Elle déglutit, la bouche sèche. Tout cela semble dénué de sens – Dan ne ferait pas de mal à une mouche –, mais si les craintes de son mari s'avéraient fondées ? Et si, incapable de retrouver le conducteur de la camionnette, la police concentrait ses soupçons sur le fils humilié, histoire de trouver rapidement un coupable ? Des innocents sont condamnés à tort à longueur de temps.

Elle va devoir mentir à la police.

— Où est-ce qu'on va trouver l'argent pour l'avocat ? lance-t-elle, paniquée.

— Catherine va nous aider, répond Dan, les yeux fous. Elle peut se le permettre. Et elle n'aura pas envie que notre précieux nom de famille soit traîné dans la boue. Je suis sûr qu'elle nous dégotera le meilleur avocat qui soit.

Un peu plus tard, tandis qu'ils font route vers chez Catherine, Dan a le cerveau en ébullition. Il doit parler à ses sœurs. Mais juste avant de sortir de la voiture, il se tourne vers sa femme :

— Ne leur dis pas que je suis sorti cette nuit-là. C'est juste entre toi et moi. Elles n'ont pas besoin de savoir. Imagine qu'elles gaffent auprès des flics.

Lisa se contente d'un signe de tête.

À l'intérieur, Dan s'étonne de la présence de son ancienne nourrice, Irena. Peut-être est-elle venue prêter main-forte pour l'organisation des obsèques ?

— Je viens d'être interrogé par les flics, lâche-t-il de but en blanc, suscitant l'appréhension générale. Au commissariat. Ils se sont comportés comme si c'était moi qui les avais tués ! ajoute-t-il en se laissant tomber dans un fauteuil.

Dan surprend un bref regard entre ses sœurs. Pensent-elles aussi que c'est lui qui a fait le coup ? Non, il se fait sûrement des idées. Mais la peur le submerge soudain.

— Quoi ? Qu'est-ce qu'il y a ? s'alarme-t-il.

— Ils ont aussi interrogé Irena ce matin, l'informe Catherine.

Puis Irena raconte sa matinée. En écoutant son récit, Dan sombre un peu plus. Quand elle a terminé, Lisa et lui restent un moment assis en silence, stupéfaits, le tic-tac de l'horloge sur la cheminée pour seule bande-son.

— Mais pourquoi tu as fait ça ? demande-t-il enfin. Qu'est-ce qui t'a pris ?

Il regarde tour à tour chacun dans la pièce, désemparé.

— Il faut que je prenne un avocat. Dès aujourd'hui. Sauf que... Je n'ai pas les moyens de m'en payer un, conclut Dan en implorant Catherine du regard.

— On peut t'aider, suggère-t-elle sans même demander à son mari ce qu'il en pense. Ne t'inquiète pas pour ça. Je paierai.

C'est alors que le téléphone portable de Catherine, sur le guéridon, se met à vibrer. Tout le monde la regarde décrocher.

Audrey note la durée de chaque entretien. Vu le peu de temps que Dan a passé au poste, ils n'ont pas dû en tirer grand-chose. Il a probablement refusé de parler. Contrairement à Irena, Dan est parti précipitamment, les pneus de sa voiture crissant furieusement sur l'asphalte.

Pour tuer le temps tandis qu'elle surveille l'entrée du commissariat, elle joue sur son téléphone. Puis elle risque une autre pause pipi au magasin de donuts, achète un deuxième café et retrouve sa voiture juste à temps pour l'arrivée de Catherine. Seule, également. Il est presque 14 h 30.

Qu'est-ce qu'elle ne donnerait pas pour être une petite souris dans la salle d'interrogatoire ! La question qui la taraude le plus, c'est de savoir qui était au courant que Fred avait l'intention de la coucher sur son testament.

À un jour seulement de la découverte des cadavres de ses parents, Catherine semble d'un calme olympien tandis qu'elle s'installe face aux détectives. C'est la première fois que Reyes la voit sans sa blouse blanche, ce qui lui permet de se faire une idée plus précise de son style. Classique, mais raffiné. Elle porte un pantalon sombre et un chemisier imprimé. Pas de perles aujourd'hui, mais un collier en or avec un diamant en pendentif, en rappel de son bracelet en diamant. Un sac à main griffé.

— Je vous offre quelque chose ? Un café ? propose Barr.

— Un café, ce serait parfait, répond Catherine Merton en souriant poliment.

Son assurance détonne à côté de la nervosité de son frère. En attendant le retour de Barr, Reyes explique à nouveau les règles du jeu.

— Vous pouvez partir à tout moment.

— Entendu. Mais je veux faire tout mon possible pour vous aider, assure Catherine.

Puis l'entretien commence et la jeune femme affirme une fois de plus que rien d'inhabituel ne s'est produit lors du dîner de Pâques, malgré l'exode massif et hâtif des membres de la famille. Elle précise que Ted et elle sont rentrés chez eux et y sont restés jusqu'au lendemain.

— Nous savons que Dan avait des problèmes avec votre père, avance Reyes, ainsi que des soucis financiers. Vous allez tous hériter de beaucoup d'argent.

Catherine Merton reste impassible. Reyes laisse passer un temps puis reprend :

— Votre sœur Jenna avait-elle des problèmes avec vos parents ?

— Non, s'impatiente-t-elle enfin.

— Et vous ? insiste le détective.

— Non ! s'exclame-t-elle. Au contraire. C'était moi la préférée.

Reyes s'appuie à nouveau contre le dossier de sa chaise.

— Donc vous étiez la préférée, Dan était le mouton noir, et Jenna se trouvait quelque part entre les deux ? Vos parents vous traitaient donc différemment ?

Une lueur s'invite dans les yeux de la jeune femme ; peut-être regrette-t-elle d'en avoir trop dit.

— Non, pas du tout. Je me suis mal exprimée. C'est juste que mes parents étaient heureux que je sois médecin. Dan... Notre père avait de très grandes ambitions concernant Dan, et il était un peu dur avec lui. Quant à Jenna... Ils n'aimaient pas son art. Ils le trouvaient obscène.

— Obscène ?

— Oui. Elle fait des sculptures d'organes génitaux féminins et d'autres choses du même acabit.

— Je vois, fait Reyes en hochant la tête. Et ça ne plaisait pas beaucoup à vos parents ?

— Pas beaucoup, non, admet-elle. Mais ce ne sont que des broutilles. Nous étions une famille tout à fait ordinaire.

— Autre chose, continue Reyes sans relever. Votre ancienne nounou, Irena, êtes-vous proche d'elle ?

— Bien sûr. Elle s'est occupée de nous pendant des années. Elle est comme une mère pour nous.

— Et elle, est-ce qu'elle a un préféré ?

— Écoutez, je sais où vous voulez en venir, déclare Catherine d'une voix égale. Irena est venue chez moi tout à l'heure et elle nous a tout raconté. Je ne peux pas expliquer ce qu'elle a fait. Tout ce que je sais, c'est qu'aucun d'entre nous n'a quoi que ce soit à voir avec ce qui s'est passé. Et que vous feriez mieux de trouver le vrai coupable.

Catherine quitte le poste de police soulagée. De son point de vue, l'entretien ne pouvait pas mieux se dérouler. Elle s'est montrée détendue, convaincante. Avec un peu de chance, l'histoire s'arrêtera là. Pour elle, en tout cas.

Tandis qu'elle regagne son véhicule, elle passe en revue les voitures sur le parking et repère celle d'Audrey, tout au fond. Elle s'arrête un instant, surprise de voir sa tante à l'intérieur. Celle-ci baisse brusquement la tête, comme happée par l'écran de son téléphone portable. Catherine hésite une seconde à aller lui demander ce qu'elle fait là. Est-ce qu'elle les espionne ? Ou est-ce que la police lui a demandé de venir pour une vérification ?

Finalement, elle se dirige vers sa propre voiture, sa confiance déjà envolée.

25

Les nerfs en pelote, Rose Cutter reste quelques instants indécise sur le perron des Merton. Puis elle essuie ses mains moites sur sa jupe et presse la sonnette. Elle préférerait ne pas être là, mais elle sait que Catherine a besoin de son soutien.

Et Rose lui doit bien ça. Depuis le lycée, Catherine a toujours été une amie irréprochable. Elles se sont rencontrées en cours de littérature. Ce n'était pas vraiment le fort de Catherine, qui avait plutôt la bosse des maths, mais elle tenait à avoir de bonnes notes malgré tout. Aussi, quand les deux élèves avaient été mises en binôme pour un devoir, Rose avait commencé à l'aider avec ses dissertations. Et c'est ainsi que cette amitié improbable était née, s'épanouissant rapidement hors de la salle de classe. Grâce à son nom de famille et à ses jolis vêtements – elle pouvait toujours s'offrir les fringues dernier cri –, la popularité de Catherine était à son comble. Rose, quant à elle, n'était personne et se fichait de la mode : de quoi vous reléguer au purgatoire du lycée. Mais Catherine n'en avait cure. D'une générosité hors pair, elle avait fait comprendre à tout le monde que Rose était son amie. Dès lors, le regard des gens sur elle avait changé. Catherine l'invitait à des fêtes, des sorties, et en un claquement de doigts, Rose avait été acceptée.

Catherine avait conscience que Rose n'avait pas la même chance qu'elle, qu'elles n'étaient pas nées sous la même étoile. Mais elle s'était mis en tête de l'aider, de lui conseiller des vêtements, de lui en donner certains, ou de l'emmener dans des friperies afin d'en trouver d'autres à sa portée. Parfois, Rose se demandait si elle n'incarnait pas une sorte de mission pour Catherine, si cette dernière ne s'était pas prise d'amitié pour elle par simple culpabilité de fille à papa. Mais au bout d'un certain temps, elle avait dû se rendre à l'évidence : même si Catherine figurait parmi l'élite du lycée et parmi les filles les plus populaires, elle se sentait seule. Or, avec Rose, elle pouvait enfin être elle-même. Catherine était loin d'être aussi confiante qu'elle n'y paraissait, et la situation était compliquée, chez elle. Elle avait autant besoin d'une amie que Rose. Un jour, elle lui avait même confié qu'elle avait été surprise en train de voler à l'étalage, qu'elle s'était dit que son père allait la tuer. Rose était restée sans voix : les parents de Catherine étaient million-naires, elle pouvait avoir tout ce qu'elle voulait, et elle volait dans les magasins ? Cet aveu l'avait réconfortée. Elle qui s'était toujours sentie si cupide, elle était heureuse de savoir qu'elle n'était pas la seule.

Pendant leurs études, alors qu'elles étaient inscrites dans deux établisse-ments différents – une bonne université publique pour Rose, une université pri-vée prestigieuse pour Catherine –, elles ont gardé le contact. Puis elles se sont retrouvées à Aylesford une fois diplômées et ont vite repris leurs habitudes du lycée. Catherine invitait son amie à des mondanités – sorties en voilier au Hudson Yacht Club, matchs de polo à visée caritative – auxquelles Rose n'aurait jamais pu assister seule. Mais la plupart du temps, elles se retrouvaient autour d'un café ou d'un déjeuner et refaisaient le monde, se confiaient les détails les plus intimes de leur vie, se remémoraient les bons moments du passé.

— Rose ! fait Ted en ouvrant la porte, l'arrachant à ses pensées.

Rose et lui se connaissent bien, ils se sont côtoyés à de nombreuses occasions. Elle a toujours trouvé Ted séduisant, avec sa haute stature, ses larges épaules et sa force tranquille. Elle est heureuse que Catherine puisse compter sur son soutien.

— Bonjour, Ted, je peux entrer ? demande-t-elle avec un sourire timide.

— Ce n'est pas le bon moment, je suis désolé, s'excuse Ted. Catherine vient de rentrer du commissariat.

— C'est Rose ? lance la voix de Catherine en arrière-plan.

Puis la jeune femme apparaît derrière Ted et passe la tête par-dessus son épaule.

— Rose, fait Catherine, souriante mais au bord des larmes.

— Oh, Catherine ! s'écrie Rose, déjà prête à l'étreindre.

Elles tombent dans les bras l'une de l'autre. Rose ferme les yeux, s'imprégnant de l'odeur familière de son amie et luttant elle aussi contre les larmes.

Même si Catherine est l'une de ses plus proches amies, Rose a toujours été un peu jalouse d'elle, de son argent et de tous les avantages que la richesse lui a conférés. Rose n'a pas connu ça, elle. Elle a été élevée par une mère seule, veuve, et qui a tiré le diable par la queue toute sa vie. Tout ce que Rose a accompli, elle le doit à elle-même. Elle a arraché son statut social à la sueur de son front. Elle sait bien que les Merton n'ont jamais été une famille heureuse, mais au moins ils avaient de l'argent. Ça aide.

Malgré tout cela, Catherine reste sa meilleure amie. Rose tremble un peu tandis qu'elle l'enlace. Il ne faut surtout pas qu'on découvre ce qu'elle a fait.

Reyes observe Jenna Merton alors qu'elle fait son entrée dans la salle d'interrogatoire, vêtue d'un jean déchiré et d'un perfecto en cuir noir. Une fois de plus, la différence entre les trois enfants Merton est criante. Fugacement, il songe à ses deux enfants – eux aussi, tout les oppose, aussi bien en termes d'apparence que de tempérament ou de goûts. Puis il porte de nouveau son attention sur la jeune femme qui lui fait face. Après avoir débité son petit laïus habituel, il entre dans le vif du sujet.

— Jake Brenner et vous êtes les dernières personnes à avoir vu vos parents en vie.

Elle hausse un sourcil.

— Nous ne sommes restés que cinq minutes de plus.

Reyes la regarde attentivement.

— Sauf que c'est faux. Vous n'êtes pas partis peu après 19 heures, comme tous les autres. Vous êtes partis environ une heure plus tard, juste après 20 heures.

La benjamine des Merton se raidit légèrement, mais reste silencieuse, comme si elle réfléchissait à sa riposte.

Reyes attend. Ils se dévisagent mutuellement.

— Vous avez été aperçue par un voisin qui promenait son chien dans son allée peu après 20 heures, déclare-t-il. Il a reconnu votre voiture.

— D'accord, peu importe, lâche-t-elle après avoir pris une longue inspiration.

— Que s'est-il passé pendant cette heure supplémentaire ?

Elle fronce les sourcils et secoue la tête.

— Pas grand-chose. Nous avons papoté un peu. J'ai dû perdre la notion du temps.

Il a beau la pousser dans ses retranchements, elle reste cramponnée à son histoire. Le moment est venu de changer de tactique.

— Vous êtes sortis après ?

— Non. On est rentrés directement chez moi. Jake a passé la nuit à la maison.

Encore loupé. La discussion prend déjà fin et les empreintes de Jenna sont enregistrées.

— Il faudra qu'on vérifie tous leurs alibis, souffle Reyes à Barr une fois la jeune femme partie.

Après des heures à faire le planton devant le commissariat, Audrey est à deux doigts de jeter l'éponge pour la journée quand elle aperçoit une silhouette familière traverser le parking. Elle se penche en avant pour mieux l'étudier. Tant pis si elle court le risque d'être repérée, comme Catherine l'a fait, quelques heures plus tôt. Au contraire, même : autant que les enfants sachent que leur tante garde un œil sur eux.

Ça y est, elle l'a reconnue. C'est Lisa, la femme de Dan. Les flics veulent sans doute vérifier les alibis des uns et des autres. Soulagée, Audrey se laisse de nouveau aller au fond de son siège.

Le cœur battant à tout rompre, à deux doigts d'éclater en sanglots, Lisa entre dans la salle d'interrogatoire. Elle prend un risque. Dan ne voulait pas qu'elle vienne. Il lui a dit de refuser, d'attendre qu'ils trouvent un avocat, d'autant qu'ils ont obtenu grâce à Catherine un rendez-vous dans l'après-midi avec un ténor du barreau, Richard Klein.

Mais elle n'a pas cédé.

— Dan, a-t-elle promis, je vais aller leur dire que tu étais avec moi toute la nuit. C'est tout. De quoi aurions-nous l'air si je refusais de venir leur parler ?

Elle sait ce qu'il faut dire et ce qu'il ne faut pas dire.

Une fois abrégées les généralités, Reyes passe à l'attaque :

— Nous savons qu'il s'est passé quelque chose au dîner de Pâques. Voulez-vous nous en parler ?

Elle ne s'attendait pas à ça. Qui a bien pu vendre la mèche ? Mais elle secoue la tête et fronce les sourcils comme si elle ne comprenait pas la question.

— Non, c'était un dîner de Pâques tout à fait ordinaire.

— Est-ce que vous ou votre mari êtes à nouveau sortis ce soir-là après votre retour ?

Cette question, en revanche, elle s'y attendait. C'est pour y répondre qu'elle a fait le déplacement.

— Non, déclare-t-elle sur un ton parfaitement convaincant. Après être rentrés de chez ses parents, nous sommes restés tous les deux à la maison. Toute la nuit.

Ted est mal à l'aise ; la sueur perle dans le bas de son dos et sous ses aisselles. Il est furieux contre Catherine, qui l'a mis dans cette situation. Il ne pouvait raisonnablement pas dire non aux flics quand ces derniers lui ont demandé, ainsi qu'à tous les autres membres de la famille, de venir répondre à leurs questions et de laisser leurs empreintes digitales au commissariat.

— Dis-leur que j'étais à la maison toute la nuit, a glissé Catherine à son mari. Ce n'est pas difficile.

— Tu aurais dû leur dire la vérité, a-t-il rétorqué.

— Oui, probablement. Mais je ne l'ai pas fait. J'ai commis une erreur, OK ? Maintenant, la question est de savoir si tu vas m'enfoncer ou si tu vas m'aider à m'en sortir.

Ils se sont donc mis d'accord pour s'en tenir au scénario initial. Et voilà comment il s'est retrouvé au poste. Il est aussi très contrarié par la façon dont sa femme a accepté sans broncher de payer les frais d'avocat de Dan.

Et si ça leur coûte des centaines de milliers de dollars ? Mais c'est son argent, après tout. C'est elle qui va hériter, pas lui. Il n'a pas vraiment son mot à dire.

Cependant, Ted est confiant, il sait qu'il peut faire bonne impression pendant l'interrogatoire. Et il sait aussi que Catherine n'a pas assassiné ses parents.

— Merci d'être venu, commence Reyes.

À son tour, Ted nie tout conflit ou autre événement inhabituel pendant le dîner de Pâques. Puis vient la question fatidique :

— Après être rentré chez vous le soir du dimanche de Pâques, êtes-vous sorti à nouveau ?

— Non.

— Et votre femme ?

— Non plus, fait-il en secouant la tête. Elle est restée à la maison avec moi toute la nuit.

Après le départ de Ted, Audrey décide de lever le camp pour de bon. Quelle torture, d'être coincée sur un parking et de manquer toute l'action à l'intérieur ! Le seul endroit plus intéressant que le commissariat, là tout de suite, ce serait probablement la maison de Catherine ou de Dan, or elle n'y a pas accès non plus.

Elle consulte son téléphone une dernière fois avant de partir, actualise son fil d'actualité. Des équipes de police sont en train de mener des recherches dans le fleuve, près de Brecken Hill, dans l'espoir de retrouver des pièces à conviction. Elle sait où se rendre, à présent.

26

Audrey se tient debout face à l'Hudson, entre les deux ponts d'Aylesford, l'un au nord et l'autre au sud, qui enjambent la rivière et mènent jusqu'aux Catskills. La sombre surface du fleuve est balayée par une brise fraîche. Un panorama idyllique, s'il n'était pas gâché par un bateau de la police, une armée de plongeurs et des fonctionnaires en uniforme passant le rivage au crible.

Audrey n'est pas la seule à avoir profité du climat printanier pour venir observer les opérations de police. Une foule de badauds s'agglutine sur le bord du fleuve. Parmi eux, une femme d'une trentaine d'années affublée d'un coupe-vent aux couleurs de l'*Aylesford Record*. Une journaliste, donc. Ni une ni deux, Audrey saisit sa chance.

— Qu'est-ce qu'ils font, vous le savez ? demande-t-elle innocemment.

— C'est l'affaire du double homicide chez les Merton, répond rapidement la reporter après un bref coup d'œil dans sa direction. Ils ne veulent pas trop en dire, mais ils sont probablement à la recherche de l'arme du crime. Le couteau.

Elle garde le silence un moment avant d'ajouter :

— Et les vêtements ensanglantés. Le meurtre a été d'une violence extrême, le tueur a forcément dû se débarrasser de ses vêtements.

Bien vu, songe Audrey. Dire qu'elle en sait moins sur l'homicide de son propre frère que cette journaliste ! La police ne dit rien, et la famille refuse de parler à la presse. Une bouffée d'aigreur l'envahit. Qu'ils aillent au diable, tous autant qu'ils sont !

— On a du nouveau ? tente-t-elle auprès de la journaliste.

Mais celle-ci secoue la tête.

— Je parie qu'ils en savent plus qu'ils ne le prétendent, dit-elle cependant en haussant les épaules. Les riches, vous savez, ils ont toujours droit à un traitement de faveur. Davantage d'intimité. Davantage de respect.

— Je connais la famille, lâche Audrey.

La phrase est sortie toute seule, elle ne l'a pas préméditée. Soudain, la journaliste se tourne vers elle et la regarde franchement, comme si elle venait enfin de s'apercevoir de sa présence.

— Comment ça ? s'enquiert-elle, les yeux brillants de curiosité.

— Fred Merton était mon frère.

À présent, la jeune femme la dévisage, essayant sûrement de déterminer si elle a affaire à une vieille folle ou si elle dit la vérité.

— Vraiment ? Vous voulez m'en parler ?

Les yeux posés sur le bateau de police au loin, Audrey hésite. Puis elle secoue la tête et tourne les talons.

— Attendez ! s'écrie la journaliste. Laissez-moi vous donner ma carte. Si vous changez d'avis, appelez-moi. N'importe quand. J'aimerais vraiment vous parler, si vous êtes bien celle que vous prétendez être.

Audrey saisit la carte. Robin Fontaine. Elle lève les yeux et tend la main pour serrer celle de la jeune femme.

— Audrey Stancik. Mais mon nom de jeune fille est Audrey Merton.

Puis elle regagne sa voiture.

Reyes étudie le jeune homme en face de lui. Jake Brenner a tout de l'artiste maudit : jean déchiré, tee-shirt froissé, vieux blouson de cuir, barbe de trois jours. Il s'efforce d'avoir l'air cool et détendu, comme s'il se fichait de tout, mais Reyes voit bien qu'il n'est pas aussi à l'aise qu'il prétend l'être. Il sourit trop, pour commencer. Et son pouce martèle la surface de la table à une cadence irrégulière particulièrement irritante.

— Merci de vous être déplacé pour nous parler, commence Reyes. D'ailleurs, comment êtes-vous venu jusqu'ici ?

— En train.

— Je vois. Nous voulons juste vous poser quelques questions sur la nuit du 21 avril.

Jake hoche la tête.

— Vous étiez avec Jenna Merton ce jour-là, chez ses parents pour le dîner, n'est-ce pas ?

— Oui, fait Jake en défiant Reyes du regard.

— Comment s'est passé ce dîner ?

Jake inspire profondément, expire.

— C'était un peu guindé. J'avais peur de ne pas savoir où se trouvait la bonne fourchette.

De nouveau, ce sourire forcé.

— Ils ont beaucoup d'argent, vous savez, reprend-il. Mais ils avaient l'air plutôt sympas.

— Tout le monde s'entend bien ?

— Je crois, oui.

— J'ai cru comprendre que Jenna et vous étiez les derniers à avoir quitté la maison, enchaîne Reyes.

Jake semble se figer brièvement, puis se détend à nouveau.

— Nous savons que Jenna et vous êtes partis environ une heure plus tard que les autres, poursuit l'inspecteur. Comment expliquez-vous cela ?

Aucun sourire ne se dessine sur son visage, cette fois.

— Qu'avez-vous fait pendant cette heure supplémentaire ? insiste Reyes.

— Rien, lâche enfin le jeune homme en haussant les épaules. Juste parlé. Ils voulaient mieux me connaître.

— Vraiment ? fait Reyes en se penchant en avant. Et de quoi donc avez-vous parlé, exactement ?

— D'art, surtout, répond Jake après avoir dégluti nerveusement. Je suis artiste.

— Y a-t-il eu une dispute ce soir-là, Jake ? Est-ce qu'il s'est passé quelque chose pendant le dîner ? Ou peut-être après le dîner ?

Jake secoue fermement la tête.

— Non. Il n'y a pas eu de dispute. On est juste restés pour parler un peu et puis on est partis. Ils allaient bien quand on les a laissés, je vous le jure.

— Passons à autre chose, propose Reyes. Qu'avez-vous fait après votre départ ?

— On est retournés chez Jenna. J'y ai passé la nuit.

— Vous n'êtes pas ressortis ensemble ?

— Non.

Reyes le regarde longuement avant de conclure :

— Entendu. Nous resterons en contact. En attendant, ma coéquipière va vous emmener déposer vos empreintes.

Une fois Barr revenue, après que Jake Brenner est reparti, Reyes lui lance :

— Ils ont tous les trois des alibis très commodes, tu ne trouves pas ? Eh bien, je ne marche pas, continue-t-il tandis que Barr approuve de la tête. Regarde si on ne peut pas avoir une vidéo de la gare d'Aylesford, pour être sûr qu'il n'a pas pris le train. Et sinon, il faudra éplucher les vidéos du matin.

— Ça marche, répond Barr.

— Moi, je vais aller faire un point avec la légiste sur la deuxième autopsie.

Il est 17 heures, ajoute-t-il en regardant sa montre. Je ne devrais pas être long.

— J'allais justement vous appeler, fait Sandy Fisher à Reyes dès son arrivée, avant de le mener aussitôt devant la dépouille de Fred Merton. On a dénombré quatorze coups de couteau, dont certains témoignent d'une singulière férocité. Mais c'est l'égorgement qui l'a tué. La victime a été saisie par-derrière, sa gorge a été tranchée de gauche à droite. Le tueur est donc droitier. Puis l'homme est tombé ou a été jeté au sol, à plat ventre, et poignardé quatorze fois dans le dos, avec une vigueur décroissante, sans doute parce que le tueur se fatiguait.

La médecin s'arrête un instant avant d'ajouter :

— Cela semble indiquer que le tueur était possédé par la colère.

— Je ne vous le fais pas dire, admet Reyes.

— Ah, encore une chose intéressante. Fred Merton était atteint d'un cancer du pancréas. Il était mourant et il ne lui restait probablement que trois ou quatre mois à vivre.

— Il était au courant, à votre avis ? demande Reyes, surpris.

— Oh, très certainement.

Reyes retourne à sa voiture, pensif. Voilà qui pourrait confirmer les dires d'Audrey Stancik, selon lesquels Fred Merton s'apprêtait à modifier son testament. Qui d'autre aurait pu savoir que l'homme était mourant ? Et ce qu'il comptait faire ?

27

Le silence règne dans la voiture en ce mercredi après-midi tandis que Dan roule vers le cabinet d'avocats, Lisa à ses côtés. Sa femme lui a appris que Ted était passé au commissariat juste après elle, et qu'il n'est donc pas le seul dont les mouvements sont examinés à la loupe, Catherine aussi. Tout en se garant sur le parking, il se demande si cela devrait le rassurer. Mais Catherine n'est pas dans une situation financière délicate, elle. Et elle ne s'est pas non plus brouillée publiquement avec son père.

Une fois passées les portes vitrées du hall luxueux, ils n'ont pas à attendre longtemps pour que Richard Klein, considéré comme le meilleur pénaliste d'Aylesford, vienne les accueillir et les conduise jusqu'à son bureau.

De l'ameublement et de la décoration des lieux, Dan ne remarque presque rien, concentré qu'il est sur son avocat, comme si celui-ci était sa bouée de sauvetage. Klein leur dira quoi faire. Il convaincra la police que son client n'a rien à voir avec les homicides. C'est son job, après tout.

— Je suis content que vous m'ayez appelé, dit l'avocat d'un ton rassurant. Vous avez fait ce qu'il fallait.

Dan raconte presque tout : le dîner de Pâques tendu, la découverte des corps, ce qu'Irena a fait avec le couteau, la brouille avec son père, le pétrin financier dans lequel il se trouve, l'interrogatoire agressif que la police lui a infligé. Mais il ne dit pas un mot de sa longue promenade en voiture le soir du meurtre ni du mensonge de Lisa pour le protéger. L'avocat écoute attentivement, posant quelques questions par-ci par-là.

— Vous étiez donc chez vous toute la nuit, résume-t-il une fois que le récit de son client touche à sa fin. Et votre femme le confirme.

Dan et Lisa hochent la tête en même temps.

— Alors vous n'avez pas de souci à vous faire.

Puis il se penche en avant :

— Ils ne s'intéressent à vous – et probablement à vos sœurs – qu'à cause de l'argent. C'est normal. Mais peu importe qu'ils vous aient trouvé un mobile tant qu'ils n'ont pas de preuves. Tout dépend de ce qu'ils vont découvrir.

— Je n'ai rien fait, dit Dan.

— Entendu. Vous n'avez donc rien à craindre. Soyez tranquille : ils ne peuvent pas vous faire plier tant que je suis avec vous. Ne communiquez plus jamais avec eux en mon absence, ajoute-t-il. Ni l'un ni l'autre. S'ils veulent vous parler, appelez ce numéro.

L'avocat fait glisser sa carte sur son bureau, après y avoir griffonné un numéro :

— Mon numéro de portable. Appelez-moi n'importe quand. Jour et nuit.

— Merci, fait Dan en prenant la carte.

Puis vient la question de l'acompte. Dan assure qu'il n'y aura pas de problème ; sa sœur Catherine lui a accordé un prêt. Et quand tout cela sera fini, songe-t-il, il la remboursera avec son héritage.

— Une dernière chose, dit l'avocat alors que Dan et Lisa sont déjà en train de se lever. Quoi que vous fassiez, ne parlez pas à la presse. Sans preuve, la police ne peut pas grand-chose, mais la presse ne se fera pas prier pour vous détruire si vous leur donnez des munitions.

Après sa rencontre au bord du fleuve, Audrey décide de débarquer chez Ellen à l'improviste. C'est l'avantage d'être deux veuves inséparables : elles ne risquent jamais de se déranger. Audrey a besoin de vider son sac et, dès qu'Ellen ouvre la porte, Audrey éclate en sanglots. Cela fait tant d'heures qu'elle réprime ses émotions.

— Mais qu'est-ce qui ne va pas ? s'alarme Ellen.

Audrey déballe tout : sa visite à Walter ce matin-là, le fait que Fred n'a pas eu le temps de changer son testament, ses soupçons concernant les enfants.

Elle n'a parlé qu'à Ellen de ses grandes espérances. Elle est la seule à savoir – la seule auprès de qui elle s'est épanchée.

— Oh, Audrey, je suis vraiment désolée, souffle cette dernière après quelques instants de silence interloqué.

Quand elle a séché ses larmes, Audrey se sent vidée.

— Tu ne penses quand même pas sérieusement que l'un des enfants pourrait avoir fait ça ? demande timidement Ellen, comme incapable de digérer l'idée.

Tout le monde sait maintenant comment les Merton ont été tués, l'information circule partout dans les médias.

— J'en suis sûre, déclare Audrey. Et je vais trouver lequel. D'ailleurs, la police le pense aussi. Ils les ont tous interrogés aujourd'hui.

Le soir tombe quand Catherine rejoint enfin Ted dans la cuisine pour dîner. Au moins pas besoin de cuisiner : le réfrigérateur déborde des victuailles que proches et voisins sont venus leur apporter. Comme la journée de Catherine a été longue et éprouvante, Ted a sélectionné les plats qu'elle aime le plus. En plus du stress lié à l'enquête de police, elle a dû gérer tous les coups de fil des amis et de la famille – recevoir leurs condoléances tout en luttant contre leur curiosité morbide. Elle a tellement pris sur elle qu'elle est toute tendue et qu'elle a mal partout. Mais au moins la question des funérailles est presque entièrement réglée. Elles auront lieu samedi, à 14 heures. Ses parents étaient des personnes importantes à Aylesford donc il y aura du monde – et la façon dont ils sont morts ne manquera pas non plus d'attirer les curieux.

Après la cérémonie, une réception sera donnée au country club, avec boissons, amuse-bouches, et diaporama de photos en boucle. Puis, quand tout ça sera fini, Catherine pourra enfin s'effondrer. Elle ne pense pas avoir le temps de gérer quoi que ce soit d'autre d'ici là. Mais lorsqu'elle pourra se permettre de penser à ce qui s'est passé, elle ignore quelle sera sa réaction.

— Tu vas bien ? demande Ted.

Elle secoue lentement la tête.

— Mange un morceau, suggère-t-il en désignant un plat de lasagnes.

Elle se sert à contrecœur, ajoute un peu de salade verte et de l'huile d'olive, commence à mastiquer. Mais sa main se met soudain à trembler, si bien qu'elle n'arrive même plus à porter sa fourchette jusqu'à sa bouche. Elle la laisse retomber dans son assiette avec fracas.

— Catherine, qu'est-ce qu'il y a ? s'inquiète Ted.

— Et si…, lâche-t-elle.

Mais elle ne peut pas continuer.

Ted se lève de table et vient s'asseoir à côté d'elle. Il l'enveloppe de ses bras tandis qu'elle sanglote contre sa poitrine.

— Et si quoi ? murmure-t-il dans ses cheveux.

Catherine lève les yeux vers son mari :

— Et si Dan les avait vraiment tués ?

L'effroi refait surface. Catherine a exprimé tout haut une peur que Ted s'acharne à ignorer depuis la veille, depuis que lui-même a été si troublé par le comportement de Dan – sa nervosité, ses remarques déplacées. Il ne sait pas quoi dire à sa femme pour la réconforter. Se contente de la serrer contre lui. Quand elle relève la tête, le visage baigné de larmes, il remarque combien ses joues semblent s'être creusées depuis quelques jours.

— Catherine, tout va bien se passer, dit-il, se sentant impuissant face à sa détresse. Je t'aime.

Il n'a jamais vu son épouse dans cet état.

— Viens, ajoute-t-il doucement en la guidant vers le salon.

À quoi bon faire semblant d'avoir faim ? Ils s'enfoncent tous les deux dans le canapé et elle se tourne vers lui avec de grands yeux larmoyants.

— Il détestait notre père, Ted. Tu n'as pas idée.

— Mais tu penses vraiment qu'il aurait pu faire ça ? s'insurge-t-il, ravalant son dégoût. Tu le connais mieux que moi.

— Je ne sais pas, fait-elle, la voix blanche. Peut-être.

Ted sent un frisson lui parcourir le dos. La pensée de Dan étranglant sa propre mère et poignardant son père dans une explosion de rage, puis venant jouer les innocents dans leur salon… Il a envie de vomir.

— Je ne sais pas quoi faire, murmure Catherine.

— Tu n'as rien à faire, lui assure Ted.

Mais c'est exactement la question qu'il est lui-même en train de se poser. Que doivent-ils faire ? Si Dan s'avère être un meurtrier, ils ne peuvent tout de même pas continuer à l'accueillir chez eux comme si de rien n'était. Il pourrait bien être fou à lier.

— Il a raison. Ils vont penser que c'est lui le coupable, remarque Catherine, agitée, et ils vont à nouveau m'interroger pour le prouver.

Saisi d'un profond malaise, Ted regarde fixement les fenêtres du salon, son bras autour des épaules de sa femme. Il voit deux personnes de l'autre côté de la rue s'approcher du perron de leurs voisins. Des silhouettes vaguement familières.

Puis, avec un coup au cœur, Ted réalise que ce sont les deux détectives, Reyes et Barr. Que font-ils dans leur rue ?

La réponse est évidente : il n'y a qu'une seule raison possible à leur présence.

— Qu'y a-t-il ? fait Catherine, qui a dû ressentir la soudaine tension de son mari.

Elle suit son regard, reconnaît à son tour les détectives et retient son souffle.

— Merde, lâche Ted.

— Et si quelqu'un m'avait vue ? s'effraye-t-elle.

Les pensées de Ted s'emballent. Quelqu'un aurait en effet pu voir Catherine sortir dans la nuit. Peut-être même apparaît-elle sur une caméra de vidéosurveillance.

Si la police commence à s'intéresser à sa femme, la vérité peut éclater à tout moment. C'est exactement ce qu'il craignait.

— Alors tu devras leur dire la vérité, énonce-t-il. Que tu ne leur as pas dit avant parce que tu étais en état de choc, et parce que tu avais trop peur des conclusions qu'ils auraient pu en tirer, à cause de l'héritage. Que tu es allée voir tes parents, qu'ils allaient bien quand tu es partie et qu'ensuite tu es revenue à la maison.

— Mais…, murmure-t-elle, livide.

— Mais quoi ? demande-t-il, la peur au ventre.

— Ils n'allaient pas bien. Ils étaient déjà morts.

28

— Quoi ?

Sous le choc, Ted dévisage sa femme.

— Je suis désolée, Ted, je t'ai menti à toi aussi.

Elle fond à nouveau en larmes. Mais Ted se dégage, la considère avec horreur.

— Comment pouvaient-ils être déjà morts ? Et pourquoi tu n'as rien dit ?

Son cœur s'emballe de plus belle tandis qu'il réalise que sa femme, la femme qu'il pensait si bien connaître, est rentrée chez eux après avoir découvert ses parents sauvagement assassinés et qu'elle s'est couchée à ses côtés comme si de rien n'était. Et que le lendemain matin, la bouche en cœur, elle a inventé toute une histoire comme quoi elle aurait eu une conversation avec sa mère, au cours de laquelle cette dernière lui aurait demandé d'intervenir auprès de son père en faveur de sa petite sœur. Il n'en revient pas.

— Qu'est-ce que tu me chantes, bordel ? explose-t-il.

— Ne m'en veux pas, Ted, supplie-t-elle. Je ne savais pas quoi faire !

Catherine arrache quelques mouchoirs à une boîte sur la table basse et s'essuie les yeux. Il la regarde essayer de se ressaisir, mais lui-même est incapable de se calmer, son cœur bat dans ses oreilles.

— Je suis allée là-bas pour parler à maman. Quand je suis arrivée, il était tard – 11 h 30 environ. Il y avait encore de la lumière à l'étage. J'ai frappé. Personne n'a répondu, alors j'ai frappé à nouveau. Je savais qu'ils devaient être encore debout et, au bout d'un moment, j'ai commencé à trouver ça bizarre... Maman n'avait pas répondu au téléphone et personne ne venait ouvrir. J'ai poussé la porte, et ce n'était pas fermé. Je suis entrée. Il faisait sombre dans le hall, mais il y avait un peu de lumière en provenance de la cuisine. J'ai jeté un coup d'œil dans le salon et j'ai vu une lampe sur le sol... et puis j'ai vu maman. Elle était allongée par terre.

Catherine commence à hyperventiler.

— Je me suis précipitée vers elle. Elle était morte, ses yeux grand ouverts. C'était horrible.

Ted peut voir combien cette vision l'a perturbée.

— Je voulais m'enfuir, mais j'étais comme paralysée. Je ne pouvais pas bouger. J'étais terrifiée. Je me suis dit que papa l'avait tuée. Qu'il avait fini par craquer.

Sa voix se brise.

— Je ne sais pas combien de temps je suis restée là. Mais je n'entendais aucun bruit. Alors j'ai pensé qu'il avait dû se tuer, lui aussi.

Mon Dieu, pense Ted. Puis Catherine déglutit et reprend son récit :

— Je ne sais pas comment, mais j'ai réussi à traverser le couloir jusqu'à la cuisine. J'ai vu qu'il y avait du sang sur le sol et je l'ai évité. Et puis...

Elle s'interrompt.

Ted la regarde, abasourdi. Comment va-t-il pouvoir encaisser ce qu'elle est en train de lui raconter ?

— Continue, exige-t-il pourtant. Je veux tout savoir.

— Je ne suis pas entrée, je suis restée sur le seuil. Papa était par terre. Il y avait du sang partout. Le couteau à découper était là, à côté de lui.

Elle se fige, comme si elle revivait la scène. Comme s'il n'était plus là, avec elle. L'expression sur le visage de sa femme le perturbe au plus haut point.

— Pourquoi tu n'as pas appelé les secours ? Pourquoi tu ne m'as rien dit ?

— J'ai pensé, bredouille-t-elle, j'ai pensé…

Mais aucun mot ne parvient à sortir.

Alors Ted se charge de le dire, en même temps qu'il comprend la raison qui l'a poussée à se taire.

— Tu pensais que c'était Dan qui avait fait ça.

Elle acquiesce presque imperceptiblement. Elle ne pleure plus, mais elle a l'air comme anesthésiée.

— Je pensais qu'il était revenu pour les tuer. Je savais qu'il avait besoin d'argent et que papa ne lui en donnerait pas. J'avais peur…

— Peur ?

— Qu'il se fasse prendre. Je voulais juste lui donner un peu de temps – un peu de temps pour s'enfuir, ou pour effacer ses traces… Je savais qu'il n'avait pas les idées claires.

— Catherine, prononce Ted le plus calmement possible alors qu'il est profondément secoué. Dan devrait aller en prison s'il est coupable. Il est… il est dangereux.

— Mais je ne peux pas le supporter, gémit-elle en sanglotant à nouveau, le visage dans les mains.

Puis elle lève la tête et lance d'une voix suppliante :

— C'est mon petit frère. On doit le protéger.

Ted ne peut s'empêcher d'imaginer ce qu'elle ne dit pas : *Et il nous a rendu service.*

Alors qu'il traverse la rue pour aller frapper chez leurs voisins d'en face en compagnie de l'inspectrice Barr, Reyes remarque que la lumière est allumée chez Catherine Merton et Ted Linsmore. *Tiens, tiens*, pense-t-il.

Il sonne à la porte, montre son badge, et les voilà invités à pénétrer dans la maison d'un couple d'une soixantaine d'années.

— Nous enquêtons sur les meurtres de Fred et Sheila Merton, dont la fille habite de l'autre côté de la rue, explique-t-il aux jeunes retraités, qui le regardent avec des yeux ronds. Vous étiez chez vous dimanche soir ?

— Oui, mais nous nous sommes couchés tôt, indique l'homme. Nous avons passé la journée chez notre fille.

— Avez-vous par hasard vu quelqu'un quitter la maison ? Disons à partir de 19 h 30 ce dimanche-là.

Mari et femme se consultent du regard, puis secouent la tête. Mais avant que Reyes ait le temps de poser la question, l'homme dit :

— Nous avons une caméra devant notre portail. Elle filme toutes les allées et venues. Vous voulez y jeter un coup d'œil ?

— Vous permettez ?

— Bien sûr, répond le voisin avec empressement.

Les images peuvent être visionnées sur un ordinateur portable, dans un bureau à l'étage. Reyes demande à l'homme de remonter jusqu'à 19 heures le dimanche de Pâques, puis laisse la vidéo en noir et blanc défiler. À 19 h 21, la voiture de Ted emprunte l'allée. L'enregistrement se poursuit en accéléré, jusqu'à ce que le flic s'écrie « Stop ! ».

Le voisin revient diligemment en arrière, puis ralentit la vidéo. À 23 h 09, la voiture de Catherine franchit le portail. Au départ, la qualité de la caméra ne permet pas de déterminer qui se trouve à l'intérieur, mais l'image se précise lorsque le véhicule s'engage dans la rue. Catherine est seule à bord.

Elle ment, pense Reyes. *Et son mari la couvre.*

Barr et lui échangent un regard par-dessus la tête du voisin.

— Voyons voir à quelle heure elle revient, lance Reyes en se retournant vers l'écran.

Catherine se tient à côté de la fenêtre du salon, veillant à ne pas être vue. Les inspecteurs sont chez les voisins depuis un moment déjà. Trop longtemps. Quand ils finissent par sortir, elle les surprend à jeter un coup d'œil vers sa maison avant de remonter dans leur voiture. Ils n'inter-rogent personne d'autre, ce qui laisse à penser qu'ils ont trouvé tout ce dont ils avaient besoin.

Ses voisins ont dû la voir sortir cette nuit-là, c'est certain.

Et maintenant les détectives savent qu'elle a menti. Que Ted aussi a menti – Ted qui l'a couverte et qui ne lui par-donnera jamais.

Mais s'ils vérifient son alibi, cela veut dire qu'ils examinent aussi ceux de Dan et de Jenna. Dan a dit qu'il n'était pas ressorti de chez lui, et Lisa a confirmé sa version des faits. Toutefois, vu sa propre expérience, Catherine a de quoi mettre en doute la véracité de la déclaration de sa belle-sœur.

Dan est dans le garage, dont la porte est ouverte sur la rue, quand il les aperçoit. Les deux flics parlent à ses voisins, cherchant sûrement à découvrir s'il a été aperçu hors de chez lui la nuit des meurtres. Terrifié, il reste tapi dans l'ombre.

Si ça se trouve, personne ne l'a vu.

Catherine vient de l'appeler pour lui raconter la visite des inspecteurs à ses propres voisins. Elle voulait savoir si les maisons de sa rue étaient équipées de caméra. Il n'en sait rien. Mais avec la chance qu'il a, quelqu'un a sûrement installé une putain de caméra. À Catherine comme à tout le monde, il a dit qu'il était resté chez lui toute la nuit. Elle n'y croit pas, manifestement, sinon pourquoi l'aurait-elle appelé ?

Tout le monde a un alibi, sauf lui. Il commence à paniquer, décide de rentrer chez lui. Lisa est en train de nettoyer la cuisine.

— Les inspecteurs sont là, l'informe-t-il succinctement.

— Quoi ? s'alarme-t-elle.

— Dans la rue. Va voir par la fenêtre. Mais ne te fais pas remarquer.

Lisa se glisse derrière les rideaux, la mine défaite. Et son visage se décompose encore plus lorsqu'elle réalise ce que cela signifie.

Après le départ d'Audrey, Ellen Cutter se fait couler un bain en fredonnant. Son amie ne va finalement pas hériter de toute cette fortune. Décidément, la roue tourne vite. Et puis ce délire autour des enfants de Fred... Comme s'ils avaient pu tuer leurs parents juste pour la court-circuiter !

Ridicule, pense Ellen en versant dans l'eau un bouchon de bain moussant. Audrey a toujours eu une imagination débordante, mais là, elle va trop loin.

Et tandis qu'elle se laisse glisser dans son bain, Ellen ne peut s'empêcher de ressentir une pointe de joie malsaine à l'idée du malheur qui frappe son amie pourtant si chère à son cœur.

29

Catherine a appelé Jenna sur son portable pour lui demander de venir chez elle quand bien même il se faisait déjà tard, et, pour la première fois de sa vie, Jenna a vu son aînée d'habitude imperturbable perdre de sa superbe, son proverbial sang-froid envolé. Il faudrait vraiment être une sainte pour ne pas s'en réjouir ne serait-ce qu'un tout petit peu. Or sainte, Jenna ne l'a jamais été.

Il n'empêche, elle ne s'attendait pas du tout à ce qu'elle a appris ce soir : Catherine et Ted ont menti à la police. Ça, encore, elle peut l'entendre – Jenna elle-même leur a menti. Non, ce dont elle a du mal à se remettre, c'est que Catherine ait trouvé les corps cette nuit-là et n'en ait rien dit à personne. Pas même à son mari. Qu'elle ait attendu deux jours et laissé Irena faire la macabre découverte. Elle prétend avoir voulu protéger Dan.

Jenna jette un coup d'œil à Ted, qui affiche une mine sombre et inquiète, et se demande ce qu'il pense de Catherine maintenant. Est-elle toujours la femme qu'il croyait avoir épousée ? Quel genre de personne rentre tranquillement chez elle après être tombée sur les cadavres de ses deux parents assassinés ?

De son côté, Jenna a appris quelque chose au sujet de Catherine : sa sœur sait jouer la comédie. Du moins, jusqu'à un certain point. À présent, le stress semble sur le point de l'emporter.

— Tu penses vraiment que Dan aurait pu faire ça ? demande Jenna.

— C'est ce que j'ai pensé cette nuit-là, répond Catherine, mal à l'aise. C'est pour cette raison que je n'ai rien dit. Mais il soutient être resté chez lui avec Lisa.

— C'est peut-être vrai, fait Jenna sans avoir l'air d'y croire.

— Eh bien, nous le saurons bien assez tôt, dit Catherine. Les détectives recherchent des témoins.

— Peut-être qu'on devrait poser franchement la question à Dan, suggère Jenna, le ton grave. On saurait à quoi s'en tenir, au moins. Et on pourrait l'aider.

— Il a déjà nié ! rétorque Catherine. Et pourquoi nous l'avouerait-il ? Jamais il ne nous fera assez confiance.

— On ne s'est jamais beaucoup fait confiance les uns les autres, souligne Jenna.

— Enfants, peut-être. Mais on est des adultes maintenant, ajoute Catherine, comme si cela faisait une différence.

Ça ne change rien, pense Jenna. C'est juste les enjeux qui sont plus importants.

— Moi, je te fais confiance, assure Catherine. En te révélant la vérité.

— Alors si la police découvre que tu es sortie ce soir-là, qu'est-ce que tu comptes leur dire ?

Catherine lance un regard furtif à Ted, avant de revenir à Jenna. Elle déglutit.

— La vérité, peut-être. Que je suis allée là-bas, qu'ils étaient déjà morts, que je suis rentrée à la maison et que je n'ai rien dit.

— Ils voudront savoir pourquoi, insiste Jenna.

— Je leur dirai que j'étais en état de choc, s'entête Catherine.

— Pour l'amour du ciel, Catherine, tu es médecin ! Tu vas devoir trouver mieux que ça.

Catherine garde le silence. À ses côtés, Ted se mord nerveusement la lèvre. Un ange passe tandis qu'ils étudient tous intérieurement les différentes options.

— Si tu ne veux pas qu'ils pensent que c'est parce que tu soupçonnais Dan, reprend Jenna, tu n'as qu'à leur dire pour l'annonce de papa, son projet de vendre la maison. Tu pourrais admettre que tu avais peur qu'ils te croient coupable.

Catherine lui adresse un regard glacial.

— J'appuierai ta version, poursuit Jenna, et je suis sûre que Dan fera de même. Si tu es innocente, tu n'as aucune raison d'avoir peur.

Un autre blanc.

— Ou je pourrais leur dire qu'ils allaient très bien quand je les ai vus, rétorque Catherine, que j'ai parlé à maman et que je suis rentrée à la maison après.

Jenna observe Ted, que le mensonge met visiblement mal à l'aise.

— Peut-être que tu devrais te contenter de leur dire la vérité, lâche-t-il.

— Mais qu'est-ce qui va se passer dans ce cas ? proteste Catherine. Ils vont penser que c'est moi ou Dan le coupable. Même s'il était à la maison toute la nuit et que Lisa se porte garante, ils pourraient remettre en doute son témoignage.

Jenna hausse les épaules.

— Quoi qu'il arrive, ils vont mettre ça sur le dos de l'un d'entre nous.

— Je suppose que tu as un alibi ? demande Catherine, acerbe.

— Oui, Jake était chez moi toute la nuit.

La nuit est bien avancée et Ted n'arrive pas à trouver le sommeil. Catherine n'a pas encore décidé ce qu'elle allait dire à la police, mais elle a cédé à la demande de Ted de se faire accompagner d'un avocat la prochaine fois qu'elle sera interrogée.

Avant d'aller au lit, ils ont regardé le JT de 23 heures. La police n'a rien lâché de plus à la presse au sujet de l'enquête. Ils sont toujours à la recherche de la mystérieuse camionnette aperçue près de la maison la nuit des meurtres. Ted continue d'espérer, mais avec de moins en moins de conviction, que ce véhicule détient la clé du mystère – que le conducteur de la camionnette est le tueur et qu'il suffit de le retrouver.

Il n'aime pas ce que sa femme a fait pour protéger Dan. Après tout, c'est peut-être un assassin.

— Manifestement, Irena pense que c'est lui qui a fait le coup, a confié Catherine en éteignant la lumière. Sinon, pourquoi aurait-elle nettoyé le couteau ?

Et voilà que Ted fixe le plafond dans l'obscurité, incapable de fermer les yeux. Dès qu'il baisse les paupières, il a une vision de Catherine découvrant le cadavre de sa mère.

Il savait que sa belle-famille était détraquée, mais pas à ce point. Il voit sa femme prenant son courage à deux mains pour aller dans la cuisine, et y trouver le corps mutilé de son père... avant de réaliser que c'est sûrement son jeune frère qui les a tués tous les deux. Même s'il n'approuve pas sa décision, Ted comprend pourquoi Catherine fait tout pour le protéger. Elle se dit sûrement qu'il avait ses raisons. Mais, quelles qu'elles aient été, comment peuvent-elles justifier un meurtre ? Et surtout, *surtout,* comment Catherine a-t-elle pu rentrer à la maison, grimper dans leur lit et l'embrasser sur la joue en murmurant « Tout va bien » ?

30

Il est tôt, ce jeudi matin, quand Reyes se laisse retomber au fond de son fauteuil, plongé dans ses pensées, et se met à tapoter nerveusement une liasse de papiers sur son bureau avec le bout de son stylo. Cela fait deux jours que les corps ont été découverts. Aucune activité n'a été détectée sur les cartes de crédit des victimes, aucune tentative de retrait d'argent. Et aucune trace des bijoux et de l'argenterie volés non plus.

Et que dire de l'acharnement sur le patriarche ? Le tueur a été méticuleux – au point d'enlever ses chaussures... Reyes ne croit pas une seconde à l'hypothèse du cambriolage. Et ils sont en train de passer en revue toutes les enseignes de peinture de carrosserie, mais ils n'ont toujours rien trouvé sur cette foutue camionnette.

Ce qu'ils savent, par contre, c'est que Dan et Catherine Merton ont menti au sujet de leurs alibis.

Quand Reyes convoque formellement Dan Merton au commissariat, ce dernier est accompagné de son avocat, cette fois. Les deux hommes débarquent à 10 heures précises, impeccables dans leurs costumes-cravates. Reyes se demande si l'avocat a conseillé à son client de s'habiller de la sorte. Ce dernier s'attend-il à être arrêté ? Dan n'a pas l'air en forme.

— Nous avons un témoin qui jure vous avoir vu sortir en voiture la nuit des homicides, vers 22 heures, commence Reyes. Et un autre qui dit vous avoir vu rentrer plus tard, vers 1 heure du matin.

Reyes surprend le regard sévère que jette l'avocat à son client. Pâle comme un linge, Dan ferme les yeux.

— Pourrions-nous avoir une minute ? intervient l'avocat.

— Bien sûr.

Reyes éteint le dictaphone et quitte la pièce, escorté de Barr. Quelques minutes plus tard, l'avocat leur fait signe de revenir.

— Y a-t-il quelque chose que vous voudriez nous dire, Dan ? reprend Reyes.

Dan prend une longue inspiration, puis se jette à l'eau la voix tremblante :

— Je suis sorti faire un tour. J'étais préoccupé et conduire m'aide à m'éclaircir les idées. Je vais souvent rouler seul, le soir.

— Trois heures de route, c'est long tout de même. Où êtes-vous allé ?

— Je ne sais pas, nulle part en particulier. Je ne me souviens plus.

Reyes hausse les sourcils, sceptique.

— Vous n'êtes pas retourné voir vos parents à Brecken Hill ?

— Non. Je n'étais même pas dans les environs.

Une veine bat sous la peau livide de sa tempe.

— Pourquoi nous avez-vous menti, Dan ?

— Je ne voulais pas être suspecté, répond ce dernier d'un ton ferme.

— Avez-vous demandé de l'argent à votre père lors du repas de Pâques ?

Dan lance un regard mauvais à l'inspecteur.

— Je pense qu'il y a eu assez de questions pour aujourd'hui, intervient l'avocat tandis que Dan semble se ratatiner dans son onéreux costume. À moins que vous n'ayez quelque chose d'autre ? ajoute maître Klein en se tournant vers Reyes. Une preuve physique, par exemple ?

Reyes secoue la tête.

— Allons-y, fait l'avocat en conduisant son client vers la sortie.

Après leur départ, Barr remarque :

— Si c'est lui le coupable, même s'il a réussi à se débarrasser de toutes ses fringues ensanglantées, il y a forcément des traces du sang de son père quelque part. Tu sais aussi bien que moi qu'un nettoyage à fond ne suffit pas à les effacer.

— Nous allons demander un mandat de perquisition, acquiesce Reyes en soupirant bruyamment. Il faut absolument qu'on trouve ces vêtements. Et en attendant, que dirais-tu d'une autre petite discussion avec Catherine Merton ?

Avide d'informations, Audrey se rend à nouveau au poste de police. Mais ce matin, elle n'est pas seule. Des journalistes et des cameramen font le pied de grue près de l'entrée, aussi décide-t-elle de sortir de sa voiture et de se mêler à la petite foule patiente. Bientôt, son initiative est récompensée : Dan franchit les portes vitrées aux côtés d'un grand brun en costume. Un avocat, sans aucun doute. Les médias se jettent sur eux en les bombardant de questions importunes, malgré les tentatives de ce dernier pour les repousser. *Qu'ils se lâchent*, pense-t-elle en jubilant, *qu'ils le mettent au supplice*. Elle essaie d'apercevoir l'expression de Dan mais son neveu, la tête baissée et le visage protégé derrière ses mains, s'enfuit rapidement dans le sillage de son avocat.

Peu de temps après, cependant, nouvelle récompense : c'est au tour de Catherine d'arriver, escortée par une femme en tailleur avec attaché-case. Elles passent à côté des journalistes en s'efforçant de les ignorer.

Les choses se corsent, se dit Audrey. Elle s'en réjouit.

Catherine Merton a bien changé depuis la veille, remarque Reyes. Elle a dû traverser la mêlée de journalistes pour arriver jusqu'ici et elle ne s'y attendait sans doute pas. Elle ne semble pas avoir beaucoup dormi non plus, malgré son maquillage et sa tenue soignés. Elle aussi a choisi de se faire accompagner par une avocate.

— Madame Merton, commence Reyes après avoir lancé le dictaphone, vous nous avez dit hier que vous étiez restée chez vous toute la nuit du dimanche de Pâques, après être rentrée de chez vos parents.

La jeune femme ne dit rien, mais elle a l'air de se préparer au pire.

— Or nous avons une vidéo de vous dans votre voiture quittant votre domicile à 23 h 09 et rentrant à 00 h 41. L'un de vos voisins est équipé d'une caméra de sécurité. Où êtes-vous allée ?

Catherine prend une grande inspiration et jette un coup d'œil à son avocate, qui lui adresse un léger signe de tête.

— Je suis allée chez mes parents. Quand nous étions là-bas pour le dîner, ma mère m'a glissé qu'elle avait quelque chose d'important à me dire, mais nous avons été interrompues. Je n'ai pas eu l'occasion d'en reparler pendant la soirée et j'étais inquiète. J'ai donc cherché à la joindre sur son portable peu après 23 heures, en vain.

— Nous le savons, oui, fait Reyes. Nous avons les relevés téléphoniques de vos parents. Mais pourquoi n'avez-vous pas essayé la ligne fixe ?

— Je pensais que mon père était peut-être déjà endormi et je ne voulais pas le réveiller, avance-t-elle après une hésitation. Alors j'ai pris la voiture – ce n'est pas loin. Quand je suis arrivée, j'ai parlé à ma mère. Elle me demandait d'intervenir auprès de mon père au sujet de ma sœur, Jenna. Il parlait de lui couper les vivres. Cela arrivait de temps à autre, ajoute-t-elle. Il n'a jamais mis ses menaces à exécution.

— Alors pourquoi ce mensonge ? interroge Reyes.

— Pourquoi, à votre avis ? répond-elle en le regardant droit dans les yeux. Je ne voulais pas que vous pensiez que c'était moi la coupable.

Tandis qu'il la dévisage, Reyes se demande si son frère et elle étaient là-bas en même temps.

31

Sidérée, Lisa voit débarquer les détectives munis de leur mandat de perquisition et accompagnés d'une équipe médico-légale quelques heures seulement après le retour de Dan. Une partie d'entre eux se précipitent vers l'intérieur de la maison pendant que Reyes, Barr et les autres ouvrent les portières de la voiture de son mari, garée dans l'allée. Sous les yeux de tout le voisinage, ils entreprennent un examen attentif tandis qu'un camion de la police attend de la remorquer vers un endroit où ils pourront la passer au crible à la recherche de l'indice qui fera de son époux un meurtrier.

Dan est innocent, il n'y a pas de doute. Ce soir-là, il n'est pas rentré à la maison couvert de sang. Elle se souvient de ce qu'il portait lorsqu'il est sorti faire son tour en voiture : le même jean et la même chemise qu'au dîner. Et il a probablement enfilé son coupe-vent avant de partir, celui qui ne le quitte pas en cette saison. Il est suspendu dans l'armoire du couloir, sans aucune trace dessus. Elle ne se souvient pas d'avoir entendu Dan rentrer, mais le lendemain matin, elle a trouvé le jean et la chemise, ainsi que son slip et ses chaussettes, sur le sol à côté du lit. Elle les a mis dans le panier à linge. C'était le lundi. Elle a fait sa lessive ce jour-là, rangé la chambre, et n'a pas vu la moindre goutte de sang. Elle est certaine de n'avoir aucune raison de s'inquiéter. Alors pourquoi est-elle si tendue ?

Dan s'approche d'elle. Son avocat vient de partir après avoir vérifié la validité du mandat. En privé, il a encouragé Dan à garder la tête haute et la bouche fermée, et lui a enjoint de l'appeler au « moindre développement ».

— C'est scandaleux, peste Dan.

— Garde ton sang-froid, lui dit-elle.

Ce n'est pas le moment pour son mari de laisser transparaître ses émotions. Pas devant tout le monde. Il a été si instable ces derniers temps – cela l'inquiète.

— Ils ne vont rien trouver.

Jenna considère quelques instants son téléphone qui vibre avant de décrocher. Encore Jake.

— Salut, toi, fait-elle, debout face à la maison de son frère.

Dan l'a appelée en panique quand la police est arrivée. Elle observe à présent les opérations de loin, l'examen de la voiture.

— Comment ça se passe ? demande Jake.

Elle aime le son de sa voix, basse et rauque. Il a menti pour elle, la veille. Combien de temps avant qu'il ne lui demande quelque chose en retour ? Il réclamera sans doute sa part du gâteau, une fois qu'elle l'aura touché. Mais plus elle y pense, plus elle trouve Jake dur à déchiffrer.

— Ça se complique pour Dan. Ils sont en train de fouiller chez lui.

Audrey a suivi les détectives alors qu'ils quittaient le commissariat à bord d'une berline foncée et se retrouve à son tour devant chez Dan. Elle ne perd pas une miette des perquisitions et du ballet des hommes en combinaisons blanches. De mieux en mieux. Dan est manifestement le principal suspect. Elle a bien envie de les aider à ratisser la maison de son neveu, au lieu de quoi elle reste discrètement dans sa voiture, regrettant de ne pas avoir emporté une paire de jumelles. De nombreux voisins observent la scène depuis leur pelouse et les journalistes sont en train d'affluer. Parmi eux, Audrey reconnaît Robin Fontaine. Elle a toujours sa carte dans son portefeuille.

Audrey tourne à nouveau son attention vers Dan, debout au bout de son allée aux côtés de sa femme, l'air impuissant. Comme s'il avait senti son regard dans son dos, il se retourne, puis il l'aperçoit et fonce dans sa direction.

Qu'il aille au diable, se répète Audrey, rassemblant son courage en vue d'une confrontation. La rue est à tout le monde et elle n'est pas la seule curieuse présente sur les lieux.

Dan s'approche de sa portière, les traits déformés par la colère. Audrey baisse sa vitre à moitié.

— Qu'est-ce que tu fous là ? crache Dan, son visage cadavérique contrastant avec ses cheveux noirs.

Pendant une fraction de seconde, Audrey entrevoit la folie dans son regard et elle vacille. Il lui rappelle Fred, jeune. Puis l'illusion s'évanouit et la seule chose à laquelle elle pense, c'est qu'elle est peut-être en train de regarder un meurtrier dans les yeux.

Elle s'empresse de remonter la vitre. Dan fixe encore sa tante quelques instants, puis s'éloigne à grands pas – mais pas avant d'avoir asséné un coup de poing sur le capot, ce qui la fait sursauter.

À mesure que la journée avance, Dan n'a d'autre choix que d'assister à la méticuleuse fouille de son domicile par une armée de policiers. Il est à bout de nerfs, mais il s'évertue à ne pas le montrer. Les flics ont des tas de questions auxquelles il ne sait pas s'il a le droit de répondre. Son avocat est parti en lui intimant de se taire. Mais lorsqu'ils demandent ce qu'il portait le soir de Pâques, il se dit qu'il doit coopérer. Lisa et lui leur donnent son jean, sa chemise et son blazer, ainsi que le coupe-vent qu'il a enfilé avant de ressortir. Pour le slip et les chaussettes, il ne se souvient plus. Ils se ressemblent tous dans le tiroir. Qu'à cela ne tienne, les flics embarquent tout.

Dans le jardin, de la terre fraîchement retournée a été repérée. L'inspecteur Reyes est alerté et un attroupement se forme à l'arrière de la maison, une zone d'un mètre carré environ, sous des hortensias. Reyes interroge Dan du regard.

— J'ai enterré mon chien ici il y a quelques jours, dit celui-ci. Mort de vieillesse.

Sous le regard incrédule de Dan, les techniciens commencent à creuser. Lisa se tient à côté de lui, serrant sa main. Bientôt, un sac poubelle en plastique noir est exhumé, transporté hors du jardin avec précaution, puis ouvert. Ils y découvrent le cadavre en décomposition d'un chien. Rien d'autre.

— Satisfaits ? siffle Dan, dissimulant à peine sa fureur.

— Continuez à creuser, insiste Reyes.

L'inspecteur Reyes est bien obligé de l'admettre : il est déçu en découvrant l'intérieur de la voiture de Dan, qui n'a pas l'air d'avoir été nettoyée depuis plusieurs mois. Poussière sur le tableau de bord, emballages de nourriture jonchant le sol, poils de chien sur les sièges. Finalement, ce n'est peut-être pas Dan qui a commis les meurtres. Même s'il avait changé de vêtements et qu'il s'était effectivement débarbouillé, il aurait également récuré sa voiture. À moins qu'il n'ait pas pensé à le faire ?

Et pourtant, les heures passent et rien de compromettant ne remonte à la surface. La frustration de Reyes grandit. Ils ont récupéré les vêtements que Dan prétend avoir portés la nuit du meurtre – sa femme confirme, mais elle leur a déjà menti. Ils glissent le tout dans un sac pour le labo, bien qu'ils aient déjà été lavés et qu'ils aient l'air, à vue de nez, impeccables. Reyes ne fait confiance à aucun des deux. Si Dan est bel et bien coupable, ce qu'il portait ce soir-là se trouve au fond de l'Hudson ou dans une benne à ordures – et non sous la tombe du chien, ce dont Reyes s'est assuré.

Tous leurs appareils électroniques sont également mis sous scellés, malgré les protestations. Du luminol est appliqué dans la salle de bains, la buanderie et la cuisine afin de révéler une potentielle présence de sang : sans résultat.

La première découverte intéressante se fait dans le double garage, à l'intérieur d'un grand bac en plastique : un paquet entamé de masques N95, un paquet de combinaisons jetables blanches à capuche et un paquet de chaussons en papier. Sur les trois combinaisons initiales, il n'en reste qu'une.

Bien sûr ! pense Reyes. Si le meurtrier est assez malin pour avoir mis des gants, et des chaussettes au lieu de chaussures, il aurait tout à fait pu porter une combinaison de protection de ce genre, qui ressemble d'ailleurs beaucoup à celles utilisées par les collègues de la scientifique.

Cela expliquerait l'absence totale de preuves physiques sur la scène du crime, dans la voiture du suspect et à son domicile. Et cela prouverait la préméditation. Il lève les yeux et croise ceux de Barr.

— Par ici ! s'écrie-t-il à l'adresse du technicien le plus proche.

Puis il interpelle Dan, qui traîne devant l'entrée de son garage avec sa femme.

— C'est pour quoi faire ?

— Je les ai achetés lorsque j'ai isolé le grenier avec de la mousse, il y a deux ans, répond Dan en rougissant. C'est obligatoire. Le masque aussi. Les produits chimiques sont dangereux.

Un membre de l'équipe médico-légale photographie le paquet de combinaisons et le paquet de chaussons qui se trouve en dessous, puis les ramasse soigneusement. Reyes fixe Dan, lequel se dérobe à son regard.

Mais l'inspecteur sait que ça ne suffit pas ; ils ont besoin d'une preuve physique pour relier le tueur à la scène du crime. Le paquet entamé de combinaisons est une jolie trouvaille, mais il leur en faut plus. Ils doivent mettre la main sur les vêtements jetés, ou peut-être les combinaisons.

Or, jusqu'à présent, ils ont fait chou blanc.

32

La gorge nouée par l'anxiété, Irena pénètre dans le salon de Catherine, qui l'a convoquée chez elle. Tandis qu'elle salue tout le monde, elle essaie de décrypter l'ambiance. Catherine paraît tendue, tout comme Ted. Jenna observe sa famille d'un œil méfiant. Dan a l'air au bord de la crise de nerfs, et de la sueur perle à ses tempes. Lisa, quant à elle, semble avoir le cœur au bord des lèvres, son regard est tantôt fuyant tantôt à l'affût du moindre geste de son mari. Que leur est-il arrivé, à tous ? Qu'est-il arrivé à ces trois petits enfants qu'elle a vus grandir, qu'elle parvenait à réconcilier quand ils se chamaillaient, consoler quand ils pleurnichaient. Comme elle semble loin, l'époque où elle parvenait à apaiser tous leurs chagrins.

— Ils vont m'arrêter, lance Dan. Et ce n'est pas moi qui l'ai fait !

Il leur raconte tout : la perquisition, le cadavre du chien et, enfin, la découverte des combinaisons jetables dans son garage. Le silence s'abat alors sur le salon.

— Ils pensent que je portais une combinaison, et que c'est pour ça qu'ils n'ont rien trouvé. Je leur ai dit que je m'en suis servi pour pulvériser de la mousse dans le grenier, mais ils se sont déjà fait leur idée. Ils pensent que je suis coupable, alors que *je n'ai rien fait* !

Son cri est englouti par le silence général.

— Ce qu'ils pensent n'a pas d'importance, Dan, intervient enfin Catherine. Ils ont besoin de preuves, et ils n'en ont pas, visiblement. On s'en fiche, des combinaisons dans le garage. Tu peux l'expliquer.

— Mais ils savent que je suis sorti ce soir-là, lâche Dan nerveusement avec un regard en coin à sa femme. Lisa a essayé de me couvrir, mais ils ont des témoins qui m'ont vu sortir. J'ai juste fait un tour en voiture. Ça m'arrive tout le temps. Je ne suis pas allé là-bas pour les tuer !

Irena lutte pour contenir un haut-le-cœur.

— Ce n'est pas suffisant, dit Catherine au bout d'un moment. Ils savent que je suis sortie moi aussi cette nuit-là.

Surprise, Irena braque son regard sur l'aînée des Merton.

— Quoi ? dit Dan.

— Moi aussi je suis sortie, répète Catherine. Ils l'ont vu sur une image de vidéosurveillance. Le voisin d'en face a installé une caméra sous son porche.

— Tu as menti à la police ?

Dan n'en croit pas ses oreilles.

— Oui, je leur ai menti, tout comme vous, répond Catherine d'un ton sec.

— Pourquoi ?

Irena la voit hésiter et jeter un coup d'œil à son mari, puis à Jenna.

— Je suis allée chez maman et papa ce soir-là, avoue-t-elle après avoir dégluti. Vers 23 h 30. Ils étaient déjà morts.

306

De nouveau, un moment de silence absolu, simplement interrompu par le tic-tac de l'horloge.

— Tu les as trouvés et tu n'as rien dit ? s'exclame Irena, sidérée. Tu as préféré me laisser les découvrir deux jours plus tard ?

— Je suis désolée, Irena, gémit Catherine. J'ai menti parce que je ne voulais pas qu'ils me soupçonnent.

— Ils ne vont jamais te croire coupable, proteste Dan. Tu étais la préférée. Pourquoi tu les aurais tués ?

— Papa nous a annoncé qu'il voulait vendre la maison, intervient Jenna. Ça te dit quelque chose ?

— Et alors ? rétorque Dan. Ce n'est pas un mobile suffisant. Ils ne vont jamais te soupçonner, Catherine.

Il marque une pause, puis continue :

— Ce n'est pas ton genre. Mais pourquoi est-ce que tu n'as pas appelé les urgences ?

Irena l'a déjà deviné, mais Dan prend plus de temps : elle voit ses traits se décomposer à mesure qu'il réalise.

— Oh, je vois, dit-il lentement. Tu as cru que c'était moi.

Il dévisage sa sœur aînée avec effarement. Irena voit Lisa pâlir sous le choc et les visages de Catherine, Ted et Jenna afficher un air coupable. *Pauvre Dan*, pense-t-elle. Irena ferme les yeux un instant.

— Je ne savais pas quoi penser, s'empresse de réagir Catherine. Alors, je n'ai rien fait. J'étais dans un état second. J'ai fait comme si ça n'était pas arrivé.

— Foutaises ! aboie Dan. Tu as cru que c'était moi !

Il balaie la pièce d'un regard furieux.

— Vous pensez tous que c'est moi !

Personne ne dit mot, et Dan renchérit :

— Eh bien, je sais que je ne l'ai pas fait, moi, alors peut-être que c'est l'une de vous.

Irena se souvient que, enfants déjà, ils avaient l'habitude de se retourner les uns contre les autres. Les relations s'établissent dès le plus jeune âge et ne changent jamais vraiment, les dynamiques familiales se répétant à l'infini.

— Pourquoi est-ce qu'on devrait te croire, Catherine ? insiste Dan.

— Qu'est-ce que tu veux dire par là ? répond celle-ci.

— Peut-être qu'ils n'étaient pas morts quand tu es arrivée. Peut-être que c'est toi qui les as tués !

— C'est ridicule, fait Catherine, pleine de mépris. Tu viens de dire que je n'avais aucune raison de les tuer.

— Peut-être que j'avais tort, lance-t-il, glacial. Nous avions tous envie qu'ils meurent. Tout cet argent. Et tu voulais la maison. Peut-être que tu en as eu marre d'attendre l'héritage et que tu t'es dit que tu pourrais me faire porter le chapeau – sans compter que ça vous en laisserait plus pour vous. C'est ce qui s'est passé, Jenna ?

Catherine le considère avec des yeux ronds.

— C'est absurde, Dan, et tu le sais.

— Au contraire, proteste Jenna. Nous essayons de te protéger, Dan. Pas de te sacrifier.

— Me protéger ? s'exclame-t-il avec amertume. Quand est-ce que l'une d'entre vous m'a protégé, rien qu'une seule fois ? Personne n'est jamais intervenu.

Dan se tourne maintenant vers Irena, le visage bouleversé par l'émotion.

— Sauf toi, Irena. Toi, au moins, tu as essayé de me protéger, et je ne l'oublierai jamais. Mais tu n'aurais pas dû nettoyer ce couteau, ajoute-t-il amèrement.

Irena les regarde tous d'un air las, ces enfants turbulents qu'elle a élevés comme les siens.

— Nous n'essayons pas de te nuire, Dan, reprend Catherine. J'ai dit à la police que j'avais parlé à maman, puis que j'étais partie. Et nous payons les frais de ton avocat, je te rappelle.

— Et toi ? siffle Dan en se tournant vers Jenna.

— Quoi moi ? demande-t-elle, étonnée.

— Tu as tout autant à y gagner. Comment est-ce qu'on peut être sûrs que ce n'est pas toi qui les as tués ? Tu as toujours eu un tempérament violent.

— Jake était avec moi toute la nuit.

— Bien sûr qu'il l'était, s'esclaffe Dan, sarcastique. Il pourrait très bien mentir pour toi.

— Eh bien, ce n'est pas le cas.

— Très bien. Alors tu ne verras pas d'inconvénient à ce que je lui pose la question directement ?

— Ne fais pas le con.

Irena assiste, impuissante, à ce pugilat. Dan a l'air songeur.

— Vous saviez toutes les deux que je gardais ces combinaisons jetables dans mon garage. L'une ou l'autre aurait très facilement pu en prendre une.

Dans le silence pesant, on sonne à la porte. Tout le monde sursaute, même Irena.

Audrey a de sérieux doutes sur ce qu'elle s'apprête à faire. Mais une force indépendante de sa volonté l'a poussée jusque chez Catherine. Et quand elle a vu les voitures des autres, elle n'a pas pu résister. Elle a remonté l'allée et sonné. La voilà maintenant qui attend sur le perron, le souffle court. Au souvenir de la frousse

311

que lui a flanquée Dan un peu plus tôt dans la journée, elle hésite. Devrait-elle tourner les talons ? Elle n'a pas le temps de se décider car la porte s'ouvre.

— Qu'est-ce que tu veux, toi ? s'enquiert Catherine avec hostilité.

— Je peux entrer ?

Catherine semble soupeser la question, puis finit par reculer pour lui libérer l'accès.

Arrivée dans le salon, Audrey croise le regard de Dan et détourne immédiatement les yeux. L'atmosphère est électrique. Manifestement, elle est tombée en pleine dispute. Soudain, une pensée glaçante la traverse : *L'assassin se trouve dans cette pièce.*

— Je ne serai pas longue, dit-elle d'un ton brusque, pour masquer sa frayeur, sans même prendre la peine de s'asseoir. J'ai parlé à Walter hier. J'imagine que vous savez désormais que votre père n'a pas modifié son testament en ma faveur.

— Évidemment que non ! s'exclame Jenna.

— Il n'en a pas eu le temps, rétorque Audrey, courroucée. Il n'en a pas eu le temps, parce que l'un d'entre vous l'a assassiné avant !

Elle balaie les autres du regard, ne reçoit en retour que haine et méfiance.

— Votre père vous a-t-il dit qu'il allait faire changer son testament ? poursuit-elle avec une fureur à peine contenue. Ou peut-être que c'est votre mère qui a cafté ? Elle était au courant de ses projets, et ça ne lui plaisait pas. Alors, à qui a-t-elle parlé, hein ?

Elle lance alors, comme une menace :

— Je sais que c'est l'un d'entre vous ! Et je connais tous vos petits secrets. Il est peut-être temps que les gens découvrent le vrai visage de cette famille.

Puis elle fait volte-face et sort, à la fois ravie et terrifiée de son audace.

33

Dès le départ d'Audrey, Dan, talonné par sa femme, quitte la maison de sa sœur, claque bruyamment la portière de sa voiture et sort de l'allée en faisant crisser ses pneus.

— Ralentis, supplie Lisa.

Mais il a du mal à lever le pied de l'accélérateur, et ses mains restent agrippées au volant, jointures blanchies.

— Elles pensent que c'est moi ! rugit-il en négociant un virage sur les chapeaux de roues. Mes propres sœurs ! Et cette salope d'Audrey avec sa grande gueule.

Quand il pense à tout ce que sa tante sait de lui, à tout ce qu'elle pourrait balancer... Les mots de réconfort qu'il attendait de la part de Lisa ne viennent pas. Il jette un coup d'œil vers le siège passager : le visage dépourvu d'expression, son épouse se tient raide, une main contre le tableau de bord pour parer les chocs tandis que Dan roule à tombeau ouvert.

Dan lui parle, mais Lisa ne l'écoute pas. Elle essaie encore de digérer ce qui vient de se passer. Catherine et Jenna pensent que Dan a assassiné leurs parents. Ça, c'est clair. La question reste de savoir ce qu'elle pense, elle.

Elle commence à avoir des doutes.

Au début, elle ne croyait pas que Dan ait été impliqué de quelque manière dans ce drame. Ses vêtements propres le prouvaient bien. C'est pour cette raison qu'elle n'a pas hésité à mentir à la police. Et puis, quand les inspecteurs sont tombés sur les combinaisons jetables dans le garage, elle est restée là sans bouger, en proie à une confusion extrême. Si Dan avait porté la combinaison et les chaussons, il n'aurait pas été couvert de sang. Il aurait pu rentrer à la maison avec des vêtements tout à fait propres.

Et Catherine – comment a-t-elle pu trouver les corps de ses parents et ne rien dire ?

Ça ne lui ressemble pas du tout…

Elle n'aurait sûrement jamais fait une chose pareille si elle n'avait pas cru devoir protéger son frère et lui laisser le temps de se débarrasser des preuves. Voilà le vrai problème : Lisa croit plus volontiers sa belle-sœur que son mari. Son sang se glace. Dan est parti longtemps, cette nuit-là. Bien qu'il ne le voie pas de cet œil, elle est convaincue que ses sœurs cherchent réellement à le protéger. Mais au fond… Si elles peuvent vivre avec ça, peut-être en est-elle capable elle aussi. Dan est sur le point d'hériter d'une fortune. Sauf s'il est condamné.

Ses pensées se bousculent dans sa tête.

La différence entre elle et ses belles-sœurs, c'est que ces dernières n'ont pas à vivre avec Dan au quotidien.

Et Audrey… pourquoi ont-ils tous si peur d'elle ?

Ted regarde Dan et Lisa s'éloigner, referme la porte d'entrée et retourne à pas lents vers le salon. Puis il se laisse lourdement tomber à côté de sa femme dans le canapé.

Il est rincé. N'a jamais autant remercié le ciel d'être fils unique. Comparé à sa femme, il a vécu une enfance digne d'un conte de fées.

— Je vais y aller, fait Jenna en se levant. Prévenez-moi dès qu'il y aura du nouveau.

— Moi aussi, dit Irena.

Ted avait presque oublié qu'elle était là, assise dans un coin, et il est prêt à parier que sa femme et sa belle-sœur aussi. *Ce ne doit pas être facile pour elle*, songe-t-il tandis que Catherine raccompagne les deux femmes à la porte. Il ferme les yeux.

Bientôt, il entend sa femme revenir à ses côtés, la sent s'asseoir sur le canapé tandis qu'il continue à retourner dans sa tête les propos de Dan. Il a parlé sous le coup de la colère, bien sûr. Catherine et Jenna essaient simplement de l'aider. En ce qui le concerne, il a décidé de ne pas s'en mêler ; les dés sont jetés, de toute façon. Il n'empêche, les allégations de Dan le tracassent. Accuser Catherine, accuser Jenna. La vérité, c'est que Catherine était là-bas, cette nuit-là. Et Ted n'arrive toujours pas à encaisser sa comédie, la façon dont elle est rentrée se coucher sans rien dire. Il n'est plus sûr de la connaître vraiment.

— Pourquoi ton frère a dit ça, à propos des combinaisons jetables ? demande-t-il en ouvrant les yeux et en tournant la tête vers sa femme.

— Dit quoi ?

— Que tu savais où elles étaient. Comment tu aurais pu le savoir ?

Elle secoue négligemment la tête.

— Jenna et moi étions allées déjeuner chez lui un jour où il faisait des travaux au grenier, c'est tout. On s'était moquées de sa dégaine, dans cette combinaison. Je crois que tu étais au golf, ce jour-là.

Ted détourne les yeux.

— Et Audrey ? De quoi est-ce qu'elle parlait ?

— Ignore-la, soupire Catherine. Elle est juste verte de ne pas avoir touché son pactole. Mais elle est inoffensive.

Ted est pourtant certain de déceler une note d'inquiétude dans la voix de sa femme. Et il s'inquiète, lui aussi.

Jenna aussi pense à sa tante Audrey tandis qu'elle roule vers chez elle, s'éloignant de la coquette banlieue de sa sœur pour emprunter les routes de campagne. Comme elle la hait ! Et cela semble réciproque. Elle a toujours senti qu'Audrey l'aimait le moins parmi les enfants de son frère, sans trop savoir pourquoi. Jenna n'a rien fait de particulier pour le mériter. Cela dit, Audrey a l'air de vouloir s'en prendre à eux trois : c'est toute la fratrie qu'elle a menacée, cette vieille bique. Elle n'aurait jamais osé le faire du vivant de leur père, mais le coup de l'héritage lui a décloué le bec et elle les tient pour responsables de son infortune.

Ce qui est embêtant, c'est qu'elle connaît leurs secrets de famille, en tout cas la plupart. Elle sait des choses. Des choses qui pourraient influer sur l'opinion de la police et des médias. Par exemple, les accès de violence de Jenna lorsqu'elle était enfant.

Un jour que Dan la taquinait – elle avait 6 ans, à l'époque –, Jenna l'avait poussé du haut d'un toboggan. Son frère était tombé en arrière en criant et avait atterri sur le sol dur. Cela aurait pu être bien pire – il ne s'était cassé que le bras, pas le cou. Témoin de la scène, Catherine était allée tout rapporter à leurs parents.

« Quel genre d'enfant en pousse un autre du haut d'un toboggan ? » s'était écriée Audrey, surjouant l'horreur. Malheureusement, elle se trouvait à la maison ce jour-là. Puis elle était restée avec leur père pendant que leur mère emmenait Dan à l'hôpital. Jenna avait joué avec ses Barbie sous la table, ne perdant pas une miette de la discussion des grands.

« Vous feriez mieux de contrôler votre colère, jeune fille », lui avait lancé Audrey en partant.

Depuis, Jenna la déteste.

Par la suite, au cours d'une dispute entre Catherine et elle, Jenna avait pris une batte en plastique pour frapper sa sœur, et celle-ci était tombée et s'était cogné la tête contre le trottoir. Catherine avait dû être transportée d'urgence à l'hôpital : elle avait une commotion cérébrale. Audrey l'avait également su, parce que leur père racontait tout à sa sœur concernant ses enfants, le meilleur comme le pire – contrairement au reste du monde à qui les parents avaient répété que Catherine était simplement tombée en jouant.

Jenna se souvient encore de sa punition.

Il est 23 heures et Audrey regarde le journal en pyjama, en sirotant une tisane à la camomille. Toujours rien de neuf dans l'affaire Merton. Son cœur se serre une fois de plus en pensant à l'héritage perdu et à tout ce qu'elle s'était imaginé : une belle demeure à Brecken Hill, une nouvelle garde-robe, des voyages en Europe et aux Bahamas. Une brève séquence montre les perquisitions chez son neveu, mais impossible de savoir si la police a dégoté quelque chose. Elle repense au coup de poing de Dan sur le capot de sa voiture, à toute la rage qu'il contenait. Où a-t-elle puisé le courage, ensuite, de débarquer chez Catherine et de leur faire cette scène ?

Elle décide de rendre visite aux inspecteurs dès le lendemain matin.

34

Le soleil vient de se lever et Reyes et Barr sont déjà à pied d'œuvre, passant en revue tous les éléments de l'enquête. La scène de crime n'a rien donné ou presque. Reyes commence à se dire qu'ils ont affaire à un criminel suffisamment intelligent pour planifier un double meurtre et espérer s'en tirer. Sauf que l'inspecteur a bien l'intention de le coincer.

Ils savent qu'un autre véhicule circulait peut-être dans les parages cette nuit-là – celui que la voisine, Mme Sachs, prétend avoir vu. Une camionnette qui n'aurait pas pu être confondue avec les voitures de Catherine, Dan ou Jenna. Ni avec celle d'Irena. Le conducteur, quel qu'il soit, a peut-être vu quelque chose. Ou bien est-ce lui qui a tué les Merton ? Mais l'instinct de Reyes lui souffle le contraire. À moins qu'un – ou plusieurs – des Merton n'ait engagé quelqu'un pour tuer leurs parents… Le conducteur de la camionnette ? Quoi qu'il en soit, les bulletins en interne, la description dans les médias, les demandes de renseignements auprès des enseignes spécialisées dans ce genre de peinture, rien de tout cela n'a donné quoi que ce soit.

La sergente préposée à l'accueil vient interrompre leurs élucubrations en frappant à la porte.

— Monsieur.

— Qu'y a-t-il ?

— Une personne demande à vous voir au sujet de l'affaire Merton. Une certaine Audrey Stancik.

Reyes échange un coup d'œil avec Barr. La sœur de Fred Merton. À point nommé. Ils n'ont pas encore eu l'occasion de lui parler, mais elle figure sur leur liste.

— Voyons ce qu'elle a à nous dire, lance Reyes en se levant.

Une femme rondelette aux cheveux blonds mi-longs est assise dans la salle d'attente, la mise soignée, en tailleur-pantalon beige, chemisier à motifs colorés, petits talons et rouge à lèvres corail. Reyes lui donne la soixantaine. Fred, se souvient-il, en avait 62.

La sœur de la victime est conduite dans une salle d'interrogatoire. Barr lui propose un café, qu'elle accepte volontiers.

— Avec du lait et deux sucres, précise-t-elle.

— Alors, qu'est-ce qui vous amène ici ? demande enfin Reyes.

— Je sais que vous avez interrogé tous les membres de la famille, commence-t-elle avant de tremper les lèvres dans son gobelet.

Au moment où Reyes se demande s'il ne s'agirait pas d'une simple fouineuse craignant d'être tenue à l'écart, Audrey prononce une phrase qui lui fait tendre l'oreille.

— Je sais beaucoup de choses sur cette famille. Et contrairement aux autres, je suis prête à parler.

Ce vendredi matin, Jenna a pris le train pour New York et s'est rendue au Rocket Fuel, un bar prisé des artistes, avec ses boissons bon marché, ses tables de récup, ses chaises dépareillées et son café corsé. Elle a rendez-vous avec Jake et est arrivée la première. Tandis qu'elle le guette à travers la vitrine, elle se demande si elle n'a pas fait une erreur. Après tout, elle le connaît à peine. Puis elle le voit pousser la porte, grand et mince, et elle se souvient aussitôt de ce qui l'a attirée chez lui. Elle avait presque oublié combien ce type lui plaît. Il s'approche. Elle sourit, se lève et l'embrasse langoureusement sous le regard pétillant des autres clients.

— Tu m'as manqué, fait Jake de sa voix grave et sexy.

— Tu m'as manqué aussi, répond-elle en se rendant compte que c'est vrai.

Dieu ce qu'elle aime son odeur de peinture et de térébenthine mêlée à celle de sa transpiration !

Il va commander son café et retourne s'asseoir face à elle autour de la petite table branlante.

— C'est si bon de te voir, dit-il en caressant ses cheveux. Comment tu vas ? Tu tiens le coup ?

— Je crois, fait-elle en hochant la tête. Mais, Jake…, poursuit-elle en le regardant droit dans les yeux et en baissant la voix. Catherine et moi, on pense que c'est peut-être Dan qui les a tués.

Jake la considère d'un air grave. Il n'a pas l'air surpris le moins du monde. Jenna est soudain frappée par cette évidence : aux yeux de tous, Dan est le coupable idéal.

— La police croit que c'est lui, en tout cas, chuchote-t-elle en se rapprochant. Il leur a dit qu'il était resté chez lui toute la nuit, et Lisa l'a couvert, sauf que les flics ont des témoins et savent qu'il s'est absenté plusieurs heures.

Elle laisse passer un temps, puis ajoute :

— Il a un avocat maintenant.

— Ils vont l'arrêter ?

— Je ne sais pas. J'espère que non. Catherine dit qu'ils n'ont pas de preuves. Ils n'ont rien trouvé chez lui.

Elle marque une pause.

— Sauf...

— Sauf quoi ? demande Jake.

Elle lui parle alors des combinaisons jetables en le faisant jurer de garder le secret.

— Je l'ai entendu demander de l'argent à ton père cette nuit-là, glisse Jake, mal à l'aise. Et ton père lui a dit non. Mais je n'ai rien dit aux flics.

Jenna regarde la table éraflée devant elle.

— Je ne sais pas quoi faire.

— Il n'y a rien à faire, assure Jake. Reste en dehors de ça. Advienne que pourra. Et je suis là pour toi, offre-t-il en lui attrapant la main. Tu le sais, pas vrai ?

Elle se penche et l'embrasse doucement sur la bouche, pleine de gratitude.

— Tu veux que je vienne demain ? s'enquiert Jake après leur baiser. À l'enterrement ?

— Si ça ne te dérange pas. Ça va être l'enfer, fait-elle avec une moue. La police sera sur place, ils surveilleront tout.

Si Dan cherche à parler à Jake pendant les funérailles, songe-t-elle, elle sera là, juste à côté de lui, pour s'interposer au besoin.

— Peut-être qu'on devrait aller chez toi et réfléchir à ce que tu vas porter demain, dit-elle une fois leurs cafés finis.

— C'est juste une excuse pour se retrouver au lit, pas vrai ?

Elle sourit.

35

— Je suis tout ouïe, fait Reyes.

— Cette famille avait des problèmes, commence Audrey. Sheila n'était pas la personne qu'il fallait à mon frère, elle était faible et frivole. Fred détestait la faiblesse, voyez-vous. Cela le mettait en colère.

— Alors pourquoi avoir épousé une telle femme ? intervient Barr.

— Je ne sais pas, admet-elle. Peut-être que c'était plus facile pour lui que d'épouser une femme forte.

Elle soupire, marque une pause.

— Sheila… Sheila était une femme qui se regardait le nombril, et qui ne s'intéressait pas beaucoup à ses enfants. Cette famille était vraiment dysfonctionnelle. Ils ne vous le diront pas, mais faites-moi confiance. Ils ont toujours voulu que les gens croient à leur vitrine parfaite. La vérité, c'est que les enfants détestaient Fred.

— Pourquoi ? demande Reyes.

— Parce qu'il était horrible avec eux. Fred pouvait être cruel, surtout avec Dan.

Elle s'interrompt pour une nouvelle gorgée de café.

— Fred avait de l'argent à ne plus savoir qu'en faire, et il ne lésinait pas sur le confort de sa progéniture, surtout pendant leurs jeunes années. Ces gosses ont grandi dans la soie. Et puis, petit à petit, Fred s'est mis à leur enlever des choses. Ses enfants l'avaient déçu, alors qu'il avait placé tellement d'espoirs en eux… Dan le décevait tout particulièrement. Les deux filles ont plus de ressources, si vous voulez mon avis. Quoi qu'il en soit, Fred était un brillant homme d'affaires, et Dan n'avait tout simplement pas son talent. Dan voulait plaire à son père, mais ça ne suffisait jamais. Et Fred le rabaissait à tout bout de champ, sapant méthodiquement sa confiance en lui. On aurait dit qu'il avait décrété que son fils ne serait jamais à la hauteur et qu'il ne pouvait s'empêcher de déverser sur lui sa colère et son insatisfaction. Il a quand même vendu la société pour empêcher Dan de l'avoir. Je suis sûre que c'était une décision commercialement justifiée, mais je sais aussi qu'il l'a fait guidé par la malveillance. Il voulait faire du mal à Dan, parce que ce dernier l'avait déçu.

Elle s'arrête et prend une grande inspiration.

— C'était le genre de mesquineries dont il était capable.

— Vous pensez donc que c'est Dan qui les a tués ? demande Reyes.

— Je ne sais pas, répond-elle. Mais ce que je sais, c'est que c'est l'un d'entre eux.

— Comment pouvez-vous en être si sûre ?

— Fred était mourant. Il avait un cancer du pancréas et il savait qu'il ne lui restait plus beaucoup de temps. Il a refusé tout traitement, à l'exception des antidouleurs. Quoi qu'il en soit, il pensait qu'il avait été trop généreux avec ses enfants et que c'était ça qui les avait conduits à leur perte.

Vient alors la question de la modification du testament, qu'elle raconte aux inspecteurs par le menu. Selon elle, au moins un des trois enfants était au courant. Fred leur en avait parlé, ou Sheila avait vendu la mèche, et ils en avaient payé le prix.

De quoi rayer Audrey Stancik de la liste des suspects, se dit Reyes. Elle n'avait aucun intérêt à les tuer puisqu'elle allait de toute façon bientôt toucher son butin.

Mais elle a encore d'autres informations à lui livrer.

— Si vous voulez mon avis, l'un d'entre eux est un psychopathe et n'a eu aucun scrupule à assassiner ses parents de sang-froid. Il ne manque plus qu'à trouver lequel.

Elle semble sur le point de se lever, puis elle se ravise et reprend :

— Laissez-moi vous dire deux trois petites choses sur ces enfants.

L'heure du déjeuner approche quand Lisa s'éclipse de la maison en prétextant quelques courses. Elle a une autre destination en tête.

Dan ne décolère pas. Il se sent trahi par ses sœurs, trahi par le simple fait qu'elles l'aient cru capable du pire. À vrai dire, elle non plus n'a pas apprécié, mais elle comprend aussi, en partie du moins, que Catherine et Jenna aient voulu le protéger.

— Tu ne les connais pas aussi bien que moi, a cinglé Dan quand elle a essayé de prendre leur défense, mettant fin à la discussion.

S'il y a cependant une chose dont Lisa est sûre, c'est qu'il ne faut pas laisser ce conflit transparaître à l'enterrement, ni la distance qui s'est creusée entre ses sœurs et lui. La famille doit à tout prix afficher un front uni. Lisa doit œuvrer en ce sens auprès de son mari, mais la tâche ne s'annonce pas facile. D'autant qu'elle-même ne sait plus vraiment quoi penser. Elle a besoin de soutien. De réconfort. En réalité, elle n'a jamais eu aussi peur de sa vie.

Dans ce genre de situations, elle sait où aller. Catherine est devenue l'une de ses plus proches confidentes depuis son mariage. Lisa lui en a plus dit sur leur situation financière que Dan l'aurait accepté.

Elle s'engage dans l'allée, remarque les rideaux tirés aux fenêtres du salon. Dire que cela fait cinq jours seulement que Sheila et Fred ont été tués… On dirait une éternité tant son univers a été bouleversé.

Catherine la fait entrer. Dès que la porte est refermée, Lisa éclate en sanglots dans les bras de sa belle-sœur. Puis les deux femmes vont s'installer dans le salon.

— Excuse-moi, bafouille Lisa en séchant ses larmes, au moment où Ted tente une incursion avant de battre en retraite vers l'étage. Je ne gère pas très bien la situation.

— Tu la gères parfaitement, étant donné les circonstances, la rassure Catherine.

Lisa regarde son interlocutrice, remarque son visage tendu, son corps éprouvé. Puis, prenant son courage à deux mains, elle pose la question pour laquelle elle a traversé la ville :

— Toi qui le connais mieux que moi, tu penses vraiment que Dan aurait pu faire ça ?

Catherine détourne les yeux un instant, puis ramène vers Lisa un regard empreint de lassitude.

— Je ne sais pas quoi penser.

— Depuis qu'ils ont trouvé ces foutues combinaisons jetables, admet Lisa dans un murmure, moi non plus.

Après sa visite à la police, Audrey file directement chez Ellen. Elle a besoin de parler à quelqu'un.

— Audrey, lance Ellen en ouvrant la porte après avoir repéré sa voiture par la fenêtre. Tu veux un café ?

— Avec plaisir, répond Audrey en la suivant dans la cuisine.

— Quelles sont les nouvelles ? demande Ellen en remplissant la cafetière.

Audrey pose son derrière rebondi sur une chaise en réfléchissant à ce qu'elle peut dire à Ellen et ce qu'elle ferait mieux de garder pour elle.

— Je reviens du commissariat, avoue-t-elle.

— Pourquoi ? fait Ellen en se retournant brusquement. Que s'est-il passé ?

— Je leur ai dit la vérité.

— Quelle vérité ? demande Ellen, oubliant aussitôt le café.

— Je leur ai dit que je pensais que c'était l'un des enfants, dit Audrey d'une petite voix. Que Fred ou Sheila leur avait probablement parlé du testament.

— Oh, Audrey. Tu es sûre que c'était une bonne idée ?

— Je ne sais pas. Peut-être pas.

— Es-tu absolument certaine que Fred allait changer son testament ?

— Oui, dit Audrey, d'un ton ferme cette fois.

Elle voit bien que son amie ne la croit pas entièrement. Mais qu'est-ce qu'elle peut bien en savoir, bon sang !

— Je suis formelle. Il me l'a promis. Il voulait punir ses enfants. Et je crois qu'il me récompensait pour mon silence pendant toutes ces années.

— Silence à propos de quoi ? avance Ellen, curieuse.

— Rien que tu aies besoin de savoir, s'empresse de répondre Audrey.

Sa journée de travail achevée, Rose se jette sur son lit toute habillée, trop épuisée pour envisager de se préparer quoi que ce soit à manger. Les yeux fermés, elle rumine la situation, ses pensées revenant sans cesse s'amarrer au même port.

Sa nervosité prend le dessus. Elle regrette ses actes, à présent. C'était une erreur. Pourquoi ? Pourquoi a-t-elle fait ça ? Mais au fond, elle connaît très bien la réponse. Parce qu'elle est cupide, impatiente, et qu'elle a voulu prendre un raccourci. Il n'empêche, si elle pouvait revenir en arrière et tout défaire, elle le ferait.

Au bout d'un moment, elle se lève pour aller fouiller dans son placard. Elle doit trouver quelque chose à porter pour l'enterrement du lendemain. Elle décide que son tailleur noir fera l'affaire.

36

Le soleil brille, le fond de l'air est doux. *La journée idéale pour un enterrement*, pense Reyes en resserrant sa cravate. Il y assistera avec Barr, ainsi qu'une poignée de policiers en civil, mêlés à la foule, gardant un œil sur les proches.

Sur tout le monde, à vrai dire.

Et maintenant, direction St Brigid, au cœur de Brecken Hill, le pré carré des nantis. L'édifice est spectaculaire, mais Reyes, pour sa part, n'y est jamais entré. Il se gare sur le parking et s'achemine lentement vers l'église, prenant le temps de regarder autour de lui. Il n'est pas le seul à être en avance : un flot continu de personnes arrivent à bord de leurs voitures de luxe.

Reyes reste sur le parvis pour les observer une par une : ces petits groupes de femmes mûres en robes et voilettes de couleur sombre, ces hommes en costumes italiens qui devisent à voix basse avant d'aller se recueillir à l'intérieur. À la demande de la famille, les corps n'ont pas été exposés au funérarium. Seules sont prévues la messe et une mise en terre en petit comité. Sans parler de la réunion au club de golf plus tard dans la journée. C'est la première fois que Reyes assiste à des obsèques sans exposition du corps ni veillée funèbre.

Il aperçoit Barr au loin, mais elle est si différente dans sa robe noire et ses chaussures à talons qu'il a failli ne pas la reconnaître.

L'enterrement est prévu à 14 heures. Aucun membre de la famille n'est encore là.

C'est alors que Reyes remarque Audrey Stancik, accompagnée d'une femme dans la trentaine. Vu la ressemblance, elles doivent être mère et fille. La nièce de Fred le détestait-elle aussi ?

Elle n'a pas l'air particulièrement heureuse, en tout cas, mais Reyes parierait que ce n'est pas la mort de son oncle et de sa tante qui la chagrine. D'après ce qu'il a compris, ils avaient peu de contacts.

Enfin, deux limousines noires se garent devant l'église, libérant les plus proches membres de la famille. Catherine, Ted et Irena descendent de la première, Dan, Lisa, Jenna et Jake Brenner, de la seconde. Pâle et nerveux au bras de sa femme à la démarche raide, Dan tire constamment sur son col. Très élégante dans sa robe noire taillée sur mesure, Catherine affiche, elle, une allure impériale, calme et sereine. À la différence de son frère et de sa belle-sœur, elle se montre à la hauteur de la situation, épaulée de Ted, qui se tient fermement campé à ses côtés. Quant à Jenna, exception faite de sa chevelure violette, elle semble s'être assagie pour l'occasion, se limitant à une simple jupe noire et à un chemisier discret.

La famille s'avance vers l'église, les yeux baissés, sans s'arrêter pour saluer qui que ce soit. Le prêtre les accueille en haut des marches et les escorte à l'intérieur. Lentement, le reste de l'assistance entre à son tour.

— Dis donc, tu es en beauté, glisse Reyes à Barr, qui vient de le rejoindre près des marches.

— Merci, répond cette dernière.

— Tu prends le côté gauche, je prends le côté droit.

Tandis que sa coéquipière s'éloigne, Reyes veille à établir un contact visuel avec chacun des agents en civil qui se dispersent à l'intérieur. Il ne s'attend à rien de particulier, mais il est toujours bon de pouvoir compter sur des paires d'yeux supplémentaires. Un autre agent est posté sur le parking et encore un autre sur le trottoir. Ces deux-là ont pour mission de rechercher une camionnette de couleur foncée avec des flammes peintes sur les côtés. S'ils repèrent quoi que ce soit, ils le préviendront. Mais il doute que la camionnette réapparaisse ; le conducteur est sûrement au courant qu'il est recherché.

Alors que des notes d'orgue emplissent l'église, Reyes va s'asseoir à l'avant de la nef, près de l'allée extérieure. À vue de nez, il estime à 300 le nombre de personnes assistant à la cérémonie. Combien d'entre elles connaissaient vraiment les Merton et combien sont ici simplement parce qu'ils ont été assassinés ?

Deux cercueils d'acajou étincelant ont été installés devant l'autel, cernés d'abondants arrangements de roses et de lis dont le parfum capiteux parvient jusqu'aux narines de Reyes et lui rappelle d'autres funérailles auxquelles il a pu assister. Mais cette fois, il ne se sent pas concerné, cette fois il est là pour le boulot, se dit-il en gardant à l'œil la famille assise au premier rang.

Alors que le service funèbre touche à sa fin, Catherine se rend compte que tout son corps s'est crispé. Elle se force à se détendre. D'autant qu'il y a de quoi se réjouir : la foule est nombreuse, Jenna a bien choisi les fleurs, qui sont magnifiques, et les cercueils qu'ils ont sélectionnés sont tout simplement parfaits. Jusquelà, la messe s'est déroulée sans une seule fausse note et tout le monde a bien fait son boulot – ce qui n'était pas gagné, vu l'ampleur de la tâche : organiser des funérailles de haut vol dans des circonstances aussi exceptionnelles. Maintenant, tout ce qu'il leur reste à faire, c'est survivre à la fin de la cérémonie et à la réception. D'ici ce soir, cette journée sera derrière eux et Catherine pourra enfin s'effondrer.

La matinée avait mal commencé, mais Lisa a réussi un exploit : convaincre Dan de leur adresser de nouveau la parole, à Jenna et elle, au motif qu'ils devaient sauver les apparences et avoir l'air le plus unis possible. Heureusement, car Catherine a repéré les deux inspecteurs dans la foule ; ils sont quelque part derrière elle, elle sent presque leurs regards sur sa nuque alors qu'elle se tient assise au premier rang à côté de Ted, Jenna et Jake. Elle ne s'attendait pas à ce que ce dernier possède un costume décent. Allez savoir, il l'a peut-être loué. Après lui se trouvent Dan, Lisa et Irena. Audrey et sa fille – qui a pris l'avion pour assister à l'enterrement – sont assises au bout du banc, et cela la contrarie. Elle se demande si sa tante a parlé à la police.

Mais il faut se concentrer sur le positif. Catherine a lu un très beau texte, il y a eu beaucoup de chants, notamment un magnifique « Ave Maria ». L'office est presque terminé quand elle perçoit un mouvement à sa droite. *Non, j'y crois pas.* Dan s'est levé alors que le prêtre est encore en train de parler. Consternée elle aussi, Lisa le tire par le bras, semble le supplier en chuchotant de se rasseoir. Dan est écarlate : il a cet air d'enfant têtu qu'elle lui connaît si bien. Sans doute en a-t-il assez de toute cette hypocrisie et veut-il s'en aller.

Mais, après avoir enjambé maladroitement les genoux de son épouse, d'Irena, d'Audrey et de sa fille et atteint l'extrémité du banc, il se tourne vers l'autel et Catherine réalise avec horreur qu'il va prendre la parole.

Elle croise les yeux de Lisa et y lit la même panique. Silencieusement, sa belle-sœur l'implore de faire quelque chose, d'empêcher une catastrophe. Mais que peut-elle faire ? Devrait-elle essayer de l'arrêter ? Indécise et sonnée, Catherine voit son frère s'approcher du lutrin. Elle croit entendre le bruissement qui s'élève dans l'assistance, que ce coup de théâtre a soudain réveillée alors que tout le monde somnolait encore quelques secondes auparavant.

Elle sent la main de Ted se poser sur la sienne, cherchant à la rassurer. Catherine déglutit et ravale la tentation de s'interposer. Peut-être que ça va bien se passer. C'est alors que le prêtre, qui en a terminé, cède sa place à son petit frère.

— Je n'avais pas l'intention de prendre la parole à l'enterrement de papa et maman, commence-t-il, plus rouge que jamais, sans cesser de tirer sur son col. Je ne suis pas un grand orateur. C'est très difficile pour moi.

Il marque une pause et regarde la foule, sur le point, semble-t-il, de se dégonfler.

Catherine prie pour que ce soit le cas, pour qu'il abrège la chose et déclame un inoffensif « Merci d'être venus » avant de retourner à sa place. Sauf que c'est tout le contraire qui se produit.

— Je n'avais pas l'intention de parler parce que, comme beaucoup d'entre vous

le savent, mon père et moi ne nous enten-
dions pas, poursuit-il d'un ton solennel.
Mais il y a des choses que j'ai envie de
partager.

37

Catherine écoute, tendue à l'extrême. La voix de Dan tremble de nervosité, mais il paraît déterminé à aller jusqu'au bout.

— Beaucoup d'entre vous se rappellent mon père comme un homme bon, respectable. C'était un homme d'affaires avisé, et il était très fier de sa réussite.

Il balaie la foule du regard, évitant soigneusement le premier rang.

— Mais il était différent à la maison. Mes sœurs et moi connaissions une autre facette du personnage. Celle d'un homme difficile, très difficile à vivre. Exigeant et impossible à satisfaire.

Il marque une pause. Catherine entend les gens remuer sur leurs sièges, mal à l'aise, mais elle reste comme paralysée, fixant son petit frère, effrayée par ce qui va suivre.

— J'ai été victime de harcèlement, non pas à l'école, mais à la maison. Mon père était cruel et vindicatif. Il était particulièrement dur avec moi, car j'étais son seul fils et sans doute celui qui le décevait le plus. En fait, j'étais la plus grande déception de sa vie, il me le disait souvent.

Il s'arrête de nouveau, comme pour chercher à maîtriser son émotion.

— On nous a appris à ne pas parler de ces choses-là.

Puis le ton semble changer, les mots sortir tout seuls de sa bouche.

— Il était pervers. Je le comprends, maintenant. Quand j'étais enfant, je pensais que je le méritais, mais je sais maintenant que personne ne mérite d'être traité de la sorte. Il a dû souffrir, à la fin. C'était une horrible façon de mourir. Vous allez probablement entendre des choses sur mon compte, mais je veux que vous sachiez tous et toutes que je suis innocent. Malgré le traitement inhumain qu'il m'a infligé, je ne l'ai pas tué. Et je n'aurais jamais tué ma mère. J'espère qu'elle n'a pas trop souffert. J'espère qu'elle est morte rapidement.

Catherine est horrifiée par ses divagations. Dan est passé de la rougeur à la pâleur et elle voit qu'il perd pied. Il s'accroche au pupitre comme s'il risquait de tomber, dégouline de sueur. Il faut qu'elle y mette un terme. Elle se lève d'un bond et remonte l'allée centrale. Dan a cessé de parler et la regarde approcher avec méfiance, tandis qu'un silence abasourdi tombe sur l'assemblée. Quand elle essaie de lui prendre gentiment le bras, Dan la repousse puis cède soudain, comme s'il avait oublié tout ce qu'il voulait dire, et la suit docilement jusqu'à leurs places. Tous les membres de la famille se décalent pour les laisser s'asseoir côte à côte au bout du banc. Les chuchotements ont repris, de plus en plus fort, assourdissants aux oreilles de Catherine. Les gens vont en parler, ça va faire la une des journaux. Elle est furieuse contre Dan, toutefois elle s'efforce de ne pas le montrer. Catherine cherche à croiser le regard de Lisa, mais cette dernière a les yeux rivés au sol.

On peut dire que Reyes en a eu pour son argent ! L'inspecteur réfléchit à la scène à laquelle il vient d'assister. Et si Dan Merton n'était qu'un jeune homme fragile et dérangé ? Il se retourne pour intercepter le regard de Barr. Elle hausse les sourcils, dubitative. Puis le service s'achève. En se relevant, Reyes vérifie son téléphone. Toujours rien. Pas de nouvelles de la camionnette, donc.

En quittant son siège, Rose Cutter a la tentation de s'enfuir discrètement sans faire la queue pour présenter ses condoléances à la famille. Elle sait, pourtant, que Catherine s'attend à la voir. Mais il y a tant de monde, cela va prendre du temps. Et elle n'a pas envie de parler aux proches. Elle a juste envie de s'enfuir. Ni une ni deux, elle se faufile hors de l'église.

Non loin de l'entrée, Irena rôde, gardant un œil sur les enfants pendant qu'ils reçoivent les condoléances des uns et des autres.

Le discours de Dan l'a remuée, ce pauvre Dan qui fait à présent face à ses obligations mondaines, coincé entre ses deux sœurs qui lui ont ordonné de se limiter à « merci d'être venu ». Tout le monde est si inquiet du regard des gens, du regard de la police. Irena a hâte que cette épreuve s'achève enfin. L'enterrement, la réception, l'enquête. Tout cela est épuisant. Elle dort mal. Elle a constamment le vertige, comme si elle se tenait au bord d'un précipice.

C'est alors qu'elle voit Dan se pencher vers Jake.

— Jenna dit que tu étais avec elle pendant la nuit où les parents ont été tués. C'est vrai ?

Il n'a pas baissé la voix, aussi Irena n'a-t-elle eu aucun mal à l'entendre, ainsi que toutes les personnes à la ronde.

L'air embarrassé, Jake marmonne quelque chose d'inaudible.

Dan lui adresse un sourire amer.

— Mais bien sûr. Comme si tu ne mentais pas pour elle.

À cet instant, Irena s'aperçoit avec effroi que l'inspecteur Reyes se tient près d'elle et qu'il les observe. Un désastre est en train de se produire sous ses yeux et elle ne peut rien faire pour l'empêcher.

Jenna se tourne vers son frère et lui siffle un ordre. Se taire, sans doute.

— Pourquoi ? s'écrie Dan. Qu'est-ce que tu as déjà fait pour moi ?

Irena retient son souffle, excédée par la présence du détective. Lisa semble insister auprès de Dan pour partir, lui parlant doucement à l'oreille, tirant sur sa manche.

Mais Dan aperçoit le policier.

— Inspecteur ! s'exclame-t-il en faisant un geste de la main. Il y a quelque chose que vous devriez savoir.

Irena constate que tous les membres de la famille, à l'exception de Dan, se sont raidis à la vue du détective. Les personnes qui attendaient leur tour pour les condoléances s'écartent, gênées.

— Nous pourrions peut-être sortir, suggère Reyes à voix basse, après avoir franchi les quelques mètres qui le séparaient de Dan.

Ce dernier secoue la tête et dit tout fort :

— Mes sœurs non plus n'ont pas d'alibi. Vous savez que Ted a menti pour Catherine. Et je parie que Jake ment aussi pour Jenna.

Reyes dévisage Jake, qui fuit son regard.

— Catherine et Jenna savaient toutes les deux que j'avais un paquet de combinaisons jetables dans mon garage, ajoute Dan. L'une ou l'autre aurait très bien pu aller se servir ; je ne ferme presque jamais le garage à clé, sachez-le. Je ne les ai pas tués, mais peut-être que l'une d'elles, si.

Les gens dans l'assistance se sont comme changés en statues de sel. Du coin de l'œil, Irena aperçoit Audrey et sa fille, sourires en coin.

Irena connaît cette famille par cœur : c'est le moment où ils vont se retourner les uns contre les autres. Ils ont toujours fait ça, ces gamins. À cet instant précis, Irena prend conscience du furieux crépitement des flashes autour d'eux : les photographes n'ont pas perdu une miette de la scène.

Épuisé par la semaine – et la journée – qu'il vient de passer, Reyes s'effondre dans son fauteuil préféré tandis que sa femme s'occupe de coucher les enfants. Il aurait voulu lui donner un coup de main, mais après un regard à ses traits tirés, son épouse a décrété qu'il ferait mieux d'aller se reposer.

Est-ce vrai que les deux sœurs étaient au courant, pour les combinaisons jetables ? Qu'elles y avaient accès ? L'une d'entre elles aurait-elle pu commettre les meurtres, en espérant faire porter le chapeau à leur frère ? Et en espérant obtenir une plus grande part d'héritage par la même occasion ?

Catherine a menti au sujet de cette nuit-là. Est-ce qu'elle les a tués quand elle est retournée leur rendre visite ? Peut-être a-t-elle subtilisé l'une des combinaisons, préférant jeter la suspicion sur son frère plutôt que de courir le risque d'en acheter une quelque part. Peut-être joue-t-elle seulement à la grande sœur protectrice. Audrey prétend que l'un des trois au moins était au courant des projets testamentaires de Fred Merton. La perte de la moitié de l'héritage au profit de leur tante aurait-elle suffi à les pousser au meurtre ?

Et Jenna… Il faut bien admettre que Jake est un piètre menteur. Que s'est-il vraiment passé pendant l'heure où Jenna et Jake sont restés chez Fred et Sheila ? Sont-ils revenus par la suite pour commettre les meurtres ensemble ? Ou Jenna a-t-elle agi seule ? Pour l'instant, Jake couvre son alibi.

Il doit reparler aux deux sœurs. Et il veut retenter sa chance avec l'ancienne nourrice. Elle connaît sûrement cette famille mieux que quiconque.

38

Catherine est encore fatiguée de la journée de la veille quand elle ramasse le journal du dimanche devant sa porte. La maison est cernée par les reporters et les camions de chaînes de télévision. Jusqu'à présent, la presse les avait laissés tranquilles.

Elle claque rapidement la porte lorsqu'elle aperçoit une poignée de reporters se précipiter vers elle. Baissant les yeux sur le journal qu'elle tient entre les mains, elle constate que la une du *Aylesford Record* est encore consacrée à l'homicide de ses parents. Sauf que cette fois…

Mon Dieu, pense-t-elle, le souffle court, en découvrant la photo de Dan. Il a été pris sur le vif, pendant ce moment horrible où il a craché son venin à l'intention de l'inspecteur. Catherine étudie l'image de plus près : elle-même semble animée d'une colère froide, Dan hors de lui, et Jenna sidérée. La photo offre de sa fratrie un reflet peu flatteur. Catherine se dirige en chancelant vers la cuisine et s'assied sur une des chaises. Elle parcourt des yeux l'article : disparus, la pudeur et le respect que leur conférait leur position sociale. Les masques sont tombés et la presse a soif de sang.

Qui a tué le couple for-
tuné ? Les obsèques des Merton
perturbées par une querelle
familiale.

Catherine ne s'attarde que sur certaines phrases.

...l'hypothèse selon laquelle
il s'agirait d'un vol qui
aurait mal tourné... Une nouvelle piste est peut-être en
train d'émerger... Dan Merton
entendu en train de conseiller à la police de suspec-

ter ses deux sœurs, Catherine Merton et Jenna Merton… une choquante manifestation de haine dans une famille qui a toujours été très attachée à sa vie privée et soucieuse de son image…

Catherine poursuit sa lecture, le cœur serré.

La police concentre son attention sur les trois enfants… chacun devant hériter d'une partie du capital… Une source, qui préfère rester anonyme, affirme que l'argent n'est peut-être pas le seul mobile… Les relations dans la famille étaient apparemment houleuses, ce que semble confirmer l'incident d'hier.

Catherine lève les yeux en entendant Ted entrer dans la cuisine.

— Tu ne vas pas le croire, dit-elle, un nœud à l'estomac, en jetant le journal sur la table alors qu'il s'installe en face d'elle.

Tandis qu'il lit l'article, la mine renfrognée, Catherine va préparer du café.

— Nom d'un chien, souffle-t-il.

— Pourquoi Dan ne comprend-il pas qu'il faut qu'il ferme sa gueule ? s'exclame-t-elle, pleine d'amertume. Et nous savons tous très bien qui est cette source anonyme.

Lisa regarde son café, qui a déjà refroidi dans sa tasse. Elle a lu l'article du *Aylesford Record*. Elle ne s'est jamais sentie aussi angoissée, aussi seule. Dan a perdu les pédales. Il a rompu les liens entre ses sœurs et lui, et attend maintenant de sa femme qu'elle fasse de même.

Ils se sont disputés à ce sujet la veille au soir, après le fiasco de l'église et l'interminable réception au club de golf, mais il n'a pas voulu entendre raison. C'est presque comme s'il s'était convaincu lui-même de sa théorie. À moins que ce soit ce qu'il essaie de lui faire croire ? Elle n'y comprend plus rien.

De bonne heure ce dimanche matin, Reyes et Barr interrogent de nouveau Irena Dabrowski en attendant le mandat de perquisition pour le domicile de Catherine Merton. Reyes est persuadé qu'elle pourrait détenir la clé de l'énigme, que l'un des enfants Merton est coupable et que leur ancienne nourrice le croit aussi. Elle en sait certainement plus qu'elle ne veut bien l'admettre.

— Nous savons que vous protégez quelqu'un.

— Je ne protège personne. J'ignore qui a fait ça, soutient Irena en fixant la table. Et je ne veux pas le savoir.

— Et pourtant, insiste Reyes, vous avez une idée. C'était l'un des enfants, n'est-ce pas ? Nous savons que c'était l'un d'entre eux – ou peut-être deux d'entre eux ou les trois – et vous le savez, vous aussi.

Lorsque la femme de ménage redresse la tête, Reyes aperçoit les larmes qui ont commencé à se former au coin de ses paupières. Il attend, en vain. Irena se contente de secouer la tête. Le moment est venu de dégainer les photos. Il étale les clichés pris par la police scientifique sur les lieux du crime. Elle y jette un bref coup d'œil.

— Alors, lequel de vos petits protégés est capable de faire une chose pareille, à votre avis ?

Elle se passe la langue sur les lèvres, comme si elle s'apprêtait à dire quelque chose. Reyes attend, tâchant de ne rien laisser transparaître de son impatience.

— Je ne sais pas, dit-elle enfin. Je ne sais pas.

Puis elle pousse un soupir retentissant, comme si elle n'arrivait plus à se retenir, et lâche enfin :

— Mais je pense que n'importe lequel pourrait en être capable.

— Pourquoi donc ? l'encourage Reyes, la voix plus douce.

Irena déglutit. Porte à sa bouche son verre d'eau d'une main tremblante. Essuie ses yeux avec un mouchoir.

— Parce que, même si je les aime tous les trois de tout mon cœur, je sais de quel bois ils sont faits. Ils sont intelligents, égoïstes et cupides, et ils ont été engendrés par un monstre. J'ai fait de mon mieux, mais j'ai échoué.

Puis elle sèche une nouvelle larme du dos de la main et lève les yeux vers l'inspecteur.

— Mais ils ne l'auraient jamais fait ensemble. Ils ne font jamais rien ensemble.

Audrey relit la page une énième fois. Elle a beau se réjouir de voir révélées au grand jour les querelles entre ses neveux, elle se sent toujours habitée par un profond sentiment d'injustice. L'article du *Aylesford Record* dont elle a été la source anonyme ne dit pas qu'Audrey s'est vu refuser la part de succession qui lui revenait de droit.

Bien sûr, elle n'avait pas parlé de ce point à Robin Fontaine, mais elle avait partagé d'autres éléments croustillants sur la famille qui ne figurent pas dans l'article. Ils ont probablement peur d'un procès, pense-t-elle, déçue. Il est peut-être temps de passer à la vitesse supérieure. Et si elle rappelait la journaliste pour lui répéter ce qu'elle a dit aux inspecteurs ? Que Fred allait changer son testament en sa faveur et que l'un des enfants est un meurtrier ?

Mais jamais le journal n'acceptera de publier sa théorie tant qu'elle n'aura aucune preuve, elle le sait.

Soudain, on frappe à la porte. C'est Ellen qui passe pour leur promenade hebdomadaire du dimanche matin.

Quand il fait beau, comme ce jour-là, elles aiment arpenter les sentiers de randonnée autour d'Aylesford. Les deux amies ont l'habitude de se garer au départ de l'un d'eux et, armée chacune d'une bouteille d'eau, de marcher en papotant au sein de cette nature calme et préservée, troublée par quelques rares joggeurs ou cyclistes.

Sans trop réfléchir, Audrey fait part à Ellen de ses réflexions.

— C'est toi qui as parlé au journaliste ? s'étonne Ellen.

— Oui. Tu crois que je n'aurais pas dû ?

Ellen tarde à répondre. Tandis qu'elle marche à ses côtés, Audrey l'observe. Son amie n'a jamais été du genre à faire des vagues, elle a toujours mené une vie plutôt discrète. Des deux, Audrey a toujours été l'exubérante, tandis qu'Ellen incarnait la réserve et la discrétion, avec ses cheveux bruns striés de gris, ses pantalons et ses cardigans ternes. Comme si elle ne voulait pas se faire remarquer.

— Je ne sais pas, admet finalement cette dernière. Accuser quelqu'un de meurtre...

— Je ne peux pas rester sans rien faire, insiste Audrey. Je peux au moins essayer d'obtenir justice pour Fred.

— Peut-être que tu devrais plutôt laisser la police s'en occuper, suggère Ellen. Tu ne sais pas, au fond, qui est le coupable.

Audrey ricane.

— Comment peux-tu en être aussi sûre ? renchérit Ellen.

Audrey s'arrête de marcher et toise son amie, comme si elle prenait une décision.

— Je vais te confier quelque chose. Quelque chose d'horrible. Mais tu dois me jurer que tu ne le répéteras jamais. *À personne.*

39

Tandis qu'Audrey raconte son histoire à Ellen, elle replonge dans le passé. Elle pensait emporter ce secret dans la tombe, mais maintenant que Fred est mort, elle n'a plus à le protéger. Et surtout elle peut faire confiance à Ellen, elle sait que son amie ne le répétera pas. À mesure qu'elle parle réapparaissent des souvenirs enfouis depuis une éternité. Des émotions, aussi.

C'est un tel soulagement de pouvoir enfin se confier à quelqu'un. Une vie qu'elle attend ça…

Elle raconte la maison délabrée dans laquelle ils ont grandi, en plein cœur du Vermont, au milieu de nulle part. Cet été-là, Audrey avait 11 ans et Fred, 13. Leur père allait de mal en pis depuis des années. Il perdait ses jobs les uns à la suite des autres à cause de la boisson, et Audrey ne savait pas comment ses parents se débrouillaient pour les nourrir. Sans doute ses grands-parents maternels envoyaient-ils un chèque de temps à autre. En tout cas, une nouvelle bouteille de whisky vide trônait toujours sur le comptoir de la cuisine quand elle se levait le matin pour aller à l'école. Et une nouvelle pleine le soir venu. L'argent pour l'alcool non plus, Audrey ne savait pas d'où il venait. Cette question la taraudait tandis qu'elle montait à bord du bus scolaire dans ses vêtements élimés, sous les moqueries de ses camarades.

Il y avait un poêle à bois dans la cuisine miteuse. Et dans le salon, sur le manteau de la cheminée, une vieille photo encadrée de leur arrière-grand-père paternel, dont le seul titre de gloire était d'avoir été pendu pour meurtre. Un escalier en bois étroit menait à l'étage, où se trouvaient les trois chambres et la salle de bains. Audrey se souvient du bruit de la porte de la chambre de ses parents qui claquait et des pleurs de sa mère au bout du couloir.

Elle ne ramenait jamais d'amis à la maison. Parfois, elle était conviée chez d'autres filles, mais elle ne répondait jamais à l'invitation. D'une manière ou d'une autre, les enfants comprenaient. Les gens savaient que son père était alcoolique.

Mais en réalité, c'était pire que ça. Leur père avait l'alcool mauvais. Plus il buvait, plus il devenait méchant. Il s'en prenait à Fred, et Fred lui répondait. Il lui avait encore répondu cet été-là. Leur père l'avait giflé, mais Fred, qui ne pleurait jamais, était devenu grand et fort et l'avait frappé en retour, le faisant s'écraser d'abord contre la table de la cuisine puis sur le sol, sous les yeux ébahis d'Audrey et de leur mère.

Leur père ne leva plus jamais la main sur Fred. Au lieu de cela, il s'en prit à leur mère.

Mais il était surtout violent verbalement, insultant Audrey, lui répétant qu'elle était grosse et stupide, comme sa mère. Bien qu'il n'ait jamais levé le petit doigt pour la défendre, Audrey vénérait son frère. Elle le considérait comme le chef de famille. Elle était convaincue qu'un jour, il les sortirait de là.

Plus que tout, Audrey aspirait à être normale, à avoir une famille comme les autres, aussi ramassait-elle les canettes de bière et les bouteilles de whisky et de vodka dans la voiture de son père pour les jeter à la poubelle. Elle nettoyait la maison. Peu à peu, sa mère se mit à dépendre d'elle. Audrey travaillait dur à l'école pour ne pas finir comme ses parents ; elle rêvait de s'enfuir loin d'ici. Parfois, elle avait l'impression que c'était Fred et elle, les adultes en charge du foyer.

Son grand frère était brillant. Tout le monde le disait. Il obtenait d'excellentes notes à l'école sans faire d'effort. Fred était la personne la plus intelligente qu'Audrey connaissait. Il excellait en sport, se faisait des amis en un rien de temps. Et puis, il était beau comme un dieu : toutes les filles avaient le béguin pour lui. Audrey aussi avait un tempérament sociable et de bonnes notes sur son livret, mais elle était ronde et ordinaire, sans talent particulier sinon celui de faire ce qu'on lui demandait. Fred, c'était différent. Il avait confiance en lui. Il savait qu'il irait loin.

Parfois, quand les choses tournaient au vinaigre à la maison, ils allaient s'asseoir dans la grange vide pour discuter.

— J'aimerais qu'il soit mort, décréta un jour Fred.

Audrey comprenait. Elle ressentait la même chose. Parfois, elle rêvait que son père prenne le volant après avoir bu et qu'il fonce dans un arbre, mourant sur le coup. Dans ces fantasmes, personne d'autre n'était blessé. Peut-être même qu'une somme inattendue leur tombait dessus, délivrée par une improbable assurance-vie. Nombre des rêveries de la jeune Audrey avaient à voir avec l'argent. Ils en avaient si peu. Un héritage impromptu. Un numéro gagnant au loto. Un trésor enfoui.

— S'il était mort, on pourrait retourner en ville vivre avec la sœur de maman, dit Fred, comme s'il y avait réfléchi.

Fred aimait bien sa tante Mary, qui s'était occupée de lui quand il était petit, mais qu'ils n'avaient pas vue depuis des lustres.

— Je croyais que maman ne parlait plus à tante Mary, fit remarquer Audrey.

— Tu n'es au courant de rien, pas vrai ? rétorqua Fred. Tante Mary déteste papa. C'est pour ça qu'elle ne veut pas venir nous voir.

— Alors pourquoi on ne va pas lui rendre visite sans lui ? demanda Audrey.

Il lui jeta le regard qu'on réserve aux demeurés.

— Parce qu'on n'a pas assez d'argent. Papa boit tout.

Audrey garda le silence. Peut-être était-ce tante Mary qui leur envoyait de l'argent ? Cela lui donna de l'espoir.

— Peut-être que maman va se décider à quitter papa, et alors on pourra aller vivre avec tante Mary.

— Elle ne le fera pas, s'impatienta Fred, en levant les yeux au ciel.

— Pourquoi ?

— Parce qu'elle est trop stupide et trop peureuse.

Il resta assis à réfléchir pendant une minute.

— Mais je n'en peux plus de ce trou du cul.

Les choses empirèrent pendant les vacances d'été. Sans l'école, Audrey était désœuvrée. Fred avait déniché – ou dérobé quelque part – un vieux vélo qu'il utilisait pour retrouver ses amis, abandonnant sa sœur à son sort, toute seule à la maison.

Leur mère avait réussi à se faire embaucher à temps partiel à l'épicerie de la ville. Leur père dormait toute la matinée, puis se réveillait avec la gueule de bois et l'humeur mauvaise. Elle l'évitait autant qu'elle le pouvait.

Et puis, une journée d'août, alors qu'Audrey revenait d'une promenade dans les champs au milieu de l'après-midi, que sa mère travaillait à l'épicerie et que Fred était supposément parti à vélo rejoindre ses amis au lac, prévenant qu'il rentrerait tard, elle passa devant la porte ouverte de la grange et aperçut son frère. Il avait les joues rouges et les vêtements froissés et semblait fort content de lui. Surprise de le voir à la maison, elle se demanda, vu son large sourire, s'il n'y avait pas une fille avec lui. Elle s'apprêtait à poursuivre son chemin en faisant comme si elle ne l'avait pas vu quand il l'aperçut.

— Qu'est-ce que tu fais ici ? lança-t-il d'un air méchant.

— Rien, se hâta-t-elle de répondre.

— Tu m'espionnais ?

— Non. Je me promenais dans les champs.

Il sembla hésiter, jeta un regard en direction de la grange, puis dit :

— Je pense que notre problème est résolu.

— Comment ça ? demanda Audrey, confuse.

Fred lui fit signe de le suivre. Elle entra dans la grange, ses narines se remplissant de la familière odeur du foin moisi. Ses yeux eurent besoin de quelques instants pour s'adapter à la faible luminosité. Puis elle poussa un cri.

Le corps de son père se balançait à la poutre centrale, une épaisse corde autour du cou. Les yeux exorbités et la nuque cassée selon un angle peu naturel, il avait une allure grotesque à flotter ainsi dans les airs, de toute évidence mort.

Audrey n'avait cessé de crier.

— Ferme-la, fit Fred en la secouant.

Elle se tut et lança un coup d'œil à son frère. Pour la première fois, il semblait peu sûr de lui, comme s'il avait peur de sa réaction. Elle regarda à nouveau son père, essaya de déglutir, mais sa bouche était sèche. Il y avait un vieux baril de pétrole posé sur le sol en terre battue, sous le corps de son père. Cela ressemblait à un suicide, mais elle savait mieux que quiconque que ce n'était pas le cas. Malgré son jeune âge, elle avait compris.

— Ça devait arriver un jour, souffla son frère.

Jamais elle n'aurait cru Fred capable d'une chose pareille. Elle s'était dit qu'il arriverait à convaincre leur mère de partir, mais jamais qu'il pourrait aller aussi loin.

— Il faut que je parte, ajouta-t-il. Je reviendrai plus tard.

— Qu'est-ce que je dois faire ? demanda Audrey, paniquée.

Elle ne voulait pas rester seule avec un cadavre dans la grange.

— Attends ce soir. Tu n'as qu'à faire croire que tu étais en train de le chercher pour le dîner et que tu l'as trouvé comme ça. Et après, appelle la police. Ils ne se douteront de rien. C'était un raté. Personne ne sera surpris qu'il se soit suicidé.

— Mais...

— Mais quoi ? demanda-t-il, glacial.

— Comment... ?

Elle allait dire « Comment est-ce que tu as pu faire ça ? », mais aucun mot ne sortit.

— Je lui ai dit que j'avais quelque chose à lui montrer dans la grange, répondit-il, pensant que sa sœur lui demandait comment il s'y était pris. Une fois qu'il est entré, je me suis approché et je l'ai étranglé avec la corde. Ensuite, je l'ai pendu. Ça a été la partie la plus difficile. Il est plus lourd qu'il n'en a l'air. Tu n'étais pas censée me voir, ajouta-t-il.

— Tu m'aurais dit la vérité, si je ne t'avais pas vu ?

— Non. Mais maintenant que tu le sais, tu vas le garder pour toi.

Ce n'était pas une question, c'était un ordre.

— Je l'ai fait pour nous.

— Non. Mais maintenant que tu le sais, tu vas le garder pour toi.

Ce n'était pas une question, c'était un ordre.

40

Dans une sorte de brouillard incrédule, Ellen roule jusque chez elle. Elle a dû masquer son malaise en écoutant le récit d'Audrey, prétendre encaisser le choc. Mais c'était horrible, vraiment horrible. Elle ne sait pas si elle pourra à nouveau regarder Audrey de la même façon. Sa meilleure amie a couvert le meurtre de son père. Dire qu'elle n'avait que 11 ans. Une gamine…

Soudain, Ellen réalise que cela fait plusieurs minutes qu'elle est assise derrière le volant sans bouger, dans son allée. Elle sort de sa voiture, rentre chez elle et ôte ses chaussures de marche. Puis elle se dirige vers la cuisine et s'appuie au plan de travail en essayant d'assimiler ce qu'elle vient d'apprendre.

Comment concilier les aveux d'Audrey avec ce qu'elle connaissait de Fred ?

D'après Audrey, c'était un tueur de sang-froid. Pourquoi mentirait-elle à ce sujet ? Elle n'a rien à y gagner. Et il y a toujours eu une froideur, un égoïsme colossal chez Fred. Ellen le croyait simplement narcissique. Elle ne l'a jamais connu violent, même lorsqu'il était en colère, mais il était impitoyable quand il en allait de ses intérêts. Maintenant, elle doit vivre avec l'idée que c'était un psychopathe.

Audrey est convaincue que ce trait est présent chez l'un de ses enfants. Est-ce héréditaire, vraiment ?

Il faut qu'elle vérifie sur Google. Mais Audrey est formelle : elle dit que leur arrière-grand-père était un meurtrier lui aussi.

Ellen se souvient parfaitement de sa rencontre avec Fred Merton – et pour cause : c'est le jour qui a changé sa vie. Fraîchement sortie de l'école, elle avait été intimidée par sa façon de mener l'entretien. Il lui avait posé quelques questions, puis lui avait dit qu'elle lui plaisait. Elle n'avait pas su comment le prendre : était-ce inapproprié ? Mais à l'époque, on se formalisait moins. Et elle avait besoin de ce travail. Aussi avait-elle accepté son offre d'embauche sans hésiter.

Elle a eu le temps d'apprendre à le connaître, pendant les dix ans qu'a duré leur collaboration. Fred ne pensait qu'à lui – les autres n'étaient qu'un moyen de parvenir à ses fins. Il avait beaucoup de charme, du charisme, même, mais elle ne se faisait pas d'illusions : ce charme était une arme pour obtenir ce qu'il voulait. Alors, quand il a essayé avec elle, elle a résisté. Elle lui a résisté pendant des années. Et puis, quand elle a fini par céder, c'était selon ses termes et avec des raisons qui n'appartenaient qu'à elle – et dont elle ne lui avait évidemment jamais fait part. Pas à l'époque, en tout cas.

Mais la confession d'Audrey l'a chamboulée. Elle réalise soudain le risque qu'elle a encouru. Il est à peine midi, mais elle décide de se servir un verre de vin.

Il fait chaud et la promenade l'a déshydratée. Audrey se rend directement dans sa cuisine, ouvre le frigo et sort la carafe en plastique remplie de thé glacé. Elle s'en sert un verre qu'elle boit à grands traits. Elle a enfin craché le morceau. A-t-elle eu tort ? Ellen a semblé choquée. En même temps, *c'était* choquant. Ellen a plutôt été épargnée par la vie, comparée à elle.

Audrey se remplit un nouveau verre et l'emporte dans le salon, s'assied face à son ordinateur posé sur la table basse. Tandis qu'elle consulte sa boîte mail et parcourt les dernières nouvelles en ligne, elle commence à se sentir un peu étourdie. Elle va s'asperger d'eau fraîche dans la salle de bains, puis retourne à son ordinateur. Pourtant la sensation de vertige ne la quitte pas. Elle tente de l'ignorer, mais finit par se sentir vraiment bizarre. Elle a mal à la tête et vaguement envie de vomir. Aurait-elle attrapé quelque chose ?

Elle n'arrive même plus à manipuler sa souris, ni à attraper son verre de thé glacé. Ça ne va vraiment pas.

Sa vision se brouille. Inquiète, Audrey saisit son téléphone portable pour appeler les secours, puis vomit au pied du canapé.

On sonne à la porte à midi. Quand Catherine va ouvrir, elle se retrouve nez à nez avec un mandat de perquisition et une équipe d'hommes et de femmes en uniforme sous les ordres des inspecteurs Reyes et Barr. Ted se précipite à ses côtés. Elle voudrait protester contre cette intrusion, mais elle se rassure en se disant qu'elle n'a rien à craindre et qu'ils ne trouveront rien. Et puis que peut-elle y faire, de toute façon ?

Pourtant, alors que les recherches débutent, elle se sent de plus en plus mal à l'aise. Elle déteste l'idée que des inconnus farfouillent dans son tiroir de sous-vêtements, dans son panier à linge sale. Tout comme elle déteste la façon dont toute son intimité est prise en photo, y compris le contenu de sa boîte à bijoux.

Tous ses appareils électroniques sont mis sous scellés, même son téléphone portable.

Catherine commence à comprendre ce que Dan a dû ressentir. Elle est secouée et furieuse, mais elle ne peut absolument rien y faire.

Ellen pose son verre à vin vide dans l'évier et quitte la cuisine. L'alcool l'a un peu calmée. Elle s'apprête à monter s'allonger quand on sonne à la porte. C'est Rose. L'état de sa fille semble empirer à chaque fois qu'elle la voit, en même temps que l'inquiétude d'Ellen.

— Ma chérie, fait-elle en l'accueillant, entre. Tout va bien ?

— Tout va bien, dit Rose, mais il est évident qu'elle ment.

On dirait qu'elle n'a pas dormi depuis des mois. Ni mangé. Elle flotte dans ses vêtements.

— Tu n'as pas l'air. Et tu maigris à vue d'œil. Pourquoi est-ce que tu ne veux pas me dire ce qui se passe ?

— Il ne se passe rien ! C'est le boulot, maman. J'ai beaucoup de pression. Je suis juste venue faire un coucou. Pas besoin d'un examen en règle.

Ellen lève les mains en signe d'apaisement.

— Désolée, désolée. Tu as faim ? Je peux te préparer quelque chose à manger ? Un sandwich ?

— Avec plaisir, merci.

Rose suit sa mère, qui s'attelle à la préparation de sandwichs au thon.

— C'est dommage que tu aies loupé l'enterrement, hier, commence la jeune femme.

— J'avais promis à ta tante Barbara de lui rendre visite.

— Je sais. Mais tu aurais dû voir ça. Dan... C'était perturbant, tout ce qu'il a dit. Je me suis sentie si mal pour Catherine.

Ellen se retourne pour détailler sa fille, l'esprit encore encombré de l'abominable aveu d'Audrey.

— J'ai appris ça dans le journal ce matin, en effet.

Rose rapporte alors les détails omis par le quotidien.

— J'ai toujours su par Catherine que les choses n'allaient pas très bien dans cette famille, mais je n'avais pas réalisé que c'était à ce point.

— Tu as parlé à Catherine ? demande Ellen.

— Je suis allée la voir, se borne à déclarer Rose, concentrée sur son sandwich au thon.

— Tu devrais lui rendre à nouveau visite. C'est l'une de tes meilleures amies, et je suis sûre qu'elle a besoin de ton soutien.

Catherine observe les hommes de la brigade scientifique pulvériser des produits chimiques partout dans sa maison, notamment sur l'évier de la cuisine et le lavabo de la salle de bains, ainsi que dans la buanderie au sous-sol. Sans doute recherchent-ils des traces de sang, comme chez Dan. Eh bien, peine perdue. Puis, au grand dam de Catherine, les voilà qui s'attaquent aux jardins de devant et de derrière. Planqués derrière leurs fenêtres, les voisins sont au spectacle. Pour ne pas parler des journalistes. Catherine, quant à elle, se terre à l'intérieur.

Enfin, au bout de plusieurs heures, ils en viennent à bout. Les détectives et leur équipe ont emporté la voiture de Catherine, ce qui l'indigne. Il reste bien sûr celle de Ted, mais c'est une deux places, et pas des plus pratiques.

— Dans combien de temps pourrai-je récupérer mon véhicule ? s'enquiert-elle auprès d'un technicien qui fait la sourde oreille.

Après leur départ, elle referme la porte et se retient pour ne pas casser quelque chose.

— Au moins, c'est fini, cherche à tempérer Ted, visiblement soulagé. Peut-être qu'ils vont enfin nous laisser tranquilles.

Catherine dévisage son mari, les yeux plissés. Pourquoi paraît-il si soulagé ? Il ne s'attendait tout de même pas à ce qu'ils trouvent quelque chose, si ? Elle se force à exhiber un sourire crispé.

Il ne peut pas douter d'elle. Pas maintenant.

41

29 avril. Ce n'est que le lendemain matin que Catherine réalise quel jour on est. Ses parents sont morts depuis près d'une semaine et elle a quatre jours de retard. Avec les récents événements, elle a perdu la notion du temps.

Ted est déjà parti au travail, mais Catherine a posé sa semaine. À vrai dire, elle préfère qu'il ne soit pas là. Elle grimpe nerveusement jusqu'à la salle de bains de l'étage, se forçant à ne pas nourrir de vains espoirs. Dire que la veille encore, des étrangers ont farfouillé dans son armoire à pharmacie – cette même armoire à pharmacie dont elle sort à présent un test de grossesse. Elle le déballe, s'assied sur les toilettes, se prépare à une déception. Après tout, son cycle est peut-être simplement perturbé par les événements. C'est probablement une fausse alerte. Mais elle aurait tellement besoin d'une bonne nouvelle.

Elle attend, attend, sans se résoudre à regarder. Et puis elle y parvient, et fond en larmes.

Elle est enceinte. Enfin.

Il est 9 heures quand Reyes convoque Jenna en salle d'interrogatoire. Elle se présente seule, sans avocat, soutenant qu'elle n'en a pas besoin.

— Le soir de Pâques, commence le détective, quand vous êtes restée une heure de plus après le départ des autres convives, est-ce que l'un de vos parents a mentionné un quelconque projet de modification du testament de votre père en faveur de votre tante ?

Elle fronce les sourcils, secoue la tête.

— Rien de tout cela. Ce sont les affabulations d'Audrey. Elle délire.

— Peut-être pas. Votre père était atteint d'un cancer du pancréas. Il était mourant, et voulait mettre de l'ordre dans ses affaires.

— Nous l'ignorions, fait-elle, l'air sincèrement surprise.

— Votre frère, Dan, poursuit Reyes sans lâcher la jeune femme du regard, il a dit des choses à l'enterrement.

— Oui, c'est tout Dan, ça.

— Vous étiez au courant pour les combinaisons jetables dans son garage ?

— Oui, nous l'étions toutes. Irena aussi. On l'avait vu dans une de ces combinaisons, à l'époque où il faisait des travaux au grenier.

— Saviez-vous qu'il laissait son garage ouvert ?

— Tout le monde le savait, je pense. Il ne fermait à clé que sa porte d'entrée. Allez savoir pourquoi.

— Il suggère que c'est vous ou votre sœur qui avez assassiné vos parents.

— Ne me dites quand même pas que vous le prenez au sérieux ? sourit-elle en haussant les sourcils. Dan a toujours eu une dent contre papa. Il se voit comme le fils maudit, et il est persuadé qu'on a bénéficié d'un traitement de faveur, Catherine et moi. Mais au fond, ajoute-t-elle après avoir poussé un lourd soupir, il n'a pas tout à fait tort.

À son réveil, Audrey se trouve dans un lit d'hôpital, une perfusion dans le bras et tout un tas de machines bipant autour d'elle. Pendant un temps, elle est déboussolée. Que fait-elle ici ? A-t-elle eu un accident ? Puis tout lui revient : le malaise, les vomissements, l'appel aux urgences juste avant de s'effondrer sur le sol. Cette sensation qu'elle pourrait être en train de mourir, de glisser rapidement dans l'inconscience. Et puis après, plus rien. Le néant. Ce dont elle se souvient parfaitement, en revanche, c'est qu'elle a bu du thé glacé provenant de son réfrigérateur avant tout ça.

Assoiffée, elle attrape le gobelet en carton sur sa table de chevet et le vide d'un trait. Ensuite, elle appuie sur le bouton d'appel et attend que quelqu'un vienne la voir.

Catherine Merton pousse la porte de la salle d'interrogatoire, accompagnée de son avocate.

Après les mentions et précisions d'usage, Reyes lance l'enregistrement.

— Saviez-vous que votre père avait l'intention de laisser la moitié de son patrimoine à sa sœur Audrey ?

— C'est ce qu'elle dit, répond Catherine avec dédain. Personne ne la croit.

— Cela n'a pas été évoqué pendant le dîner de Pâques ?

— Évidemment que non. Parce qu'elle a tout inventé. Mon père n'aurait jamais fait ça.

— Je n'en suis pas si sûr, dit Reyes. Il a bien essayé de prendre un rendez-vous avec son avocat la semaine de sa mort, mais ce dernier était absent et il a dû le fixer à la semaine suivante. Entre-temps, votre père a été assassiné.

Catherine soutient le regard de Reyes sans ciller.

— Fred Merton était mourant, déclare-t-il.

Une étincelle de surprise s'allume aussitôt dans les yeux de la jeune femme.

— C'est peut-être pour cette raison qu'il voulait mettre de l'ordre dans ses affaires.

— Je l'ignorais. Qu'est-ce qu'il avait ?

— Un cancer du pancréas à un stade avancé. Il ne lui restait probablement que quelques mois à vivre.

Il la laisse digérer l'information, puis ajoute :

— Nous avons trouvé quelque chose d'intéressant en fouillant votre maison.

— De quoi parlez-vous ? demande Catherine en le fusillant du regard.

— D'une paire de boucles d'oreilles.

— Il va falloir être plus précis, dit-elle avec brusquerie. J'ai beaucoup de boucles d'oreilles.

— La paire de boucles d'oreilles qui a disparu de la boîte à bijoux de votre mère la nuit de sa mort.

— Pardon ? s'exclame-t-elle, sur la défensive.

— Une paire de boucles d'oreilles en diamant. De forme carrée et d'un carat chacun. Des pièces d'une grande valeur, précise-t-il en ouvrant le dossier devan̄ lui pour lui tendre une photo des bijoux.

Catherine l'étudie en rougissant.

— Ceci provient d'un inventaire de ce qui a disparu de la maison de vos parents. Les assureurs nous l'ont envoyé.

— Je les lui ai empruntées. Il y a quelques semaines.

— Quelqu'un peut le confirmer ?

— Qu'est-ce que vous insinuez ? siffle-t-elle, furieuse, en relevant les yeux vers lui. Que j'ai assassiné mes parents et que j'ai gardé ces boucles d'oreilles ?

— Ce sont les seules pièces manquantes dans la maison de vos parents que nous avons retrouvées, et nous les avons retrouvées dans votre boîte à bijoux.

— Parce que je les ai empruntées !

— Je vous repose la question : quelqu'un peut-il le confirmer ?

— Non, bien sûr. C'était entre ma mère et moi. Mais il m'arrivait de lui emprunter des choses.

— Quelqu'un vous a-t-il vue les porter, les semaines précédant l'assassinat de vos parents ?

L'avocate choisit ce moment pour intervenir :

— Ma cliente a déjà dit les avoir empruntées. Passons à autre chose, si vous le voulez bien.

Reyes n'arrive pas à savoir si Catherine dit la vérité. Elle est dure à cerner. Son avocate, en revanche, a l'air de plus en plus préoccupée.

— Pourquoi avez-vous laissé votre téléphone portable chez vous, quand vous êtes retournée chez vos parents ?

Catherine semble surprise. Déglutit nerveusement.

— Je l'ai oublié. Je l'ai laissé sur le guéridon de l'entrée quand j'ai pris mes clés. Je… j'oublie souvent mes affaires quand j'ai trop de choses en tête.

Reyes lui lance un regard incrédule.

— Écoutez-moi bien, Catherine, fait-il en se penchant en avant. Vous et votre frère et votre sœur avez des millions à gagner à la mort de vos parents. Votre frère dit que vous saviez qu'il stockait des combinaisons de protection dans son garage et que vous saviez qu'il ne le fermait jamais à clé, ce qui a été confirmé par votre sœur, Jenna. Les seuls bijoux de votre mère retrouvés l'ont été à votre domicile. Nous savons que vous êtes retournée sur place dans la nuit – vous l'avez vous-même admis. Mais vous avez d'abord menti et fait mentir votre mari à ce sujet. Et vous avez laissé votre téléphone portable à la maison, de façon, peut-être, à ce que vos mouvements ne puissent pas être retracés.

— C'est ridicule ! s'écrie Catherine. Je ne les ai pas tués, ils étaient déjà morts quand je suis arrivée !

Dans le silence qui s'abat soudainement dans la pièce, elle regarde l'inspecteur avec des yeux ronds, comme choquée par le propre écho de sa voix. Son avocate a l'air sonnée.

— Mais cela n'a aucun sens, commente Reyes après un blanc interminable. Si ce que vous prétendez est vrai, pourquoi ne pas avoir appelé les urgences ?

— Je pense que vous savez pourquoi, murmure-t-elle d'un ton piteux.

Il attend.

Enfin, la voix brisée, elle déclare :

— Parce que je pensais que c'était Dan.

42

Le rendez-vous chez l'avocat de leur père pour l'ouverture du testament a été fixé cet après-midi-là, à 13 heures. Comme toujours, c'est Catherine qui s'est chargée de convenir de la date et de la communiquer à son frère et sa sœur. Ted a quitté son travail pour venir la chercher à la maison. N'ayant plus de voiture, Catherine a été obligée, plus tôt, de prendre un Uber pour se rendre au commissariat et en revenir.

À présent, alors qu'elle pénètre dans le hall du prestigieux cabinet dans le centre d'Aylesford, elle se sent un peu barbouillée. Est-ce lié au désastreux interrogatoire du matin ou à l'appréhension qu'elle éprouve en ce qui concerne le testament ? À moins qu'il ne s'agisse déjà des premières nausées ? Elle serre son secret contre elle, sa petite étincelle de joie secrète. Elle attend le bon moment pour l'annoncer à Ted.

Elle s'évertue à se rappeler qu'ils n'ont plus de craintes à avoir à présent. Leur père n'a pas changé son testament, malgré ce que dit Audrey. Walter l'a assuré à Dan.

Ted et elle sont les premiers à arriver. Quelques minutes plus tard, alors qu'ils sont assis dans la salle d'attente, Dan et Lisa font leur entrée. Catherine se lève et Lisa, par habitude, s'élance vers elle pour une brève étreinte, mais Dan reste à distance. Puis Jenna débarque et les trois femmes parviennent à discuter de tout et de rien pour sauver les apparences tandis que Ted et Dan gardent le silence.

Enfin, à 13 heures précises, Walter apparaît sur le seuil et les invite à prendre place dans une grande salle de réunion, autour d'une longue table rectangulaire. Il tient un lourd dossier qu'il dépose au centre.

— Je suis heureux que vous soyez tous là, dit-il en regardant chacune des personnes présentes, même si je n'aurais jamais imaginé que ce rendez-vous se tiendrait en de si tragiques circonstances.

Catherine a l'impression de sentir la tension de la pièce lui écraser la nuque. Et si son père avait modifié son testament il y a des années, sans rien en dire à ses enfants ? Elle l'imagine se moquant d'eux depuis l'au-delà. Assis sur cette chaise vide, se préparant à savourer le spectacle. Catherine lance un coup d'œil furtif à son frère et à sa sœur, les soupçonnant d'être troublés par des pensées similaires. D'ailleurs, Dan est si pâle, si stressé, que Lisa doit lui saisir la main pour le calmer.

— Le testament de votre mère est très simple. Il y a des années, elle a signé des documents selon lesquels elle acceptait de rester en dehors de la succession de votre père, en échange de la maison et d'une somme qui lui est propre. Elle ne voulait pas vous empêcher de recevoir votre héritage si votre père venait à disparaître le premier. Son patrimoine sera réparti à parts égales entre vous trois. Le testament de votre père, en revanche, représente une somme et des enjeux plus importants. Je commencerai par ses legs spécifiques, puis je parlerai du reste de la succession. Il y a quelques legs mineurs à diverses organisations.

L'avocat donne le nom d'un hôpital du coin et de quelques organisations caritatives dans lesquelles le couple s'était impliqué.

Catherine s'agite sur son siège, en proie à l'impatience et la nervosité. Enfin, Walter entre dans le vif du sujet.

— À Irena Dabrowski, un million de dollars.

C'est une somme considérable. Catherine observe Dan et Jenna ; ils ont l'air aussi surpris qu'elle, mais heureux malgré tout pour leur ancienne nounou.

— À Audrey Stancik, un million de dollars.

Catherine se détend d'un coup. C'était donc vrai. Il n'avait pas modifié son testament.

— Le reste de la succession, poursuit Walter, après impôts, charges, et ainsi de suite – je vous épargne le charabia juridique…, fait-il en relevant les yeux de sa feuille. Le reste de la succession de votre père sera divisé à parts égales entre ses enfants.

Catherine sent le soulagement se répandre dans la pièce, comme une expiration. Elle se rend compte que son frère, sa sœur et elle n'étaient pas les seuls à être tendus. Ted, à côté d'elle, se décrispe à vue d'œil, et elle peut voir le visage de Lisa se métamorphoser. Ils ont tous été sur les nerfs, ces derniers jours. Elle se tourne vers Ted et lui serre la main.

Dan se repousse au fond de sa chaise et ferme les yeux, presque extatique. Catherine surprend Walter lui jeter un bref regard de dégoût. Elle se demande à quoi il pense. L'avocat était présent à l'enterrement, et il était l'un des plus proches amis de leur père.

— Et pouvez-vous nous dire à combien s'élève la succession, en gros ? se décide-t-elle enfin à demander.

Dan rouvre brusquement les yeux, pendu aux lèvres de Walter.

— Un instant, déclare ce dernier d'un ton grave.

Tous l'observent, dans l'expectative.

— Ce que je vais dire va sûrement vous surprendre, mais vous n'êtes pas les seuls enfants de Fred.

Reyes passe à nouveau en revue les finances de Dan Merton. Il sait que six mois plus tôt, juste avant la vente de l'entreprise, Dan a retiré la majeure partie de ses actions dans une société d'investissement pour prêter un demi-million de dollars à un certain Amir Ghorbani, prêt garanti par une hypothèque sur la maison de ce dernier à Brecken Hill. Voilà pourquoi Dan n'a pas de fonds disponibles.

Mais ce qui saute aux yeux de Reyes, c'est le nom de l'avocate figurant sur ce document : Rose Cutter.

Rose Cutter, la fille illégitime de Fred Merton, qui s'apprête à en hériter en vertu du testament de son père. Celle dont les frère et sœurs légitimes ignorent tout.

— Regarde-moi ça, souffle-t-il à Barr.

Catherine reste bouche bée et constate que tout le monde, autour de la table, est aussi atterré qu'elle.

— Quoi ? bafouille-t-elle. Nous n'avons jamais entendu parler d'un autre enfant.

— Je n'y crois pas ! Papa a eu un bâtard, c'est ça ? s'écrie Dan. Et maintenant, ils ont droit à une part ? Hors de question.

— Qui est-ce ? demande Catherine.

— Une jeune femme, répond l'avocat, du nom de Rose Cutter.

Catherine se tourne immédiatement vers Dan, qui la regarde fixement, sous le choc. Lisa aussi s'est figée.

— Vous la connaissez ? s'enquiert Walter, visiblement surpris.

— C'est une amie proche, parvient à articuler Catherine, le souffle coupé.

— Elle m'a persuadé d'investir avec elle, déclare Dan au bout d'un moment, et m'a fait perdre la plupart de mes économies. C'est à cause d'elle que j'ai besoin d'argent.

À présent, tous les yeux sont braqués sur Dan.

— C'est à cause d'elle que la police pense que j'ai tué les parents ! tonne-t-il. C'est de ta faute, ajoute-t-il à l'adresse de Catherine. C'est toi qui lui as suggéré de me parler.

Au départ, Catherine ne réagit pas. Puis elle riposte :

— Je n'avais pas réalisé que tu allais engager presque tout ton capital. Et je ne savais pas que papa allait vendre l'entreprise et que tu te retrouverais au chômage.

— Ouais, eh bien, moi non plus, ricane Dan, l'air mauvais.

Walter se racle la gorge.

— J'ignorais que vous étiez si proches. Personne ne savait que Rose Cutter figurait sur le testament à part votre père. Pas même votre mère. J'imagine que Rose Cutter sera la première étonnée.

— Il voulait probablement nous faire une surprise, lance Jenna d'un ton sarcastique.

— Mais est-ce qu'elle sait que nous avons le même père ? demande Catherine.

Telle est la question qui la taraude, à présent : pendant toutes ces années d'amitié où Catherine ne se doutait de rien, Rose lui avait-elle caché la vérité ?

— Ça, je ne peux pas vous répondre, dit Walter. Sa mère lui a peut-être dit. Mais sa mère n'était pas au courant pour le testament, ça, j'en suis certain.

Peut-être que Rose savait tout depuis le début..., songe Catherine. Si c'est le cas, alors cela changerait tout à leur amitié : elle se sentirait trahie, manipulée, voire espionnée.

— Pouvons-nous contester cette décision ? reprend-elle.

— Je ne le conseillerais pas, dit l'avocat. Fred a reconnu devant moi il y a très longtemps qu'il était le père de cette fille. Sa mère, Ellen Cutter, a travaillé pour votre père à une époque. Il a versé une pension pour l'éducation de Rose pendant plus de vingt ans. Et puis il y a les tests ADN. Cela vous coûterait cher de mener ce combat et vous le perdriez, conclut-il.

Si Rose a menti et s'attend à ce que Catherine et les autres l'accueillent dans la famille comme une sœur en partageant leur fortune de gaieté de cœur, c'est mal les connaître.

— À combien s'élève la succession ? demande à nouveau Dan.

— Après impôts, à environ 26 millions. Les biens de votre mère en ajoutent environ 6, précise Walter derrière un masque d'écœurement à peine voilé. Félicitations. Même avec une demi-sœur sortie du chapeau, vous voilà tous très riches.

Catherine fixe l'avocat, essayant de décrypter son expression. Et elle comprend enfin : il pense que c'est l'un d'eux le meurtrier. Lorsque tout cela sera terminé, songe-t-elle, ils devront peut-être chercher un nouveau conseil.

En sortant du cabinet, une discussion informelle se tient sur le parking. Entre Dan et ses sœurs, la glace semble s'être brisée. Rien de tel qu'un ennemi commun.

— J'arrive pas à y croire, merde, crache Jenna.

— Je ne comprends même pas qu'on ne l'ait pas vu venir, grimace Dan. Il était tellement immonde avec maman. J'imagine qu'on peut s'estimer chanceux qu'il n'y en ait pas d'autres.

— En tant qu'exécutrice, je dois appeler Audrey pour lui annoncer qu'elle va toucher un million de dollars, dit Catherine. Mais ce n'est pas moi qui vais lui dire qu'on devra partager le reste avec Rose. Plutôt mourir que lui donner cette satisfaction. À part ça, je suis contente pour Irena.

Les autres hochent la tête, puis se remettent à discuter. Avant que chacun ne remonte dans sa voiture, Catherine lance à Dan et Jenna :

— Il faut qu'on reste unis. Ne dites rien à la police. Tout va s'arranger et nous serons bientôt tous riches.

43

Avec sa somptueuse fontaine en pierre naturelle à l'avant, son jardin immense et sa façade ornée, le 22, Brecken Hill Drive en impose.

— Eh ben ! fait Barr en sifflant entre ses dents alors qu'ils se dirigent vers le portail. Un peu *too much*, non ?

Reyes ne se prononce pas. Il a surtout hâte de faire la connaissance du propriétaire des lieux, Amir Ghorbani, avec qui ils ont rendez-vous.

La sonnette fait retentir un trille élaboré, comme tout droit tombé du paradis, et Barr lève les yeux au ciel. Puis la porte s'ouvre sur un homme d'une quarantaine d'années. Il étudie attentivement leurs badges avant de dire :

— Je vous en prie, entrez.

L'homme les conduit vers un grand salon, où ils prennent tous place sous un monumental lustre en cristal.

La maison est complètement silencieuse et semble vide.

— Mon épouse et mes enfants sont allés rendre visite à de la famille à Dubaï, précise Ghorbani.

— Comme je vous l'ai dit au téléphone, dit Reyes, nous enquêtons sur le double homicide de Fred et Sheila Merton.

— C'est terrible, fait l'homme en secouant la tête. Tout le monde est bouleversé, à Brecken Hill. Je suis nouveau dans le quartier, mais d'après ce que j'ai entendu, c'est la première fois qu'une chose pareille se produit.

— Nous avons cru comprendre que vous étiez en affaires avec leur fils, Dan Merton.

— En affaires ? répète l'homme en fronçant les sourcils.

Reyes sort le document attestant que Dan Merton lui a avancé 500 000 dollars, garantis par une hypothèque sur la maison dans laquelle ils se trouvent présentement. Ghorbani lit le document, manifestement abasourdi.

— Je n'ai jamais vu ce papier de ma vie, souffle-t-il. Je n'ai jamais emprunté d'argent à Dan Merton. La seule hypothèque sur cette maison est celle de la banque. Ce document ne peut pas être juridiquement valide. La banque n'aurait jamais permis une autre hypothèque. Et..., ajoute-t-il en examinant à nouveau le papier, je n'ai jamais entendu parler de cette Rose Cutter. Je peux vous assurer que ce n'est pas mon avocate.

Il marque une pause.

— Mais je vais vous dire quelque chose. J'ai vu plusieurs fois Dan Merton garé devant chez nous, la nuit. Il restait dans sa voiture pour surveiller la maison.

Reyes arque un sourcil. Étrange comportement, en effet.

— Vous l'avez donc rencontré ? demande-t-il.

— Non, j'ai engagé un détective privé pour savoir qui c'était. J'étais inquiet.

Ghorbani semble soudain nerveux.

— Quelqu'un a sans doute pris son argent, admet-il en secouant la tête, mais ce n'est pas moi.

Reyes échange un regard avec Barr. De toute évidence, Rose Cutter a escroqué son demi-frère.

— Vous pensez vraiment qu'il a assassiné ses parents ? demande Ghorbani. Il était ici cette nuit-là, le dimanche de Pâques. Devant chez moi.

— À quelle heure, exactement ? s'enquiert Reyes.

— Je l'ai remarqué vers 22 h 30, peut-être un peu plus tôt. D'habitude, il reste une heure ou deux, mais ce soir-là, il est parti au bout de 10 ou 15 minutes. Je me souviens d'avoir regardé par la fenêtre, parce que je n'allais jamais me coucher tant qu'il était encore là.

Même avec une demi-sœur-surprise, pense Ted en conduisant, Catherine aura dans les 8 millions de dollars. De quoi fêter ça. Mais sa femme semble ailleurs. Il faut dire qu'il y a de quoi être chamboulée. Rose était une amie proche ; à présent les choses vont forcément changer entre elles et il voit bien que cela la contrarie.

— Eh bien, finit-elle par lâcher, maintenant, on sait.

— Qu'est-ce qui s'est passé au poste de police ce matin ?

Ted aurait voulu ne pas en parler, mais il a besoin de savoir, c'est plus fort que lui.

— Ils ont trouvé une paire de boucles d'oreilles de ma mère dans ma boîte à bijoux, répond-elle en se tournant vers son mari.

— Et alors ? demande-t-il en s'efforçant de garder une voix calme alors que son esprit s'emballe déjà.

— Ils disent que c'est une paire qui a disparu de chez maman le soir du meurtre. La compagnie d'assurance leur a fourni une sorte d'inventaire. Je les lui avais empruntées il y a quelques semaines. Mais après ce que Dan a dit à l'enterrement...

— Tu ne crois quand même pas qu'ils te soupçonnent ? s'écrie Ted en lui jetant un coup d'œil.

— Honnêtement, je ne sais pas, mais ça en a tout l'air.

Ted fixe à nouveau la route devant lui, les mains agrippées au volant. Il a l'impression d'être dans un film surréaliste. Il a beau conduire sur une route qui lui est familière, toute sa vie semble partir en vrille autour de lui.

Ils finissent le trajet en silence. Ted pense aux boucles d'oreilles. Il n'a pas souvenir qu'elle ait emprunté des bijoux à sa mère. Mais pourquoi s'en souviendrait-il, après tout ?

Juste avant de franchir le portail, Catherine lance :

— Ted, tu pourrais peut-être me couvrir pour les boucles d'oreilles ? Dire que tu étais au courant ?

Il gare la voiture et la regarde, inquiet. Il avait pourtant décidé de ne plus mentir à la police. Comment peut-il se retrouver à nouveau dans cette position ? Mais Catherine n'a pas tué ses parents. C'est tout bonnement impossible. Et Catherine vient d'hériter de 8 millions de dollars.

Davantage si Dan est condamné, parce qu'il perdrait sa part.

— Bien sûr, dit-il.

Évidemment, Lisa a été surprise par la révélation. Elle ne connaît pas Rose Cutter, mais elle ne voit pas le problème. 8 millions de dollars, ce n'est pas rien. Ils peuvent partager. Mais la satisfaction que lui a inspirée le contenu du testament est entachée par la façon dont l'avocat a regardé son mari. Il pense manifestement que c'est Dan le coupable ; il a eu du mal à cacher sa répulsion. Elle est submergée par la honte. Elle ne supporte pas que les gens s'imaginent ça d'eux.

Mais le pire, c'est la peur.

Dan boude sur le siège passager pendant qu'elle les ramène dans sa voiture.

— Tout va bien, dit Lisa. Ça reste une grosse somme.

— Dommage qu'on ne puisse pas en profiter, grogne-t-il.

Lisa garde le silence.

— On devrait être en train de sabler le champagne, reprend-il, de planifier un voyage en Italie. D'acheter une nouvelle maison. Mais on ne peut pas. De quoi ça aurait l'air ? Tout le monde croit déjà que je les ai tués.

— De toute façon, il faudra du temps pour régler la succession, souligne Lisa. Mais une fois qu'ils auront trouvé le coupable, on pourra en profiter.

Qui tente-t-elle vraiment de réconforter, lui ou elle ? Dan regarde par la fenêtre, rongeant nerveusement l'ongle de son pouce.

Jenna rentre chez elle après avoir quitté le bureau de Walter en pensant aux testaments. Elle devrait être heureuse – et elle l'est. Elle va être riche. Mais voir une inconnue traitée sur un pied d'égalité… ça pique. Car, pour elle, Rose Cutter est quasiment une inconnue. Elle l'a rencontrée au mariage de sa sœur, c'est tout. Et puis elle pense à Jake. Elle est un peu mal à l'aise. Jake a menti pour elle. Leur aventure – ou quel que soit le nom qu'on veuille bien lui donner – est plaisante pour l'instant, mais quid du jour où ils se lasseront l'un de l'autre ? Et s'ils venaient à rompre ? Pourrait-elle alors continuer à lui faire confiance ?

Ce serait bien qu'ils arrêtent quelqu'un, et elle se fiche presque de savoir qui, du moment qu'il ne s'agit pas d'elle.

44

Barr passe une tête dans le bureau de Reyes, légèrement essoufflée, et lance :

— Je viens de recevoir un appel de l'hôpital. Audrey Stancik a été admise hier et ils pensent qu'elle a été empoisonnée.

Aussitôt, les deux inspecteurs se rendent sur place pour parler au médecin.

— Elle a été empoisonnée, vraiment ? demande Reyes au Dr Wang. Vous en êtes sûr ?

— Sans aucun doute, fait ce dernier en hochant vigoureusement la tête. Avec de l'éthylène glycol. Si elle n'avait pas appelé les urgences aussi vite, elle serait dans le coma à l'heure qu'il est. Nous lui avons administré du fomépizole, qui inverse les effets du poison et prévient les lésions organiques. Elle va s'en sortir, précise-t-il avant de tourner les talons, déjà prêt à repartir. Elle pourra sortir dans la journée.

— Attendez, l'interpelle Reyes.

Le médecin s'arrête un instant.

— D'où peut provenir l'éthylène glycol ?

— De l'antigel, probablement. C'est votre domaine, pas le mien. Mais vous pouvez la voir. Elle est impatiente de vous parler. Chambre 712.

De fait, Audrey les attend. Elle partage une chambre avec une autre patiente et le premier geste de Reyes en entrant dans la pièce consiste à tirer le rideau qui sépare les lits pour garantir la confidentialité de leur échange.

— Comment vous sentez-vous ? dit le détective.

— J'ai connu mieux, admet Audrey avec une moue. Mais ils m'ont dit que j'allais m'en sortir. Il n'y aura pas de séquelles.

— Que s'est-il passé ? demande Reyes.

— C'était le thé glacé, affirme Audrey avec fermeté. J'en suis sûre. Je garde une carafe de thé glacé dans mon réfrigérateur. En rentrant d'une promenade dimanche matin, j'en ai bu un verre. J'ai commencé à me sentir mal juste après.

Reyes jette un coup d'œil à Barr.

— Quelqu'un a essayé de me tuer, insiste Audrey. Quelqu'un s'est introduit dans ma maison et a essayé de m'empoisonner ! Ce doit être l'un des enfants.

— Pourquoi voudraient-ils vous tuer ?

— Parce que je sais que l'un d'entre eux est un meurtrier ! Et que je vous parle, et que je parle à la presse. C'était moi, la source anonyme dans l'article d'hier.

La porte d'entrée à peine ouverte, Catherine annonce à Ted qu'elle monte s'allonger. Elle a un violent mal de tête, au niveau des sinus, probablement dû au stress de la journée – l'entretien avec la police, le testament, Rose... Que va-t-elle faire à propos de Rose ? Elle n'a pas l'impression d'avoir gagné une sœur, mais plutôt d'avoir perdu une amie.

Elle se glisse sous la couette et la remonte jusqu'au menton. Pourvu qu'elle trouve le sommeil et que son mal de tête disparaisse. Elle essaie de penser à des choses heureuses, à l'argent qu'elle va toucher, au bébé et à la façon dont elle va l'annoncer à Ted. Elle espère que c'est une fille. Elle s'imagine en train de décorer la chambre d'enfant dans la belle demeure de ses parents – la maison et tous les meubles seront désormais à elle. Dan et Jenna s'en moquent. Ils feront évaluer le bien et son contenu, et la somme sera déduite de sa part de l'héritage.

Quand elle a dit que c'était ce qu'elle voulait, sur le parking après le rendez-vous, Dan et Jenna n'ont pas été surpris. Ted, en revanche, si. Il a même été franchement décontenancé lorsqu'elle a précisé qu'elle comptait y emménager au plus vite. Elle n'avait pas compris sa réaction tout de suite – il savait qu'elle avait toujours rêvé de cette maison.

— Mais…, a-t-il protesté.

— Mais quoi ?

— Tes parents ont été assassinés dans cette maison…, a-t-il précisé après avoir dégluti. Tu as toujours envie d'y vivre ?

Elle ne voulait pas qu'il la trouve insensible.

— C'est là que j'ai grandi, s'est-elle lamentée, laissant ses yeux se remplir de larmes.

Ce qu'elle aurait voulu dire, c'était : « Je peux vivre avec, et toi ? » Mais elle n'était pas sûre d'apprécier sa réponse. Voilà une autre chose qu'elle va devoir gérer : la sensiblerie de son mari.

Et les boucles d'oreilles… Pourquoi les inspecteurs ne la croient-ils pas, quand elle dit les avoir empruntées ? Maintenant, aucune chance qu'elle s'endorme parce qu'elle s'est mise à penser à Audrey. Sa tante avait-elle déjà parlé aux inspecteurs ? Elle se souvient de l'avoir aperçue sur le parking du commissariat, et elle se souvient, bien sûr, des menaces de sa tante à leur endroit à tous quand elle a découvert qu'elle ne toucherait finalement pas la moitié de l'héritage.

Le plus embêtant, c'est qu'Audrey connaît ses secrets.

Quand Catherine était jeune, elle n'a pas toujours été une petite fille modèle.

À 12 ans, elle a volé un collier. Elle était chez une amie, et les parents de la fille n'étaient pas à la maison. En montant aux toilettes, Catherine, curieuse, s'est glissée dans leur chambre. Elle ne voulait pas fouiner partout, juste jeter un coup d'œil aux bijoux de Mme Gibson. Celle-ci avait beaucoup de belles choses. Tout au fond, il y avait un joli petit collier que Catherine a saisi pour l'examiner de plus près à la lumière. Une délicate chaîne en or avec un seul petit diamant. Catherine l'a glissé dans la poche de son jean. Elle pensait que Mme Gibson ne s'apercevrait pas tout de suite de sa disparition et qu'elle ne pourrait donc pas faire le lien avec la présence de Catherine chez elle.

Mais c'est la propre mère de Catherine qui a découvert son forfait, après qu'Irena a débusqué le collier sous son matelas en refaisant le lit. Irena l'a répété à Sheila, qui l'a confrontée et l'a forcée à avouer. Puis cette dernière l'a emmenée chez les Gibson, où elle a dû rendre le collier en s'excusant, écarlate de la tête aux pieds.

Catherine en voulait à sa mère, d'autant plus que, comme elle s'y était attendue, Mme Gibson n'avait même pas remarqué le vol. L'incident a aussitôt mis un terme à l'amitié entre Catherine et la fille des Gibson. Sheila était mortifiée. Elle a tout raconté à Fred quand il est rentré à la maison, qui avait alors fait la leçon à sa fille. Catherine se sentait tellement honteuse et en colère qu'elle aurait voulu s'enfuir de la maison.

Bien sûr, son père l'a raconté à Audrey. Il n'aimait rien tant que faire étalage des défauts de ses enfants. Et il y a eu la fois d'après, lorsqu'elle a essayé de voler un bracelet en diamant dans une bijouterie à l'âge de 16 ans.

La police a été appelée, mais son père l'a tirée d'affaire. Le fait est qu'elle a toujours été attirée par les choses qui brillent.

Reyes et Barr sont accueillis au domicile d'Audrey par des techniciens de l'équipe scientifique. L'examen des lieux ne révèle aucune trace d'effraction récente, mais une grande fenêtre a été laissée ouverte à l'arrière de la maison, et quelqu'un aurait pu entrer par là.

Reyes ferme et verrouille soigneusement toutes les fenêtres. Ils emportent la carafe de thé glacé pour l'analyser et le verre laissé sur la table basse. Reyes fronce le nez en voyant le vomi sur le bas du canapé.

— Tu penses la même chose que moi ? chuchote Barr en s'approchant.

— Tu veux dire qu'elle se serait empoisonnée toute seule ?

Barr hausse les épaules.

— Elle me semble du genre théâtral. Ça ne me surprendrait pas.

— Aucun signe d'effraction, mais ça ne suffit pas pour tirer des conclusions.

Barr acquiesce.

— La fenêtre était ouverte.

— Et elle a appelé les urgences juste à temps, conclut Reyes.

Les techniciens commencent à rechercher d'éventuelles empreintes digitales, mais Reyes se doute déjà qu'ils feront chou blanc.

Les deux inspecteurs doivent retourner au commissariat pour s'occuper du cas Rose Cutter.

Les deux inspecteurs doivent retourner au commissariat pour s'occuper du cas Rose Cutter.

45

Assise à son bureau dans son cabinet de Water Street, Rose Cutter a l'impression d'entendre son cœur battre dans sa poitrine. Elle exerce seule et s'occupe principalement d'immobilier.

Elle baisse les stores de son bureau et retourne l'écriteau en position « FERMÉ ». Elle a renvoyé son assistante chez elle plus tôt que d'habitude. Il est un peu moins de 17 heures et elle n'a qu'une envie : se mettre au lit et ne plus jamais en ressortir.

Elle a été trop ambitieuse et cela l'a mise dans le pétrin. Elle a toujours voulu plus que ce qu'elle avait, et elle a toujours été jalouse, voire envieuse, de ses amis mieux lotis. Monter son propre cabinet demande des efforts et de l'argent. Les locaux, l'équipement, l'assurance, le salaire d'un assistant, et ainsi de suite – ça a été plus dur qu'elle ne croyait de gagner sa vie. Elle n'est toujours que locataire de son logement et elle rembourse encore son prêt étudiant.

Rose songe aux Merton. Elle sait combien ils sont riches. Catherine lui a donné un avant-goût de la vie qu'elle mène. D'ailleurs, elle insiste toujours pour payer – qu'il s'agisse d'une journée en mer avec champagne et homard ou d'un dîner coûteux. Rose la laisse faire, parce qu'elles savent pertinemment toutes les deux que ce genre de choses n'est pas à sa portée.

Avant que Fred Merton ne vende sa société et remercie son fils, Rose se disait que Dan était assis sur un tas d'or. Elle y a vu une opportunité. Elle a réussi à convaincre Catherine de les faire se rencontrer afin de lui parler d'un investissement à même de l'intéresser. Puis elle a persuadé Dan de retirer son argent pour l'investir en tant que prêteur privé auprès des propriétaires du 22, Brecken Hill Drive, avec la propriété comme garantie. Elle lui a fait miroiter un taux de rendement nettement supérieur à ce qu'il pouvait obtenir ailleurs, pour une durée de 12 mois, et sans aucune prise de risque. Mais il a perdu son emploi et voulu récupérer ses fonds plus tôt. Elle n'a pas pu l'aider, elle lui a dit qu'il devait attendre, qu'elle était pieds et poings liés.

Et de fait... Il n'y a aucune hypothèque sur cette propriété. Elle a falsifié les documents pour obtenir le demi-million de Dan et les investir dans ce qui lui paraissait une valeur sûre. Elle avait reçu un bon tuyau sur une action. Elle pensait faire un malheur et empocher un maximum en un rien de temps.

Elle a toujours été âpre au gain, mais elle avait bien l'intention de lui rendre son argent à l'échéance, ni vu ni connu. Sauf que les choses ne se sont pas passées comme prévu. L'affaire en or s'est transformée en véritable fiasco. Et si elle ne trouve pas l'argent dans les prochains mois, Dan découvrira le pot aux roses.

Lorsqu'elle a reçu l'appel d'une certaine inspectrice Barr, quelques minutes plus tôt, elle a fait pivoter sa chaise pour tourner le dos à son assistante et fermer les yeux. Elle était convoquée au poste. Elle a raccroché, donné congé à Kelly et laissé les minutes s'égrainer, parfaitement immobile, se demandant ce que les flics savaient et ce qu'ils pouvaient lui reprocher.

Mais elle s'est ressaisie, et la voilà maintenant qui franchit les portes du commissariat la tête haute et le dos droit, affichant son air de jeune avocate sûre d'elle.

— Que puis-je faire pour vous ? demande-t-elle aux deux détectives en s'asseyant dans la salle d'interrogatoire avec un grand sourire.

— Comme vous le savez sans doute, nous enquêtons sur les meurtres de Fred et Sheila Merton, commence Reyes. J'ai cru comprendre que vous connaissiez bien Catherine Merton.

— C'est exact. Catherine et moi sommes amies depuis des années. Nous étions à l'école ensemble.

— Nous avons également cru comprendre que vous gériez un investissement pour le compte de son frère, Dan.

429

Il faut qu'elle garde son sang-froid. Tout dépend de la façon dont elle va gérer ce qui va suivre.

— Oui, c'est exact.

— Pouvez-vous nous en parler ?

— Je cherchais un prêteur privé pour un client, et Catherine m'a dit que son frère était susceptible d'être intéressé, qu'il avait de l'argent à investir. J'en ai parlé à Dan, et il a pris une première hypothèque sur la propriété.

Tout le temps qu'elle a parlé, Reyes n'a cessé de hocher la tête.

— Je crains de devoir vous arrêter là, dit-il alors.

Rose sent son visage s'embraser tandis que le détective lui lit ses droits. Une vague de panique l'envahit. Les inspecteurs l'observent attentivement. Elle a l'impression de ne pas pouvoir respirer.

— Vous voulez de l'eau ? demande Reyes.

Elle acquiesce en silence et l'inspectrice Barr lui sert un verre. Elle est reconnaissante de l'interruption, elle a besoin de réfléchir. Sauf qu'elle est incapable de réfléchir. Barr lui tend le verre d'eau, qu'elle boit d'un trait, la main tremblante.

De retour de l'hôpital, Audrey n'arrive pas à atteindre le téléphone avant le déclenchement de la messagerie. Elle s'apprête à interrompre le répondeur, mais elle se fige, le cœur battant, en reconnaissant la voix de Catherine. Elle n'a aucune envie de lui parler.

Le message est bref : Catherine y annonce que Fred a légué à Irena et à Audrey une somme d'un million de dollars chacune. Puis elle raccroche brusquement.

Les yeux rivés sur le téléphone, Audrey ne sait pas bien ce qu'elle ressent.

Bien sûr, elle est contente de toucher autant d'argent ; elle s'était presque résignée à ne rien avoir. Mais elle s'attendait à tellement plus... Et elle n'a aucun fondement juridique qui lui permettrait de contester le testament. Mais elle n'abandonnera pas le combat pour que justice soit rendue à son frère. Et tant pis si elle y risque sa peau – car elle sait qu'on vient d'essayer de la liquider. Elle n'est plus seulement curieuse, elle est en danger.

Catherine appellerait-elle Audrey si c'était elle l'empoisonneuse et qu'elle pensait sa tante morte sur le sol de chez elle ? Oui, elle le ferait.

Elle effacerait ses traces, laisserait un message sur le répondeur en bonne exécutrice testamentaire. Mais quelle surprise aurait-elle eue en entendant Audrey répondre au téléphone ! Elle regrette tout à coup de ne pas l'avoir fait.

Tout a commencé quand elle a parlé à cette journaliste, Robin Fontaine. Une fois de plus, Audrey éprouve le besoin urgent de se confier à Ellen. Elle prend son téléphone.

— Je veux un avocat, lâche Rose Cutter en transpirant à grosses gouttes sur son fauteuil face à Barr et Reyes.

— Très bien, dit ce dernier avant de quitter la pièce avec sa coéquipière afin de la laisser passer son coup de fil.

Peu de temps après, l'avocate débarque, s'entretient avec sa cliente, puis invite les inspecteurs à reprendre l'entretien. Le dictaphone est lancé.

— Vous nous avez raconté des bobards, n'est-ce pas ? Il n'y a pas d'hypothèque sur le 22, Brecken Hill Drive. Nous avons déjà parlé au propriétaire.

Figée par la peur, Rose reste mutique.

— Qu'avez-vous fait de l'argent de Dan Merton ? insiste Reyes.

— Pas de commentaire, dit finalement Rose, la voix tendue.

— Nous savons que l'hypothèque que vous lui avez fait signer était frauduleuse et n'a jamais été enregistrée.

— Pas de commentaire.

— Très bien, dit Reyes en changeant de tactique. Où étiez-vous la nuit du 21 avril ?

— Pardon ?

— Vous m'avez entendu. Où étiez-vous la nuit du dimanche de Pâques ?

— De quoi s'agit-il ? s'interpose vivement l'avocate de Rose.

— Fred et Sheila Merton ont été assassinés cette nuit-là. Et Mme Cutter est une bénéficiaire importante du testament de Fred Merton.

Reyes observe Rose aspirer une bouffée d'air ; elle semble sur le point de s'évanouir.

— Qu'est-ce que vous racontez ? s'écrie-t-elle, la voix stridente.

— Vous êtes la fille illégitime de Fred Merton. Ne me dites pas que vous ne le saviez pas.

La jeune femme se tourne vers son avocate, bouche bée, puis vers les deux inspecteurs.

— Je ne sais pas de quoi vous parlez.

— Vous allez hériter d'une fortune.

— Vous êtes en train de me faire marcher.

— Je vous assure que non. Alors, où étiez-vous la nuit du 21 avril ?

— J'ai dîné pour Pâques chez ma mère, avec ma tante Barbara. Puis je suis rentrée à la maison.

— Êtes-vous restée seule toute la nuit ?

— Oui.

— Vous ne pouvez pas sérieusement insinuer de telles choses, intervient l'avocate, retrouvant enfin sa voix.

— Nous savons déjà combien votre cliente est motivée par l'argent, dit Reyes, suscitant le regard courroucé de Rose. Elle a escroqué Dan Merton d'un demi-million de dollars. Qui peut dire qu'elle n'irait pas jusqu'à tuer ?

Puis il se tourne vers Rose et déclare :

— Vous pouvez partir, pour l'instant. Mais vous aurez de nos nouvelles concernant l'accusation de fraude. Et vous feriez mieux d'aller voir Walter Temple dans la matinée, ajoute-t-il alors qu'elle est déjà debout. Il vous attend.

46

Dan n'arrive pas à dormir. Il se tourne et se retourne dans son lit jusqu'à minuit passé. À ses côtés, Lisa a sombré dans un profond sommeil, exténuée par la tension des derniers jours.

Le plus silencieusement possible, il se lève et enfile ses chaussettes et son slip, un jean et un sweat. Il faut qu'il aille quelque part. N'importe où.

C'est une compulsion qu'il a parfois.

Aussi sort-il de la maison pour monter dans la voiture de Lisa. Il regrette de ne plus en avoir une bien à lui, mais il va pouvoir en acheter une autre, maintenant, quand tout sera terminé. Quelque chose de sportif, de puissant et d'imposant. Il éteint son portable et s'enfonce dans la nuit noire printanière.

Dan se remémore le béguin qu'il a eu pour une fille de sa classe, Tina Metheney, quand il avait 17 ans. Il en était obsédé. Il la suivait partout au lycée, la fixait pendant les cours, la frôlait dans les couloirs. Il n'était qu'un gosse, un gosse terriblement maladroit, incapable de contrôler les pulsions sexuelles qui l'assaillaient. Il se croyait amoureux. Tina n'appréciait pas, évidemment. Elle lui a demandé de la laisser tranquille, d'arrêter de la dévisager comme ça. C'était plus qu'un simple râteau : elle lui a fait sentir qu'elle le trouvait repoussant, qu'il lui faisait peur, même.

Son père venait de lui offrir sa première voiture et Dan adorait la conduire. À l'époque, il faisait de longs trajets pour échapper à la cocotte-minute familiale. C'était ce qui se rapprochait le plus de la liberté. Plusieurs fois, Dan était passé devant la maison de Tina. Jusqu'au jour où, peu de temps après qu'elle lui eut demandé de lui ficher la paix, Dan a décidé de se garer devant chez elle, en attendant qu'elle rentre. Il voulait lui parler, lui faire comprendre ce qu'il ressentait. Mais quand Tina l'a vu là, à la guetter, elle a refusé de lui adresser la parole. Elle a foncé chez elle pour tout balancer à son père.

Le soir même, M. Metheney a sonné chez les Merton pour se plaindre à Fred du comportement de son fils. Ni une ni deux, Fred est allé chercher Dan, l'a traîné jusqu'à son bureau et lui a passé le savon de sa vie devant le père de Tina. Ce dernier a promis de ne pas porter plainte si Dan se tenait à carreau. *Porter plainte ? Mais pour quelle raison ?* se demandait Dan, assis sur une chaise, les yeux rivés sur le tapis à ses pieds, dans un brouillard de honte, de peur et de colère. Pendant longtemps, l'épisode a cimenté en lui la conviction qu'il n'aurait jamais de petite amie. Il a été humilié par Tina, et par son propre père ensuite, qui a raconté à toute la famille ce qu'il avait fait. « Il a harcelé une fille… Il l'a fait flipper… Elle a failli appeler la police… » Combien de fois son père a-t-il répété cette histoire ?

Après ça, Dan n'osait même plus regarder Tina. Ni aucune autre fille, d'ailleurs. Il se tenait à l'écart. Il craignait qu'elle ait parlé de lui à d'autres filles du lycée, qu'elle l'ait décrit comme un taré. Il trouvait cela si injuste.

Et puis parfois, tard dans la nuit, quand tout le monde dormait, il ressentait le besoin de passer devant sa maison. Souvent, il fallait qu'il s'arrête et se gare en face. Mais le désir et l'adoration n'avaient pas survécu au rejet et à l'humiliation. Il ressentait de la haine à présent, à son égard et à l'égard de toutes les personnes impliquées dans sa disgrâce. Être assis devant chez elle comme ça, sans que personne le sache, lui conférait un sentiment de pouvoir, en quelque sorte : il faisait ce qu'on lui avait interdit.

Maintenant, alors qu'il conduit – c'est presque une thérapie, en fait –, il se surprend à penser à Audrey. Elle sait tout de ce qui s'est passé avec Tina. Audrey le prend pour un type louche, parce que son père a monté l'affaire en épingle, l'a fait passer pour ce qu'il n'était pas.

Depuis ce soir où elle les a menacés chez Catherine, Dan craint qu'elle n'en parle aux détectives, ou à la presse. Il sait qu'elle était la source anonyme de l'article.

Il ne pense pas que la famille de Tina va se manifester pour le traîner dans la boue. Les Metheney sont comme les Merton, riches et très soucieux de leur vie privée. Ils n'auront pas envie qu'on se mêle de leurs affaires. Mais il se demande ce qu'ils disent de lui à table. « Il était tellement flippant... J'ai toujours su qu'il y avait quelque chose qui ne tournait pas rond chez lui. Peut-être qu'il a tué ses parents. »

Dan serre les mains sur le volant et se retrouve devant chez Audrey. La maison est plongée dans le noir. Personne ne peut le voir.

Il se gare et observe.

Audrey a bien trop de choses en tête pour dormir.

Elle sort du lit, va se chercher un verre d'eau dans la cuisine. L'eau du robinet, ça va, elle ne risque rien. Mais tout ce qui était déjà ouvert, que ce soit à boire ou à manger, a atterri à la poubelle.

01 h 22, indique l'horloge de la cuisinière. Debout devant l'évier, elle laisse couler l'eau jusqu'à la bonne température, puis remplit un verre et l'emporte dans le salon. Le clair de lune entre par la fenêtre, lui permettant d'y voir parfaitement sans avoir besoin d'allumer la lumière. Elle s'approche de la fenêtre et regarde dehors.

Une voiture est stationnée dans la rue, pile devant sa maison. Un homme est assis à l'intérieur, juste une ombre dans l'obscurité, qui semble observer son domicile. Surprise et effrayée, elle recule d'un pas. Il a dû l'apercevoir, car sa tête se baisse et son bras s'actionne pour mettre le contact. La voiture s'engage dans la rue et passe brièvement sous un réverbère avant de s'éloigner à toute vitesse.

Elle ne l'a pas bien vu. Mais elle a reconnu la voiture – c'était celle de Lisa. Elle reste appuyée à la fenêtre, le cœur battant. Ça devait être Dan, posté devant chez elle au beau milieu de la nuit.

Est-ce lui qui a essayé de l'empoisonner ? Était-il assis là en attendant de trouver le courage d'entrer par effraction pour savoir si elle était vraiment morte ? Eh bien, il sait, maintenant.

Ou peut-être est-il juste en train de lui jouer un de ses vieux tours.

Ellen Cutter se tortille dans son lit. Elle finit par repousser sa couette et se rend dans la cuisine pour se faire une tisane. L'horloge murale l'informe qu'il est un peu plus de 3 heures du matin. Tout est si calme. Cela lui rappelle l'époque où elle se levait en pleine nuit pour allaiter sa fille, il y a une éternité de cela. Rien que toutes les deux, lovées sur le canapé, dans le noir complet. Elle pense à ce qu'est devenue sa fille, aujourd'hui, stressée et surmenée. Elle n'a pas toujours été comme ça.

Rose a fait des études de droit brillantes après avoir passé quelques années à occuper différents jobs. Et pourtant, elle a du mal à joindre les deux bouts. Si seulement Ellen pouvait l'aider.

Certaines personnes ne se rendent pas compte de leur chance. Audrey, par exemple, qui est venue la voir plus tôt dans la soirée. Elle va recevoir un million de dollars de son frère. Et elle se plaint. Elle estime qu'elle aurait dû toucher beaucoup plus pour avoir gardé le silence pendant toutes ces années sur les actes de Fred. Selon elle, la loyauté mérite récompense.

Quant à cette histoire d'empoisonnement... Ellen ne sait qu'en penser. Elle croit qu'Audrey a bel et bien ingéré du poison. D'ailleurs, elle avait toujours l'air mal en point, ce soir. Les policiers sont venus chez elle, ils ont passé sa maison au crible comme une scène de crime. On ne ment pas sur ce genre de choses – c'est trop énorme, trop risqué –, mais Ellen n'a pas pu s'empêcher de penser : et si son amie s'était empoisonnée toute seule ? Ces meurtres semblent lui avoir fait perdre pied. Elle est tellement remontée, tellement persuadée de la culpabilité de ses neveux, qu'elle s'invente peut-être des choses...

Ellen se remémore le soir où Audrey lui a annoncé que Fred allait modifier son testament en sa faveur. Elle se souvient de la joie d'Audrey et de sa propre jalousie rentrée.

Audrey et elle prétendent ne rien se cacher, mais ce n'est pas vrai. Personne ne dit tout à personne.

Ellen n'a jamais dit à Audrey que Rose était l'enfant de son frère. Elle ne l'a jamais dit à personne d'autre qu'à Fred. Et maintenant, les enfants légitimes de Fred s'apprêtent à hériter d'une fortune. Audrey se sent lésée, mais qu'en est-il d'Ellen, alors ?

Quand Ellen n'arrivait pas à tomber enceinte de son mari, elle a fini par céder aux avances de Fred. Son souhait s'est vite réalisé. En apprenant sa grossesse, Fred s'est mis dans une colère noire, mais il s'est calmé quand il a compris qu'Ellen n'en parlerait jamais à personne. À commencer par son mari, qui n'a jamais su que Rose n'était pas sa fille biologique.

Quand ce dernier a brutalement succombé à une crise cardiaque avant le premier anniversaire de Rose, Ellen est allée voir Fred et lui a demandé de l'argent. Elle n'avait pas besoin de proférer de menaces ; il savait pertinemment qu'elle était en mesure de prouver la filiation. Aussi lui a-t-il régulièrement versé une pension alimentaire, pendant des années. Pas beaucoup, mais suffisamment.

Ellen essaie de ne pas penser à la façon dont Fred a assassiné son propre père de sang-froid, pourtant elle ne peut s'empêcher d'imaginer la scène en boucle. Elle a cherché sur Google la définition de la psychopathie et découvert que c'était un trait au moins partiellement génétique.

Mais sa Rose n'est pas comme ça.

— Ils veulent m'interroger à nouveau, lance Dan à son avocat d'une voix grêle dans laquelle perce la panique. Qu'est-ce que je dois faire ?

— Calmez-vous, l'exhorte Richard Klein à l'autre bout du fil. Que s'est-il passé ?

— Ce foutu inspecteur vient d'appeler et il m'a demandé de revenir au commissariat parce qu'il avait d'autres questions. Je ne suis pas obligé d'y aller, si ?

— Non, mais vous feriez peut-être mieux d'obtempérer. Je serai avec vous. Il faut qu'on découvre ce qu'ils manigancent. Je vous rejoins dans une demi-heure, d'accord ?

— Entendu.

— Et, Dan, n'oubliez pas : je serai là. Ne dites rien en mon absence. Et si je pense que vous ne devriez pas répondre à telle ou telle question, je vous le ferai savoir.

Un peu plus tard, Dan quitte la maison sous le regard de sa femme livide et débarque au commissariat. Son avocat ne tarde pas à l'y rejoindre. Se sentir épaulé par un homme aussi sûr de lui dans son beau costume met un peu de baume au cœur de Dan.

— Pourquoi s'en prennent-ils à moi de la sorte ? demande-t-il. Ça frise le harcèlement ! Ils n'ont aucune preuve, n'est-ce pas ? C'est impossible. Ils sont obligés de vous le dire si c'est le cas, pas vrai ?

— S'ils vous arrêtaient pour meurtre, ils devraient me le faire savoir, oui. Tôt ou tard. Mais vous n'êtes pas en état d'arrestation, Dan. Voyons donc où ils veulent en venir.

Une fois tous installés et le dictaphone allumé, Reyes commence l'interrogatoire sans détour.

— Nous avons un témoin qui vous a vu dans votre voiture à Brecken Hill la nuit des meurtres, vers 22 h 30.

Dan sent ses entrailles se liquéfier et lance un regard effrayé à son avocat.

— Pas de commentaire, dit celui-ci.

Reyes s'incline vers Dan et plonge les yeux dans les siens.

— Écoutez-moi bien. Votre père a vendu son entreprise à votre insu. Vous n'avez pas trouvé de nouveau travail. Vous avez investi la plupart de vos économies – un demi-million de dollars – dans une hypothèque à Brecken Hill et vous n'avez pas pu récupérer l'argent en temps voulu. Vous alliez faire le guet devant cette maison – non loin de celle de vos parents, d'ailleurs – pour la surveiller, nuit après nuit. Le propriétaire vous a vu la nuit de Pâques. C'est un comportement plutôt étrange, Dan. Saviez-vous que vous ne reverriez jamais cet argent ? Quel était votre état d'esprit, Dan ? Étiez-vous en colère ? Désespéré ? Est-ce que c'était la fois de trop ?

Dan a l'impression que tout son sang s'est figé d'un coup.

— Comment ça, je ne reverrai jamais cet argent ? Qu'est-ce que vous racontez ? s'exclame-t-il sur un ton strident.

— Cet argent a disparu, Dan. Il n'y a pas d'hypothèque au 22, Brecken Hill Drive. Le propriétaire n'a jamais entendu parler de vous, ni de votre argent. C'était une arnaque, ourdie par l'avocate Rose Cutter. Mais peut-être le saviez-vous déjà, ajoute Reyes après un temps.

Dan regarde le détective avec stupéfaction. Aucune hypothèque ? Ce n'est pas possible. Il a signé les papiers. Il lui a fait confiance.

Elle lui a menti.

— Je ne savais pas ! lâche-t-il dans ce qui ressemble à un cri.

— Votre père a-t-il refusé de vous donner l'argent dont vous aviez besoin au dîner de Pâques ? Vous nous avez dit que vous n'étiez pas dans le coin de Brecken Hill, mais nous savons maintenant que c'était un mensonge. Vous aviez la combinaison jetable…

— Cet entretien est terminé, lâche Klein en se levant. À moins que vous n'arrêtiez mon client, nous partons.

— Nous ne l'arrêterons pas – pour l'instant, répond Reyes. Une dernière chose, toutefois. Quelqu'un a essayé d'empoisonner votre tante Audrey. Que savez-vous à ce sujet ?

— Rien, répond Dan, et il suit son avocat hors de la pièce sans un mot.

Rose boit son café du matin en regardant par la fenêtre de sa petite cuisine. Elle n'est pas allée au bureau aujourd'hui. À quoi bon ? Les flics sont au courant pour l'arnaque et vont l'inculper. Elle n'a aucun moyen de s'en sortir. Elle va aller en prison, au moins pour une courte période.

La police n'aurait jamais dû être au courant, ni qui que ce soit d'ailleurs. Surtout pas Dan. C'était supposé être un crime sans victime – il allait récupérer son argent, au bout du compte. Mais les choses se sont passées autrement. Et maintenant, ils pensent qu'elle est une criminelle, ils l'accusent de meurtre.

Vont-ils tout découvrir ? Elle sent la peur remonter le long de sa colonne vertébrale. Car il y a d'autres choses.

Elle dépose sa tasse dans l'évier et va choisir sa tenue la plus élégante, se maquille avec soin puis sort de chez elle pour se rendre au cabinet Temple Black. Elle gardera la tête haute aussi longtemps qu'elle le pourra.

Ted se lave les mains quand sa secrétaire vient le trouver.

— Je ne sais pas quoi faire, bredouille-t-elle. Il y a deux détectives qui veulent vous voir.

— Quoi ?

Sa première réaction est la panique. Il ne veut pas leur parler. Mais alors pas du tout.

— J'ai des patients. Dites-leur que je ne suis pas disponible.

La jeune femme sort et il finit de se laver les mains, le cœur battant à tout rompre.

Il doit s'agir des boucles d'oreilles. Il faut qu'il couvre sa femme, il n'a pas le choix. Mais la perspective de mentir de nouveau à la police l'angoisse. Ils savent déjà que c'est un menteur.

Et voilà que la secrétaire réapparaît, les sourcils froncés.

— Ils insistent pour vous voir maintenant.

Il détourne la tête pour cacher l'expression de son visage.

— Envoyez-les dans mon bureau.

Ted prend quelques minutes pour se ressaisir, puis entre dans son bureau d'un pas vif, pour montrer que son temps est compté. Il veut aussi masquer sa nervosité. Il sait que des taches de sueur lui sont apparues sous les bras, visibles à travers sa blouse bleue.

Les inspecteurs Reyes et Barr ont pris place sur les deux chaises devant sa table de travail encombrée.

— Que puis-je faire pour vous ? demande Ted avant même de s'asseoir.

— Nous avons encore quelques questions à vous poser, répond Reyes.

— Bien sûr, mais je n'ai pas beaucoup de temps, alors…

— Comme vous le savez, des objets ont disparu du domicile des Merton la nuit des meurtres. Quelques-uns des bijoux de Sheila. Nous avons un inventaire à disposition. Quand nous avons fouillé votre maison, nous avons trouvé dans la boîte à bijoux de votre femme une paire de boucles d'oreilles qui figurait sur cet inventaire.

— Oh, oui, je suis au courant, dit Ted, en essayant de paraître décontracté tandis qu'il s'assied à son tour. Catherine a emprunté ces boucles d'oreilles à sa mère il y a quelques semaines.

— Elle vous l'a dit ? demande Reyes. Ou vous vous en souvenez ?

Ted se sent rougir, il ne sait pas quoi répondre.

— C'est simple, insiste l'inspectrice Barr. Avez-vous vu ces boucles aux oreilles de votre femme avant les meurtres ?

— Oui, je les ai vues.

— Alors vous pouvez sûrement nous les décrire, renchérit Reyes.

Évidemment, il en est incapable. Il les regarde, hagard. Pourquoi diable Catherine ne lui a-t-elle pas dit à quoi ressemblaient ces satanées boucles d'oreilles ?

— Je ne me souviens pas, admet-il finalement, honteux et rougissant de plus

belle. Mais je sais qu'elle les a empruntées.

— Je vois, dit Reyes en se levant.
Nous en avons fini dans ce cas.

Alors que les deux détectives s'apprêtent à pousser la porte, Ted lance d'une
voix forte :

— Catherine n'avait aucune raison de
faire du mal à ses parents. Nous sommes
à l'aise financièrement.

Puis il ajoute :

— Catherine m'en voudrait de dire
cela, mais j'ai bien peur qu'il ne vous
faille creuser du côté de Dan.

Reyes se retourne pour lui faire face.

— Fred Merton avait décidé de modifier son testament pour donner à sa sœur
Audrey la moitié de son patrimoine, ce
qui aurait eu pour effet de réduire subs-
tantiellement la part de votre femme.

— C'est ce qu'Audrey prétend, proteste Ted, mais personne n'y croit.

— Moi, si, contre Reyes. Fred était
mourant. Il a peut-être dit quelque chose à
votre femme – ou à un autre de ses enfants.
Ou alors Sheila, si elle était au courant de

ses plans. C'est un motif suffisant à mes yeux.

Ted attend d'entendre les détectives quitter le bâtiment pour se lever et fermer la porte de son bureau. Il voudrait la claquer, mais il se retient. Il fait les cent pas dans la petite pièce en repensant à l'air suffisant de ce Reyes. Ils n'ont pas cru un mot de son bobard sur les boucles d'oreilles. Ils agissent comme s'ils pensaient Catherine coupable, mais c'est insensé. C'est forcément Dan. C'est celui qui a le mobile le plus évident. Alors pourquoi s'intéressent-ils de si près à sa femme ?

Ted s'affaisse dans son fauteuil, soudain épuisé, ignorant les patients qui l'attendent.

Il repense à ce soir-là, ce dimanche de Pâques chez les parents de Catherine. Sheila avait annoncé qu'elle avait quelque chose à leur dire, mais ils ont été interrompus par l'arrivée de Dan. S'agissait-il d'Audrey et du testament ? Plus tard, Catherine lui avait pourtant assuré que c'était des subsides de Jenna que sa mère voulait parler – du moins l'a-t-elle prétendu le lendemain matin. Ce n'est que bien après qu'elle a avoué que ses parents étaient déjà morts à son arrivée.

Son estomac se contracte, il est pris de vertiges.

Un autre souvenir lui revient en mémoire à propos de cette nuit, un détail qu'il avait oublié. Quand il était assis sur le canapé avec Jake, et que Dan se tenait dans un coin du salon, discutant avec son père, Catherine et sa mère avaient descendu l'escalier toutes les deux. Il l'avait à peine remarqué, parce qu'il écoutait la conversation entre Dan et son père. Sheila lui avait-elle parlé d'Audrey et du testament quand elles étaient à l'étage ?

Peut-être que Catherine était au courant, après tout.

Il repense à l'importance que Catherine a toujours accordée à cette maison. À la façon dont elle est attachée aux choses matérielles. Les belles demeures, les boucles d'oreilles. Elle a laissé son téléphone portable à la maison ce soir-là.

Il se redresse et tente de se ressaisir.

48

Alors qu'elle franchit les lourdes portes vitrées du cabinet Temple Black, Rose songe que c'est exactement le genre d'endroits dans lequel elle a toujours rêvé travailler – un cabinet qui respire l'argent, le pouvoir et la réussite. Autre chose que son gourbi en rez-de-chaussée barré d'un panneau « Tous les clients sont les bienvenus ». Elle aurait dû rejoindre une grande boîte comme celle-ci plutôt que de se lancer à son compte, mais à l'époque de ses recherches d'emploi, elle n'avait reçu aucune offre. Elle ne se serait sûrement pas mise dans le pétrin de la sorte si un supérieur avait gardé un œil sur son travail. On met toujours en garde les praticiens isolés contre ces dérives. Mais il est trop tard pour ruminer tout cela.

Alors qu'elle suit la réceptionniste dans le couloir qui mène au bureau de Walter Temple, Rose jette un coup d'œil à travers la vitre de l'une des salles de réunion et reconnaît une amie de la fac de droit, Janet Shewcuk. Quand elle l'aperçoit, Janet détourne rapidement le regard.

Walter Temple, que Rose n'a jamais rencontré, l'accueille chaleureusement. Il ne doit pas encore savoir pour l'argent de Dan.

— Madame Cutter, lance-t-il, merci d'être venue.

Elle lui adresse un sourire hésitant.

— La police m'a dit hier... à propos du testament, avance-t-elle en s'asseyant en face de lui.

Temple opine du chef.

— C'est une bonne nouvelle pour vous, même si, j'imagine, un peu perturbante.

— C'est donc vrai ? demande-t-elle en ouvrant de grands yeux.

— Oui, vous avez été désignée comme bénéficiaire dans le testament de Fred Merton.

L'homme se racle la gorge.

— Je ne crois pas que vous saviez qu'il était votre père biologique.

— Non, en effet, dit-elle en secouant la tête, avant de s'entendre détailler ce dont elle va hériter, ce qui la cloue sur place.

— Je n'avais aucune idée de tout cela, commente-t-elle quand Walter Temple en a terminé, les yeux fixés sur le plateau du bureau. Je ne savais pas qu'il était mon père. C'est… c'est inimaginable.

Au moment où elle s'apprête à partir, Walter lui glisse, sur un ton d'avertissement :

— Vous devriez vous préparer. Les autres héritiers ne sont pas franchement ravis.

— Il faut qu'on parle, maman, lance Rose en franchissant le seuil de chez sa mère, chez qui elle s'est aussitôt rendue en sortant de son rendez-vous.

Ellen semble surprise de cette visite.

— Qu'est-ce qu'il y a ? demande-t-elle une fois qu'elles sont toutes les deux installées dans le petit salon.

— Papa n'était pas mon vrai père, n'est-ce pas ? fait Rose, accusatrice, défiant sa mère du regard.

Le visage d'Ellen se couvre d'un voile de tristesse, à laquelle se mêle de la crainte.

— Non, il ne l'était pas, murmure-t-elle en se penchant en avant. Ton père ne pouvait pas avoir d'enfant, ajoute-t-elle après une hésitation. J'ai donc trouvé quelqu'un d'autre.

— Tu as eu une relation adultère, quoi.

— Je voulais tellement un enfant, Rose, gémit Ellen sur un ton suppliant. Tellement. C'était la seule solution.

Rose dévisage sa mère. Elle n'a pas connu l'homme qu'elle croyait être son père. Il n'empêche, ce n'est jamais anodin d'apprendre ce genre de choses sur ses parents. Ni sur soi-même...

— Je viens de découvrir qui était mon vrai père.

— Comment ? s'étonne Ellen.

— Fred Merton m'a désignée comme l'une des bénéficiaires de sa succession, annonce-t-elle en voyant l'expression de

sa mère passer de l'étonnement à la satisfaction.

— Il a fait ça ? Combien t'a-t-il
laissé ?

— Environ 8 millions, répond Rose,
qui a toujours du mal à y croire. La même
chose que les autres enfants.

— La même chose... Oh mon Dieu,
commente Ellen, extatique à présent. Je
n'avais aucune idée qu'il allait te coucher
dans son testament !

La mère saisit la main de sa fille pour
la presser dans la sienne.

— C'est merveilleux, Rose ! C'est
parce que tu es sa chair et son sang, au
même titre que les trois autres. Tu mérites
une part égale de sa richesse, s'écrie-t-
elle. Il a toujours su que tu étais de lui.
Et il m'a donné de l'argent pour ton éducation, tous les mois depuis ton plus jeune
âge jusqu'à la fin de tes études de droit.
Je suis désolée de te l'avoir caché, ajoute-
t-elle, en changeant de ton. J'aurais peut-
être dû te le dire. Mais il ne le souhaitait
pas et je ne voulais pas faire de vagues. Au
début, j'avais peur qu'il arrête d'envoyer

de l'argent, alors que j'en avais besoin. Et après ça, je crois que j'ai été lâche, tout simplement.

Rose ressent un frémissement dans son ventre. C'est le genre de rêve que nourrit toute fille élevée au milieu des riches par une mère célibataire. Comme un conte de fées. Mais tous les contes de fées ne sont-ils pas teintés de noirceur ?

— Ils ne t'accepteront peut-être pas tout de suite comme une sœur, déclare Ellen, même si Catherine est une amie, mais je suis sûre qu'ils finiront par changer d'avis. Oh, ma chérie, ça va te changer la vie !

Rose n'écoute déjà plus qu'à moitié.

Lisa erre dans sa maison, engourdie et désorientée. Cela fait une semaine exactement que les corps de Fred et Sheila ont été découverts. Elle essaie de se comporter normalement, mais c'est difficile.

Dan est revenu à cran de son rendez-vous au commissariat. Il n'a pas voulu lui dire pourquoi au début, mais elle lui a arraché les vers du nez et il a fini par admettre que les policiers avaient un témoin qui l'avait vu à Brecken Hill la nuit des meurtres.

Ils étaient installés dans le salon, lui sur le canapé et elle dans le fauteuil. C'est à ce moment-là qu'elle a réalisé qu'elle avait mis de la distance, dernièrement, avec son mari. Depuis quand exactement a-t-elle cessé de s'asseoir à côté de lui, la main sur son épaule, pour lui témoigner son soutien ?

— C'est vrai ? a-t-elle demandé, à la fois horrifiée et un peu amère.

Les combinaisons jetables l'avaient inquiétée, certes, mais il y avait une explication parfaitement raisonnable à leur présence dans le garage. Et quand Dan lui avait assuré qu'il n'avait pas roulé du côté de Brecken Hill, elle l'avait cru.

— Oui, admit-il. Mais je peux tout expliquer.

Tandis qu'elle l'écoutait la supplier de le croire, elle a passé en revue toutes ses options.

— Je ne suis pas retourné chez mes parents, je te le jure.

Il s'est alors mis à lui raconter l'escroquerie de Rose Cutter, l'argent envolé, le témoignage du propriétaire de la fausse hypothèque, et elle est restée là à se dire que son mari n'était qu'un imbécile, pour s'être fait rouler ainsi dans la farine et avoir perdu un demi-million de dollars en un claquement de doigts. Peut-être que son père avait raison à son sujet, au fond.

Mais... s'il n'était pas condamné et qu'il héritait de tout cet argent, alors ils seraient riches. Et elle n'était pas obligée de rester mariée avec lui toute sa vie.

— J'ai été jusqu'à cette maison à Brecken Hill et je suis resté garé devant pour réfléchir. J'étais tellement furieux contre moi-même d'avoir bloqué tout notre argent – même si je ne savais évidemment pas que nous en aurions besoin si tôt. Les flics pensent que j'étais au courant pour Rose, que je ne reverrai jamais mon fric, ce qui corrobore l'hypothèse selon laquelle ce serait moi l'assassin. Quelle salope ! s'écrie-t-il en se levant. Tout est de sa faute ! Si elle ne m'avait pas poussé à conclure cette affaire, nous n'en serions pas là !

Lisa comprend ce qu'il veut dire. Ils avaient un demi-million de dollars en actions qu'il avait débloquées sans lui en parler, et il s'était fait avoir. Cette somme aurait pu leur permettre de vivre plus que convenablement pendant un moment, jusqu'à ce qu'il trouve une nouvelle situation. Et voilà que cet argent a disparu. À cause de Rose Cutter, réalise-t-elle soudain, son mari a peut-être été poussé au meurtre.

Elle ne peut plus penser à autre chose, désormais. Dan est allé au garage, pour essayer de se changer les idées, tandis qu'elle range distraitement la maison, l'esprit encombré. Elle songe à la façon dont une chose peut parfois en entraîner une autre...

49

Irena serre son chat contre elle en l'écoutant ronronner tandis que le soir tombe. L'appel de Catherine de la veille lui a fait plaisir, bien sûr, mais elle aurait apprécié que la jeune femme vienne lui annoncer la nouvelle en personne. Elle a conscience d'être devenue un élément périphérique de la vie des Merton. Ça la blesse, après tout ce qu'elle a fait pour eux. Mais elle s'efforce de faire taire son orgueil.

D'ailleurs, c'est elle qui a fini par aller frapper chez Catherine, plus tôt dans la soirée. Elle voulait savoir comment ils tenaient tous le coup, et Catherine est toujours la mieux informée. Quand cette dernière lui a parlé du propriétaire de la villa à Brecken Hill et de son témoignage attestant de la présence de Dan dans le quartier, la nuit du crime, Irena a senti un frisson lui parcourir l'échine.

Elle n'arrête pas de ressasser sa dernière entrevue avec les détectives, quand elle a admis à contrecœur que n'importe lequel des trois enfants était capable d'un tel geste. Fred adorait les monter les uns contre les autres, convaincu qu'il y avait toujours des gagnants et des perdants dans les relations fraternelles. Chaque situation ne pouvait avoir qu'un seul vainqueur, ainsi faisait-il sans cesse régner un climat de compétition. Et à présent que la situation de Dan vire au vinaigre, Irena n'est pas si sûre que Catherine s'en soucie réellement. Jenna non plus. Comme toujours, leur frère est laissé pour compte.

Depuis son réveil ce mercredi matin, Ellen se prépare mentalement : Audrey va arriver d'un moment à l'autre pour leur café habituel, et elle n'est pas sûre que son amie goûtera ce qu'elle s'apprête à lui dire. Mais Audrey finira de toute façon par l'apprendre, donc autant que ce soit par elle.

D'un côté, son amie n'appréciera peut-être pas le fait de découvrir que Rose est non seulement sa nièce, mais qu'elle touchera une plus grosse part d'héritage qu'elle. De l'autre, elle se réjouira peut-être que ses trois neveux trop gâtés se retrouvent obligés de partager leur butin en quatre. Ils n'aiment pas partager. Et puis Audrey a toujours adoré Rose. Peut-être sera-t-elle heureuse, dans le fond.

En revanche, les relations risquent de se tendre entre sa fille et les enfants Merton — peut-être pas avec Catherine, mais avec les deux autres, certainement. Ellen espère qu'Audrey sera du côté de Rose.

Seulement son amie a tellement changé, ces derniers temps… Elle a des réactions extrêmes qui ne lui ressemblent pas, et Ellen ne peut s'empêcher d'être nerveuse.

Pour le deuxième jour consécutif, Rose se fait porter pâle au bureau. Prétextant un gros rhume, elle appelle Kelly pour lui demander d'assurer la permanence à l'accueil et d'annuler tous ses rendez-vous. Elle n'a envie de voir personne. Sa carrière d'avocate sera bientôt fichue, de toute façon, et le cabinet fermera ses portes. Elle espère pouvoir éviter la prison. Avec l'héritage, elle sera en mesure de payer des dédommagements, et cela peut jouer en sa faveur auprès du tribunal.

Et puis elle va toucher plus d'argent qu'elle n'en a jamais rêvé, alors pourquoi s'embêterait-elle à remettre les pieds dans son petit cabinet merdique ?

Il n'empêche, elle ne cesse de repenser aux détectives, à son entretien avec Walter Temple, rongée par l'anxiété.

Plus tard dans la matinée, Reyes apprend qu'Audrey Stancik s'est présentée à l'accueil du commissariat et demande à être reçue.

— Est-ce que l'enquête avance sur la tentative d'assassinat dont j'ai fait l'objet ? demande-t-elle sans détour lorsque Reyes lui ouvre la porte de son bureau.

Elle a déjà meilleure mine, remarque-t-il. Son teint a repris des couleurs.

— Il y avait bien de l'antigel dans le thé glacé, répond Reyes, mais rien sur l'individu qui aurait pu s'introduire chez vous.

La femme pousse un long soupir théâtral, visiblement déçue de sa réponse.

— Hier soir, Dan Merton était garé en face de chez moi dans la voiture de sa femme et surveillait ma maison.

— Vous êtes sûre que c'était lui ?

— Absolument. C'est un truc qu'il fait souvent, vous savez. Je vous l'ai déjà dit, déclare-t-elle d'un ton sec avant d'ajouter : Mais j'ai d'autres informations qui pourraient vous intéresser, à mon avis. J'imagine que vous savez déjà que Rose Cutter est la fille naturelle de Fred et qu'elle figure dans son testament.

— En effet.

— Eh bien, dit Audrey avec un petit grognement dépité, moi, je viens de l'apprendre. Sa mère, Ellen Cutter, est une amie. Je la connais depuis près de quarante ans. Elle a été la secrétaire de mon frère il y a longtemps. C'est là que nous nous sommes rencontrées. Nous travaillions toutes les deux pour Fred, à l'époque.

Elle marque une pause avant de poursuivre :

— C'est juste que… Ellen savait que Fred voulait changer son testament. Je lui en ai parlé le soir même après qu'il me l'a annoncé. Et je ne la crois pas une seconde quand elle prétend ignorer que Rose était mentionnée. Il l'a forcément dit à Ellen, qui l'aura répété à Rose.

— Qu'est-ce qui vous fait dire cela ?

— Fred aimait le faire savoir quand il vous rendait service. Tout comme quand il vous mettait des bâtons dans les roues. Il adorait le fait d'avoir du pouvoir sur les gens, d'être capable de donner ou de reprendre comme bon lui semblait. Si vous l'aviez connu, vous comprendriez ce que je veux dire par là.

lions toutes les deux pour Fred, à l'époque.

Elle marque une pause avant de poursuivre :

— C'est juste que... Ellen savait que
Fred voulait changer son testament. Je lui

50

Alors qu'elle essaie tant bien que mal de profiter de sa journée off, Rose sursaute en entendant de brusques coups frappés à sa porte. Tout son corps se crispe. Elle devrait peut-être faire la morte. Mais les coups s'intensifient et une voix familière crie à travers le battant :

— Je sais que tu es là, Rose ! Je suis passée à ton bureau et ta voiture est dans l'allée.

À contrecœur, Rose se lève pour ouvrir à Catherine. Il fallait bien qu'elles se parlent tôt ou tard. En s'écartant pour la laisser entrer, elle essaie de déchiffrer l'expression de son amie. Mais cette dernière a toujours été difficile à cerner.

— On peut s'asseoir ? demande Catherine.

— Bien sûr, répond Rose en se dirigeant vers le salon, meublé de deux petits fauteuils dans lesquels elles s'installent et d'une table basse.

— Alors, commence la jeune femme quand Rose garde le silence, incapable de parler la première. Je suis supposée croire que tu es ma demi-sœur.

— Oh, Catherine, fait Rose, j'imagine comme cette nouvelle doit te bouleverser. Moi-même, je tombe des nues. Ma mère m'a tout avoué hier, après que je lui ai dit pour le testament.

Pleine de mépris, Catherine détourne le regard. Rose comprend alors que, malgré toutes ses espérances, Catherine n'est visiblement pas près de l'accueillir à bras ouverts. Jusqu'au bout, Rose avait été persuadée que leur lien amical pouvait très bien évoluer en lien familial. Walter l'avait pourtant mise en garde.

Son appréhension augmente d'un cran, et elle a presque du mal à respirer.

— Je suis désolée, Catherine, s'empresse-t-elle de dire. Ça a dû être un choc pour tous les trois. Je ne veux pas vous faire du tort. Tu es mon amie.

— Ton amie ? s'esclaffe Catherine. Tu as volé l'argent de Dan ! Oh oui, je suis au courant de tout. Quel genre d'amie se comporte ainsi ? Comment as-tu pu ? siffle-t-elle en se penchant vers elle.

— Ce n'est pas ce que tu crois, Catherine, proteste Rose avec désespoir. J'ai juste… je lui ai emprunté de l'argent. J'allais le lui rendre. Personne n'était censé le découvrir.

— Eh bien trop tard, tout le monde le sait, cingle Catherine. Alors rembourse-le, maintenant.

— Je ne peux pas, murmure Rose en baissant les yeux. Je n'ai pas les fonds. Pas encore.

— Quoi ?

— J'ai fait des mauvais placements et j'en ai perdu la plus grande partie.

— Comment tu as pu faire une chose pareille ? rage Catherine.

— Comment ? Je vais te dire comment ! riposte Rose, retrouvant enfin son courage. Je n'ai pas eu ta chance. Je n'avais ni argent ni relations. Tout ce que j'ai, je l'ai obtenu à la sueur de mon front. Et ça a fait de moi quelqu'un de cupide et d'impatient. Tu ne peux pas comprendre.

Puis elle penche la tête sur le côté pour toiser Catherine et reprend, en baissant la voix :

— Ou peut-être que si. Peut-être que toi-même, tu as été cupide et impatiente et que tu as assassiné tes propres parents. C'est ça qui s'est passé, Catherine ? Ou alors était-ce Dan ?

Catherine lui retourne un regard glacial et se lève précipitamment.

— On te traînera en justice s'il le faut, pour récupérer ce que tu dois à mon frère, crache-t-elle au visage de Rose, qui est restée assise. Et tu écoperas de la peine maximum. Crois-moi, j'en fais une affaire personnelle. Tu ne seras jamais, je dis bien jamais, acceptée dans notre famille.

Audrey revient du commissariat, l'esprit en ébullition. Elle n'a pas menti aux inspecteurs : elle est certaine que Fred a parlé du testament à Ellen. Et Ellen, à

Rose. Or, cette dernière a hérité des mêmes gènes détraqués que sa fratrie. Ce qui signifie que n'importe lequel des quatre enfants a pu commettre les meurtres. Mais le plus dur, dans tout ça, c'est le sentiment de trahison. Audrey considérait Ellen comme sa meilleure amie.

Rose serait-elle capable de tuer ? Ellen est peut-être en train de se poser la même question. Si c'est le cas, bien fait pour elle. Qu'elle se dépatouille toute seule avec ses angoisses. Audrey rend grâce au ciel de n'avoir jamais eu de souci à se faire pour sa propre fille.

Jenna se traîne hors du lit de Jake pour se rhabiller. C'est la fin de l'après-midi, mais elle est venue à New York lui rendre visite et, comme d'habitude, ils se sont retrouvés au lit en moins de temps qu'il n'en faut pour le dire. Résultat, les draps sont maculés de peinture. Jake va devoir en racheter d'autres.

Elle est en train de se servir un jus de fruits au frigo quand il entre dans la cuisine, en reboutonnant son jean. *Tou-*

jours aussi canon, songe-t-elle en l'admi-
rant.

— Il faut que je te parle de quelque
chose, fait-il, avec une intonation dans la
voix qui lui met la puce à l'oreille.

— Quoi donc ? dit-elle par-dessus son
épaule en se forçant à sourire, feignant la
désinvolture.

— Je suis un peu à court ce mois-
ci.

— Comment ça ? demande-t-elle
alors qu'elle a très bien compris.

— Ces connards ont encore aug-
menté mon loyer et je n'ai plus de quoi le
payer.

Bon sang, pense-t-elle, *il n'a pas perdu
de temps.* Ça fait quoi ? Huit ? Neuf jours
que ses parents ont été assassinés ?

Lui tournant le dos, elle prend le temps
de ranger le jus, puis referme la porte du
frigo. Comment réagir ? Elle hésite.

— Ils ont le droit de faire ça ? reprend-
elle en jouant la montre. L'augmenter sans
préavis ?

— Je parle de mon atelier. Ils peuvent
faire ce qu'ils veulent.

C'est vrai : elle a vu son atelier, tout se fait au black.

— Je ne peux pas perdre mon atelier, dit-il, avec un peu plus d'intensité cette fois.

Il n'aime pas qu'elle le fasse poireauter, manifestement. Il s'attendait sans doute à ce qu'elle lui ouvre son portefeuille sans poser de questions. Mais c'est une chorégraphie délicate qu'ils viennent d'entamer, qui donnera le ton pour la suite. Qu'ils forment un jour un couple ou non, tous deux savent que Jenna a de l'argent – et en aura *beaucoup* plus encore dans peu de temps – et qu'il a menti aux flics pour elle. Il a été témoin de cette horrible dispute avec ses parents quelques heures avant leur mort et il a dit à la police qu'il était resté avec elle toute la nuit. Cela mérite rétribution, c'est incontestable. Mais tout de même, elle n'aime pas qu'on lui force la main.

— Combien il te faut ? s'enquiert-elle comme si cela ne la dérangeait pas le moins du monde, comme si c'était naturel entre amants de s'entraider.

Quelques centaines de dollars devraient suffire à le maintenir à flot.

— Cinq mille, ça te semble jouable ?

Elle se retourne vers lui, surprise.

— Combien coûte ton loyer ?

— C'est juste que j'aimerais avoir un peu de rab, pour être tranquille, répond-il en croisant son regard. Tu sais que je suis sur un gros projet d'installation. Je ne peux pas déménager maintenant.

Nous y voilà. Il ne lui demande pas ce dont il a besoin, mais ce qu'il veut. Et il voudra toujours plus.

— Je n'ai pas ça sous la main, rétorque-t-elle.

— Je sais. Mais tu peux le trouver, maintenant, pas vrai ?

Elle remarque le « maintenant ».

— J'imagine que je peux demander une avance à Walter, admet-elle.

— Super, fait-il en hochant la tête. Bon, il faut que j'y aille. Je voudrais avancer à l'atelier. Reste aussi longtemps que tu veux.

Puis il s'approche d'elle pour lui offrir un long baiser sensuel qu'elle fait semblant de savourer. Mais quand il quitte son appartement, elle reste de longues minutes à fixer la porte close.

51

En s'approchant de la maisonnette modeste mais bien entretenue d'Ellen Cutter, Reyes se demande quel genre de femme elle est. Ce qui est sûr, c'est qu'elle sait garder un secret.

Une femme d'une soixantaine d'années leur ouvre la porte. Après lui avoir montré leurs badges, les deux inspecteurs demandent la permission d'entrer.

— Nous enquêtons sur les meurtres de Fred et Sheila Merton, commence Reyes une fois qu'ils sont tous installés dans le salon. Nous avons cru comprendre que votre fille, Rose, est l'enfant biologique de Fred Merton.

— C'est exact, répond Ellen avec un soupçon de brusquerie.

— Nous ne sommes pas là pour le mettre en doute, assure Reyes. Mais votre fille se retrouve bénéficiaire de l'héritage de Fred Merton au même titre que ses trois enfants légitimes.

— Oui, je l'ai appris hier par Rose et cela m'a fait un choc.

— Vous n'en aviez vraiment aucune idée ?

— Aucune.

— Où étiez-vous la nuit du 21 avril ?

Elle semble décontenancée.

— Pourquoi cette question ? fait-elle, sans obtenir de réponse. J'étais ici, chez moi. Ma sœur et ma fille sont venues pour le dîner, puis Rose est partie et ma sœur est restée dormir à la maison. Elle vit à Albany. Mais pourquoi me demandez-vous cela ?

Reyes et Barr se contentent de la regarder fixement.

— Vous vous demandez si je les ai tués, c'est ça ? fait-elle avec un rire nerveux. C'est ridicule.

— Fred Merton avait décidé de modifier son testament, explique Reyes, de priver ses enfants de la moitié de sa fortune.

— Comment aurais-je pu le savoir ?

— Parce que votre amie Audrey Stancik vous l'a dit.

La sexagénaire semble perdre un peu de sa contenance.

— Peut-être qu'elle m'en a touché un mot, oui. Je ne me souviens plus, affirme-t-elle, faussement désinvolte. Mais je ne savais pas du tout que Rose figurait sur le testament. Je n'ai rien à voir avec ça.

À dessein, Reyes laisse le silence s'installer, curieux de voir si elle cherchera à le combler. Ce qu'elle fait.

— Ma sœur est restée dormir ici, comme je vous l'ai dit. Elle n'est rentrée chez elle que le lendemain matin. Vous pouvez lui poser la question.

— Et Rose ? Quand est-elle partie ?

— Vers 20 heures.

Elle doit lire sur leurs visages ce qu'ils en pensent, car elle ajoute aussitôt :

— Rose n'a appris l'identité de son père biologique qu'après la mort de Fred. Ma fille n'a rien à voir avec ça, soutient-elle avec une certaine arrogance. Vous devriez plutôt vous intéresser aux enfants, à ceux qui savaient qu'ils allaient hériter.

Reyes n'informe pas Ellen Cutter que sa fille est sur le point d'être arrêtée pour escroquerie. Il laisse l'intéressée s'en charger. Mais il ne peut s'empêcher de lui glisser, au moment de prendre congé :

— Il se peut que vous ne connaissiez pas votre fille aussi bien que vous le pensez.

Audrey est derrière tout ça, se dit Ellen en voyant les policiers s'éloigner. Elle a parlé aux détectives, elle les a prises pour cibles, elle et sa fille, parce qu'elle n'a pas supporté la nouvelle concernant Rose et l'héritage. C'est de la folie. Dire qu'Audrey était l'une de ses meilleures amies. Ne peut-on vraiment faire confiance à personne ? Elle essaie de joindre sa fille, mais tombe sur le répondeur.

Walter Temple voit Janet Shewcuk passer devant son bureau, la tête baissée. Il la suit du regard et réalise soudain que sa jeune collaboratrice l'évite depuis plusieurs jours. Le sentiment de malaise qu'il éprouve depuis le début des événements s'est encore accentué dernièrement. Quelque chose le tarabuste, qui pourrait bien être lié à sa rencontre avec Rose Cutter. Il retourne à son écran et recherche dans quelle fac de droit la jeune femme a étudié. Puis il fait de même avec Janet Shewcuk.

L'avocat se laisse retomber au fond de son grand fauteuil en cuir, redoutant ce qu'il va devoir faire. Un long moment, il garde les yeux fermés, en se demandant si ce ne serait pas préférable de ne pas s'en mêler. Mais il finit par les ouvrir, sort une carte de visite d'un tiroir et compose le numéro de l'inspecteur Reyes.

Dès leur arrivée, Reyes et Barr sont conduits au bureau de Walter Temple. L'homme paraît préoccupé, comme si quelque chose le minait.

— Que se passe-t-il ? demande le détective.

— Il y a deux ou trois mois, soupire Walter, j'ai demandé à ma jeune collaboratrice, Janet Shewcuk, de relire les testaments de Fred et Sheila Merton. Cela faisait cinq ans qu'ils n'y avaient pas jeté un œil, et c'est l'usage de les passer en revue régulièrement.

— On vous écoute.

— Hier, Rose Cutter est venue me rendre visite à propos de la succession de Fred. Mais il y avait quelque chose qui clochait.

— Comme quoi ?

— Je ne sais pas, fait Walter en secouant la tête. Quelque chose sonnait faux. Je n'arrivais pas à croire qu'elle n'était au courant de rien.

Il se mord la lèvre d'un air songeur et reprend :

— Je n'arrête pas d'y repenser. Et puis tout à l'heure, en faisant quelques recherches, j'ai découvert que Janet et Rose avaient fréquenté la même université.

— Vous pensez qu'elles se connaissaient ? Que votre collaboratrice aurait pu dévoiler à Rose le contenu du testament ?

Walter hoche piteusement la tête.

— Je me suis dit qu'il valait mieux que vous lui posiez directement la question.

— Eh bien allons-y, lance Reyes, tandis que son pouls s'accélère.

— Je vais la chercher, propose Walter en quittant son bureau.

La jeune femme blonde avec laquelle il est de retour quelques minutes plus tard porte un tailleur-pantalon gris et une élégante queue-de-cheval. Elle s'assied, en proie à une nervosité visible – laquelle se transforme en véritable panique quand son patron lui présente les deux inconnus. Tandis que Reyes prend le relais pour expliquer qu'ils sont chargés de l'enquête sur le double homicide des Merton, Janet se met carrément à trembler.

— Si je comprends bien, vous vous êtes occupée des testaments des époux Merton ? précise Reyes.

— Je les ai examinés, oui, fait la jeune avocate après un temps, le visage rouge pivoine.

— Connaîtriez-vous Rose Cutter, par hasard ? renchérit Reyes.

Elle déglutit, cligne rapidement des yeux.

— Nous avons fait nos études de droit ensemble.

— Je vois, dit Reyes.

Au bord des larmes, l'avocate jette un coup d'œil à son employeur.

— Et vous lui avez dit qu'elle était l'une des héritières de Fred Merton, reprend-il.

La jeune femme éclate alors en sanglots, sous le regard consterné de Walter qui lui tend un mouchoir. Pendant quelques secondes, on n'entend que ses pleurs convulsifs.

— Je sais que c'était une violation du secret professionnel, parvient-elle enfin à articuler. J'aurais dû tenir ma langue. Mais Rose est avocate, elle aussi, ajoute-t-elle, le visage dévasté. Elle n'aurait rien dit. Je ne pensais pas que ça nuirait à qui que ce soit. Comment pouvais-je savoir qu'ils allaient être assassinés ? lance-t-elle avec un regard rempli de détresse.

488

— Et quand en avez-vous parlé à Rose ?

— Il y a deux mois, peut-être ? Ça m'a fait un tel choc de voir son nom dans le testament. Je n'avais pas du tout l'intention de lui dire, au début. Mais nous sommes sorties un soir, et j'ai un peu trop forcé sur le vin.

Reyes jette un coup d'œil au visage de Walter, transformé par la colère.

— Après les meurtres, interroge l'inspecteur, est-ce que Rose vous a demandé de garder ça pour vous ?

— Non, c'était inutile, répond Janet, la tête basse. Nous savions toutes les deux que cela aurait ruiné ma carrière. Mais…

Elle relève la tête pour scruter leur expression, et demande :

— Vous ne pensez tout de même pas que c'est elle qui les a tués ?

52

Rose se tient devant la porte de chez sa mère. Elle n'a vraiment pas envie de lui parler, mais elle sait qu'elle n'a pas le choix. Ellen a cherché à plusieurs reprises à la joindre.

— Ma chérie, je suis soulagée que tu sois là, dit cette dernière, effectivement bouleversée. Je n'ai pas réussi à t'avoir au téléphone.

— Je sais, j'étais occupée, ment Rose.

— La police est venue me voir.

— Quoi ?

— À propos de Fred et Sheila.

— Qu'est-ce que tu racontes ? demande Rose, prise au dépourvu, en la suivant dans le salon où un verre de vin vide est posé sur la table. À mesure que sa mère parle, Rose sent son inquiétude augmenter.

— Juste parce que je savais que Fred allait changer son testament en faveur d'Audrey, ils ont eu le culot de suggérer que c'est moi qui avais fait le coup, pour protéger tes intérêts. Je ne savais même pas que tu figurais sur le testament ! Ils m'ont demandé si j'avais un alibi.

— Ils ne peuvent pas être sérieux, s'indigne Rose en s'asseyant à côté de sa mère.

— Heureusement que Barbara est restée ici toute la nuit... Ils m'ont posé des questions sur toi, aussi, ajoute Ellen en se tournant vers sa fille. Mais je leur ai dit que tu n'as su la vérité qu'après la mort de Fred.

Rose a encore la nausée en repensant à l'interrogatoire.

— Je suis allée me coucher après le dîner, dit-elle, saisie de vertiges. Je n'ai pas d'alibi.

— Je ne m'inquiéterais pas trop, si j'étais toi, tente de la rassurer sa mère. Ils ne peuvent pas te soupçonner. Tu ne savais rien. Tu as déjà parlé à Catherine ?

Mais Rose n'écoute pas. Ses entrailles sont nouées.

— Rose ?

— Il faut que je te dise quelque chose, lâche la jeune femme.

Dès leur retour au poste, Reyes et Barr sont pris à partie par un officier surexcité qui les traîne jusqu'à un ordinateur.

— J'y crois pas, lâche Reyes après avoir regardé l'écran, en donnant une tape dans le dos de l'agent. Bon travail.

Ellen fait les cent pas dans son salon, horrifiée par sa fille et par ce qu'elle a fait.

Quand Rose lui a raconté le pétrin dans lequel elle s'était fourrée avec l'argent de Dan, elle n'en a pas cru ses oreilles. Pendant un moment, elle n'a pas réussi à faire sortir un seul son de sa gorge. Elle ne lui a sans doute pas apporté le soutien qu'elle espérait. Mais… Comment Rose a-t-elle pu se montrer si égoïste ? Si imprudente ? Si stupide ? Cela ne lui ressemble pas du tout. Ce n'est pas la Rose qu'elle connaît. Elle comprend enfin pourquoi sa fille est si stressée, pourquoi elle a perdu autant de poids. Ellen est tellement en colère. Et déçue – ce qu'elle ne s'est pas privée de lui dire.

Ellen a toujours été très fière de sa fille, d'être la mère d'une jeune femme si talentueuse. Mais maintenant, les gens vont découvrir sa vraie nature. Rose ira probablement en prison – certes pas long-temps, mais la simple idée de lui rendre visite en prison la mortifie. Tout le monde saura ce que sa fille a fait. Après toutes ces années d'études, elle ne pourra plus pratiquer le droit. Et Ellen aura toujours honte d'elle. Elle ne pourra plus dire que sa fille est avocate. Sa fille est une crimi-nelle à présent, et elle ne pourra plus rien dire du tout.

Et pourtant, alors qu'Ellen pleure à chaudes larmes sur son triste sort, elle regrette d'avoir été dure envers Rose. Elle aurait voulu la serrer dans ses bras pour lui dire au revoir, comme elle le fait tou-jours. Mais elle n'a pas pu. Cela va être difficile d'encaisser, de pardonner. Elle a besoin de temps.

Elle continue à déambuler dans sa maison, fait un détour par la cuisine pour se remplir un autre verre de vin. Au moins, Rose va percevoir son héritage. Elle pourra repartir de zéro, une fois sortie de prison. Elles devront probablement déménager. Comment l'une ou l'autre pourrait garder la tête haute après cela ? Si seulement Rose n'avait pas enfreint la loi, elle aurait tranquillement pu profiter de son héritage inattendu. Elle aurait eu tout ce qu'elle voulait.

Rose a déjà été interrogée sur les meurtres. Bien sûr, elle va être accusée d'escroquerie, mais ces deux flics ne peuvent pas sérieusement penser que Rose a quelque chose à voir avec les meurtres. Peu importe qu'elle ait ou non un alibi ! Rose ne savait pas qu'elle figurait dans le testament. Quoi qu'il en soit, Ellen n'aurait jamais cru Rose capable de voler l'argent de quelqu'un. C'est alors que lui reviennent à la mémoire les mots de cet horrible détective : « Il se peut que vous ne connaissiez pas votre fille aussi bien que vous le pensez. » Et elle repense aussi à ce qu'elle a lu sur Internet au sujet du caractère héréditaire de la psychopathie. Sa Rose fait maintenant partie de cette famille. Et si l'un d'entre eux était bel et bien le meurtrier ? Audrey en est bien convaincue, elle.

La seule pensée d'Audrey l'attriste. Cette dernière ne lui adressera sans doute plus jamais la parole. Elle avait cru que leur longue amitié résisterait à la révélation du secret de Rose. Et puis elle songe soudain que si l'un des autres enfants Merton est reconnu coupable, il perdra son droit à l'héritage, et qu'il y en aura donc plus pour Rose.

C'était inévitable, se dit Rose, assise de nouveau sur cette chaise inconfortable dans la salle d'interrogatoire. À ses côtés, son avocate affiche une mine grave. Les questions des inspecteurs sont encore plus incisives que la dernière fois. Elle avait espéré que Janet tiendrait sa langue, que personne ne ferait le lien. Raté.

— Vous saviez que vous figuriez dans le testament, Janet Shewcuk vous l'a dit, insiste Reyes. Vous nous avez menti.

— Oui, je le savais, finit par admettre Rose, épuisée. Mais je ne les ai pas tués.

— Vous n'avez pas d'alibi, souligne Reyes. Et vous aviez besoin d'argent pour rembourser Dan afin de vous éviter la prison. C'est ça que vous vous disiez ? Que si Fred et Sheila mouraient et que tout le monde touchait son héritage, vous pourriez le rembourser ni vu ni connu, que personne ne serait au courant de votre escroquerie ? Ou, plus vraisemblablement, que si l'argent que Dan avait investi ne pouvait pas être débloqué à temps et qu'ils découvraient le pot aux roses, ils vous laisseraient le rembourser sans broncher, voire même vous pardonneraient ; après tout, vous faites aussi partie de la famille, non ?

— Je ne les ai pas tués, répète Rose avec obstination.

Mais la peur s'est glissée dans sa gorge et s'est logée dans ses tripes.

53

Catherine a soigné sa mise en scène. Les circonstances ne sont certes pas idéales, mais elle veut rendre ce moment parfait. Cela fait tellement longtemps que Ted et elle l'attendent. Elle a acheté des fleurs pour les mettre sur la table. Commandé un repas gastronomique à leur restaurant français préféré, qu'elle garde au chaud dans le four. Et quand Ted pousse la porte à son retour du travail, elle lui ôte sa veste en lui annonçant qu'elle a une surprise pour lui.

— Pas une mauvaise, dit-elle avec un sourire quand elle sent son mari se crisper.

— Ah, tant mieux. On a eu notre dose.

— Oublie tout ça et viens avec moi.

Ted suit Catherine dans la salle à manger, où une belle table a été dressée.

— Tu sens ça ? J'ai passé commande chez Scaramouche.

— Qu'est-ce qu'on fête ? demande Ted.

— Un peu de patience. Assieds-toi, d'abord.

Puis elle va chercher les plats, allume les bougies, et s'installe en face de son mari. Par automatisme, Ted a ouvert la bouteille de vin rouge devant lui. Quand il veut en servir à son épouse, elle pose une main sur son verre, tout sourire.

— Pas pour moi, merci, fait-elle pour répondre à sa mine interrogative.

Mais Ted n'a toujours pas l'air de percuter.

— Ce n'est pas bon pour le bébé, lâche-t-elle.

— Oh, ma chérie, souffle-t-il en se précipitant de l'autre côté de la table pour la prendre dans les bras.

Elle ne peut pas voir son visage. Mais c'est vraiment un moment parfait, pense-t-elle.

Plus tard dans la soirée, Ted s'éclipse sur un faux prétexte. Catherine semble heureuse, échafaudant tout un tas de plans pour dissimuler sa grossesse à son entourage les trois premiers mois, comme prétendre boire un gin tonic en faisant l'impasse sur le gin. Ted l'encourage à se détendre en son absence, à prendre un bon bain, puis il lui répète à quel point la nouvelle le réjouit et lui assure qu'il ne sera pas long. Et il quitte la maison pour se rendre à son rendez-vous avec Lisa.

Il veut un enfant, bien sûr. Mais il n'est pas sûr d'en vouloir un avec elle. Il les imagine, vivant tous les trois sur les lieux du crime, et doit réprimer un frisson. C'est pour ça qu'il a voulu voir sa belle-sœur ; il n'y a qu'à elle qu'il peut se confier, en réalité. Pourvu qu'il ne commette pas une erreur… Mais s'il ne parle pas à quelqu'un, il va exploser. Catherine et lui n'ont pas arrêté de pointer Dan du doigt, mais Ted n'est plus si convaincu que ça.

Ted a raconté à Catherine la visite des inspecteurs à son travail. « Pourquoi ne

m'as-tu pas décrit les boucles d'oreilles ? »
l'a-t-il sermonnée. Catherine a lâché un
« Merde » entre ses dents. Mais même
après qu'elle lui a finalement décrit les
bijoux, il ne se souvient pas de l'avoir
vue les porter – il faut admettre qu'il ne
remarque jamais ce genre de choses.

La vérité, c'est qu'il est incapable de
dire ce que pense réellement Catherine.
Sait-elle qu'il la soupçonne ?

Et voilà qu'elle est enceinte. Il se serait
volontiers passé de ça.

Adossé à son capot dans le crépuscule
qui tombe sur un parking anonyme, Ted
essaie d'imaginer ce qui peut se passer
du côté de Dan. Il espère le découvrir ce
soir. Lisa est justement en train d'arriver
à bord de sa petite voiture.

Elle en sort et s'approche de lui, l'air
préoccupé. De façon totalement inattendue, elle se jette dans ses bras. Lisa a
toujours été comme ça avec Catherine, et
avec tout le monde, d'ailleurs : elle aime
prendre les gens dans ses bras. C'est une
femme qui a besoin de réconfort, aussi
bien d'en donner que d'en recevoir.

— Désolée, je suis dans un sale état, dit-elle en desserrant son étreinte.

— Ne t'inquiète pas, moi aussi.

— Où est Catherine ? Pourquoi est-ce qu'on se retrouve ici ?

— Je voulais qu'on parle, juste toi et moi.

Est-ce qu'il se fait un film ou est-ce qu'elle s'est raidie ? Elle est plus proche de Catherine que de lui.

— Pourquoi ?

— C'est juste que je trouve toute cette histoire très dure à gérer, s'empresse-t-il de la rassurer. Je me suis dit que toi aussi. Et qu'on pourrait s'apporter un soutien mutuel. Un soutien moral, je veux dire.

Lisa vient alors s'appuyer à côté de lui contre sa voiture.

— Je sais que Catherine essaie de protéger Dan, fait-elle d'une voix tremblante. Mais… je n'arrête pas d'imaginer ce qui a pu se passer.

Elle se tait et regarde un point au loin devant elle, comme si elle visualisait les meurtres dans son esprit.

— Je sais que Catherine veut le protéger, répète-t-elle, atone, mais je ne suis pas sûre de pouvoir faire pareil.

— Qu'est-ce que tu veux dire ? s'alarme Ted en se tournant vers elle.

Est-ce qu'elle sait quelque chose ? Quelque chose qu'ils ignorent ?

Elle avale sa salive.

— S'il l'a vraiment fait…, souffle-t-elle, tu pourrais vivre avec lui, toi ?

Ted détourne le regard. Il n'y a donc rien de sûr, rien qui puisse l'aider. Ils vivent tous les deux le même cauchemar. Il a en partie donné rendez-vous à Lisa dans l'espoir de s'entendre confirmer la culpabilité de Dan. Si seulement ce dernier lui avait confié quelque chose, alors Ted pourrait cesser de douter. Mais elle n'en sait pas plus que lui.

Ils gardent un moment le silence.

— J'essaie de me dire qu'il n'a pas pu faire ça, reprend-elle lentement. Pas le Dan que je connais. Mais s'il y avait un autre Dan que je ne connaissais pas ? Ils ont un témoin qui l'a vu à Brecken Hill cette nuit-là. Il m'a menti à ce sujet. Mais je continue à me dire qu'il est innocent, parce qu'une partie de moi ne peut pas le croire, ne *veut* pas le croire.

En la regardant, Ted ressent un terrible besoin de s'épancher.

— Je vois très bien ce que tu veux dire, lâche-t-il, la gorge serrée.

— Tu ne peux pas savoir, non, fait-elle en secouant la tête.

— Écoute, l'interrompt Ted, la voix rauque. Je ne sais pas si c'est Dan qui a fait le coup. Mais si ce n'est pas lui, alors c'est probablement Catherine.

— Pourquoi est-ce que tu dis ça ? demande sa belle-sœur, choquée.

— Elle était là, Lisa.

— Oui, mais après leur mort.

— C'est ce qu'elle dit, sauf qu'elle est rentrée à la maison cette nuit-là et qu'elle a fait comme si de rien n'était. Elle a inventé toute une conversation avec sa mère, alors qu'elle était déjà morte. Et elle n'a rien dit pendant deux jours. Comment on peut faire un truc pareil ?

— Elle pensait protéger Dan.

Il hoche la tête. Hésite une dernière seconde à trahir sa femme.

— C'est ce qu'on a tous pensé, soupire-t-il. Mais la police est venue me voir à mon cabinet. Ils ont trouvé une paire de boucles d'oreilles de Sheila dans la boîte à bijoux de Catherine. Ils disent que c'est l'un des objets qui ont disparu de la maison cette nuit-là.

— Quoi ? Je n'étais pas au courant.

— Catherine soutient qu'elle les a empruntées il y a quelques semaines... Mais je n'en ai aucun souvenir.

— Elle les a peut-être vraiment empruntées.

— Peut-être, dit Ted. Elle me l'a juré en tout cas.

Il marque une pause.

— Ce détective semble convaincu que Fred allait réellement modifier son testament en faveur d'Audrey, et que l'un d'eux savait.

— C'est des conneries, non ?

Ted hausse les épaules.

— Ce n'est pas ce qu'ils semblent penser, parce que Fred était mourant et

504

qu'apparemment, il voulait mettre de l'ordre dans ses affaires.

Lisa secoue la tête, pensive.

— Je sais que Sheila voulait dire quelque chose à Catherine ce soir-là, poursuit Ted. C'était peut-être ça.

Il hésite encore, mais c'est plus fort que lui, il faut qu'il le dise à quelqu'un.

— Catherine était seule à l'étage avec sa mère, juste avant le dîner. Peut-être que Sheila lui a parlé à ce moment-là.

Lisa le regarde fixement, les yeux ronds.

— Est-ce que Dan t'a dit quelque chose – à propos de Catherine ? demande-t-il après une poignée de secondes.

— Qu'elle savait pour les combinaisons jetables au garage, c'est tout. Et qu'il ne ferme jamais la porte à clé, ajoute-t-elle en détournant les yeux. Il prétend qu'elle cherche à le piéger, mais je n'y ai jamais cru...

Elle s'interrompt.

— Je ne sais pas ce qu'il faut croire, dit Ted.

— Cela pourrait être l'un ou l'autre, prononce Lisa avec lenteur. Qu'est-ce qu'on va faire ?

— Je ne sais pas. Mais ne parle pas des boucles d'oreilles à Dan, d'accord ?

54

Ce jeudi matin, Jake Brenner a dû prendre le train depuis New York pour se rendre à un nouvel interrogatoire. Il est plus méfiant, cette fois.

— Jake, commence Reyes, nous allons vous donner l'occasion de nous dire la vérité.

— Qu'est-ce que vous voulez dire ?

— Nous savons que vous n'avez pas passé la nuit chez Jenna à Aylesford le dimanche de Pâques. Vous nous avez menti.

Jake cligne rapidement des yeux.

— Vous avez été filmé par la caméra de sécurité de la gare d'Aylesford. Vous êtes monté dans le train de 20 h 40 pour New York.

Les yeux de Jake font des va-et-vient entre les deux inspecteurs.

— OK, c'est bon. Oui, je suis retourné chez moi cette nuit-là, admet-il enfin.

— Et ça ne vous a pas posé problème de mentir pour elle ? demande Reyes en voyant le jeune homme déglutir.

— Non. Elle est venue me retrouver le lendemain, et on a passé la nuit ensemble. Tout allait bien. Et puis le mardi matin, après mon départ au travail, elle m'a appelé pour me dire que ses parents avaient été cambriolés et assassinés, et elle m'a demandé de dire que j'étais avec elle toute la nuit du dimanche de Pâques. C'était plus simple, apparemment. J'ai accepté parce que je ne pensais pas qu'elle avait quelque chose à voir avec le drame.

Reyes fait glisser des photos de la scène de crime sur la table, jusque sous le nez de Jake. Celui-ci y jette un coup d'œil et pâlit.

— Vous ne pouvez tout de même pas croire qu'elle a fait ça, si ? lâche-t-il dans un souffle.

Reyes ne répond pas.

— L'entrave à la justice est un chef d'accusation sérieux, déclare-t-il à la place.

— Je n'ai jamais pensé... Je veux dire, elle était parfaitement normale le lundi. Il ne m'est jamais venu à l'esprit qu'elle aurait pu les tuer. Bon sang, pourquoi l'aurait-elle fait ? Je savais qu'ils s'étaient disputés, mais... putain !

— Quel était le sujet de leur dispute ? s'enquiert Reyes.

Il est prêt à tout déballer, maintenant.

— Le père a été infect avec tout le monde pendant le dîner. Il les a insultés. Les autres sont partis furax, même la femme de ménage. On était sur le point de prendre la tangente nous aussi, mais Jenna est retournée voir son père et s'est pris la tête avec lui.

Il marque une pause, comme s'il rechignait à poursuivre.

— Son père a commencé à dire que ses enfants étaient tous pitoyables et qu'il voulait donner la moitié de son héritage à sa sœur. Il prétendait avoir déjà pris rendez-vous pour changer son testament. Jenna était hors d'elle. Je voulais me barrer, mais Jenna refusait de partir. C'était pas joli à voir.

— Est-ce que c'en est venu aux mains ?

— Non, mais ils gueulaient comme des putois tous les deux. Elle m'a dit après coup qu'elle était la seule à tenir tête à leur père, ajoute-t-il. Les autres en avaient trop peur.

Bien, bien, bien, pense Reyes une fois qu'ils en ont fini avec Jake. Jenna Merton savait donc de source sûre que son père allait modifier son testament. Et Jake n'était pas avec elle au cours de la nuit fatidique.

Le détective tapote une liasse de feuilles du bout de son crayon. Chacun des quatre enfants est sur le point de gagner des millions. Tous sont à peu près de la même taille, droitiers et physiquement capables de commettre les meurtres. Peut-être que c'est un coup monté et qu'ils sont tous de mèche ? Qu'ils s'amusent à le faire tourner en bourrique. Il n'a aucune preuve d'une éventuelle conspiration, mais ils ont tout aussi bien pu en parler entre eux, sans laisser de traces.

Ils sèment suffisamment la confusion pour susciter un doute raisonnable – se comportent tous comme s'ils pouvaient l'avoir fait. Poussent les gens à mentir pour eux. Les boucles d'oreilles dans la boîte à bijoux de Catherine. Dan aperçu à Brecken Hill. Jenna mentant à propos de la dispute avec son père. Même Irena avec le couteau. Et Rose... Peut-être sont-ils tous impliqués, au fond, d'une manière ou d'une autre.

Et s'ils le manipulaient depuis le début ? Il se souvient pourtant d'Irena lui disant que les enfants ne pourraient jamais coopérer...

Cette affaire va-t-elle continuer à lui résister longtemps ? Reyes se frotte les yeux, exténué. Mais il refuse de baisser les bras. La vérité est là. Il lui suffit de savoir exactement ce qui s'est passé. Et ensuite, de le prouver.

Il faut qu'ils reparlent à Jenna.

Le portable de Jenna vibre, affichant le numéro de Jake. Il s'est sans doute rendu compte qu'elle n'a pas trop apprécié la façon dont il lui a quémandé de l'argent.

— Salut, toi. Qu'est-ce qu'il y a ? lance-t-elle le plus nonchalamment possible.

— J'étais à Aylesford, pour parler à la police, annonce Jake, la voix tendue.

— Qu'est-ce que tu racontes ?

— Ils savent, Jenna.

— Ils savent quoi ?

— Ils m'ont vu sur la vidéosurveillance de la gare d'Aylesford. Je leur ai dit la vérité – que je n'étais pas avec toi. Et je leur ai parlé de la dispute avec tes parents.

Elle est stupéfaite. Et furieuse.

— Qu'est-ce que tu leur as dit, exactement ? demande-t-elle, glaciale.

— Que ton père t'a parlé de son testament, et du fait qu'il voulait filer la moitié de son fric à ta tante.

Elle garde le silence un moment.

— Mais pourquoi tu leur as dit ça, putain ?

— Je veux juste que tu disparaisses de ma vie, c'est tout. Je ne veux plus rien avoir à faire avec toi, dit Jake, et il raccroche.

55

Jenna rend visite à sa sœur le soir même.

— Tu veux boire quelque chose ? lui demande Catherine. Du vin ? Un gin tonic ?

Les rideaux du salon sont tirés.

— Avec plaisir, dit Jenna, remarquant un verre de gin tonic déjà entamé sur la table basse. Du vin, s'il te plaît.

Fidèle à son habitude, Ted reste à l'écart, dans un coin du salon, comme s'il avait peur de déranger. Mais il est évident qu'il a envie d'entendre ce qu'elle a à dire. Les récents événements semblent l'avoir profondément atteint. Jenna le trouve changé, moins sûr de lui. L'héritage imminent devrait pourtant le mettre en joie, songe-t-elle, l'observant du coin de l'œil pendant que Catherine s'active en cuisine. Ted se fiche de Dan, tout autant que de la réputation de la famille – il est très différent de sa femme, de ce point de vue-là. Pourquoi, alors, affiche-t-il cette mine si éprouvée ? Une pensée soudaine la traverse, comme une évidence : peut-être qu'il ne croit pas Dan coupable, peut-être qu'il soupçonne Catherine.

— Ça va, Ted ? s'enquiert-elle.

— Ils ont trouvé des boucles d'oreilles de ta mère ici, dans la boîte à bijoux de Catherine, répond-il, à cran. Catherine les a empruntées, mais les inspecteurs ne veulent pas la croire.

— Quelles boucles d'oreilles ?

— Les vieilles boucles en diamant, répond Catherine, de retour de la cuisine avec le verre de Jenna. Celles avec le fermoir à vis, ça te dit quelque chose ? Je les ai empruntées il y a quelque temps, et maintenant ça me retombe dessus.

Elle tend le verre à sa sœur, puis s'installe sur le canapé jambes repliées.

— Alors, qu'est-ce qui se passe ?

— Les inspecteurs veulent m'interroger à nouveau demain matin, dit

Jenna après avoir longuement détaillé sa grande sœur. Je voulais d'abord te parler.

Catherine se penche pour attraper son verre.

— Pourquoi ?

Jenna hésite un instant avant de lâcher sa bombe :

— Jake a changé son témoignage et leur a dit qu'il n'était pas avec moi cette nuit-là.

Catherine suspend son geste.

— Et il l'était ou pas ?

— Non, admet Jenna. Je lui ai demandé de mentir.

Le silence retombe.

— Décidément, on est vraiment tous des menteurs dans la famille, commente enfin Catherine, avant de prendre une gorgée.

— J'étais à la maison toute la nuit. Je ne les ai pas tués, insiste Jenna. J'ai juste voulu m'épargner les emmerdes.

— Eh bien, on est deux, commente Catherine.

— Je vais y aller avec un avocat.

— Et qu'est-ce que tu vas leur dire ? demande Catherine en étudiant l'intérieur de son verre.

— Rien.

Catherine hoche la tête.

— Écoute, avance-t-elle prudemment. On sait tous ici que c'est sûrement Dan le coupable. Mais ils n'ont pas de preuves tangibles. Même ce témoin qui dit l'avoir vu à Brecken Hill… Et alors ? Ce n'est pas suffisant. C'est rien. Ce n'est pas comme s'il avait été vu chez les parents. On devrait tous essayer de se détendre. De garder notre sang-froid.

— J'ai eu une violente dispute avec papa, dit Jenna en levant les yeux. Après votre départ. Il a dit qu'il allait changer son testament, donner la moitié à Audrey. Qu'il en avait marre de nous tous. Jake l'a entendu – et il a tout répété aux inspecteurs.

— Il allait vraiment faire ça ? Tu en es sûre ?

— C'est ce qu'il m'a dit, en tout cas.

Jenna scrute l'expression de sa sœur et reprend :

— Tu le savais ?

— Hein ? s'exclame Catherine. Non, bien sûr que non.

L'atmosphère se tend.

— Bon sang, dit-elle encore, avant de finir son verre cul sec. Ça ne sent pas très bon pour toi, pas vrai ?

Après le départ de Jenna, Catherine est assise dans son lit, feignant d'être absorbée par un roman à côté de Ted qui lui aussi doit faire semblant. Heureusement qu'il ne peut pas lire dans ses pensées. Car une image a remplacé les mots sur la page : le visage pâle de sa mère, ses yeux écarquillés, son regard fixe. Elle se voit encore s'agenouiller, s'approcher d'elle comme pour l'embrasser. Mais au lieu de ça, elle tend la main vers son lobe pour se saisir de la boucle d'oreille. Cela fait tant d'années qu'elle convoite ces diamants. Il les lui faut absolument. Sa mère portait une autre paire pendant le dîner. Elle pourra toujours dire qu'elle les lui avait empruntées. Personne ne le saura jamais.

Dan et Lisa regardent la télévision sur le canapé, leur complicité habituelle remplacée par la gêne et la tension. Dan n'a aucune idée de ce que pense sa femme. Le croit-elle innocent ? Coupable ? Ce dont il est presque sûr, en revanche, c'est qu'elle ne l'aime plus.

Comment pourrait-il se concentrer sur les images à l'écran ? À la place, il se repasse le film de ce soir-là. Tout est parti en vrille, et ce n'est en aucun cas de sa faute. C'est la faute de tout le monde. De son père, qui a vendu l'entreprise en ruinant sa carrière. De Rose Cutter, qui l'a escroqué. De sa sœur Catherine, qui lui a suggéré de prendre contact avec son amie.

Sa jambe se met à s'agiter nerveusement. Il voit bien que ça agace Lisa.

— Je sors faire un tour, dit-il en se levant.

— Pourquoi ? demande-t-elle en détachant ses yeux de l'écran. Où tu vas ?

Il n'aime pas son ton méfiant et se dispense donc de répondre. Alors qu'il quitte la pièce, il a encore l'espoir qu'elle cherche à le retenir. Mais non. Elle reste devant la télévision, comme si ce qu'il faisait ne la concernait plus.

Tant pis. Il enfile une veste en jean – la police a réquisitionné son coupe-vent – et grimpe dans la voiture de Lisa. Il ne peut pas rester assis dans ce salon une minute de plus. Il va craquer. Il a tout perdu, tout ! Son bonheur conjugal. Sa voiture. Même son putain de coupe-vent !

Après avoir éteint son portable, il sort de l'allée en marche arrière. Conduit d'abord sans but, le long de routes familières. Rouler l'aide à réfléchir. L'aidait, en tout cas. Ce soir, il est incapable de se calmer. Sa colère s'envenime, enfle.

Il pense à Rose, qu'il accuse de tous les maux. Elle l'a volé et maintenant elle aura la même part qu'eux sur l'héritage familial – de l'argent qui était censé aller à lui et à ses sœurs. Il sait où elle habite. Il a vérifié son adresse. Ce qui devait arriver arrive : il se retrouve à conduire jusque chez elle. Il se gare devant le numéro, dans une modeste rue pavillonnaire, et fixe la façade de sa maison. Les lumières sont toutes éteintes, à l'exception d'une au-dessus de la porte d'entrée. Il n'y a pas de voiture dans l'allée.

Il est tellement furieux, il a les mains si serrées sur le volant que ça lui fait mal. Mais il reste assis là, à observer.

Vers 23 heures, Rose rentre d'un dîner entre amis où elle est restée mutique de bout en bout. Comment s'amuser, dans de telles circonstances ? Ses amis s'en sont inquiétés, lui ont demandé si elle avait des soucis. Elle a répondu par la négative, évidemment. Mais ils le découvriront bien assez tôt. Le feuilleton de l'héritage n'a pas encore fait la une des journaux, mais ce n'est qu'une question de temps.

La rue est sombre lorsqu'elle s'engage dans son allée. Elle se félicite d'avoir laissé la lumière allumée sur le porche. Ce n'est qu'en sortant de son véhicule qu'elle remarque la petite voiture, garée en face. À l'intérieur, un homme semble l'épier. Instantanément, son pouls s'accélère. Avec l'obscurité, elle n'arrive pas à reconnaître ses traits. Et elle ne veut pas s'arrêter pour essayer de mieux le distinguer. Il faut qu'elle rentre chez elle au plus vite. Elle se précipite en haut des marches et bataille avec sa clé tandis qu'une portière claque et que des pas claquent sur le trottoir.

Une fois à l'intérieur, elle verrouille la serrure et s'appuie contre la porte, haletante. Elle meurt d'envie d'allumer toutes les lumières, mais se retient, de peur de dévoiler à l'intrus l'intérieur de sa maison.

Elle se contente de garder son téléphone à la main, prête à appeler les secours, et d'aller attendre dans la cuisine. Enfin, vers 1 heure du matin, elle trouve le courage de se glisser dans le salon, toujours plongé dans la pénombre, pour jeter un œil derrière le rideau. La voiture a disparu.

56

Malgré la présence de son avocat à ses côtés à son arrivée au poste de police le lendemain matin, Jenna est d'une nervosité inhabituelle. Ce salaud de Jake l'a trahie. Quel lâche ! Au moins, il ne pourra plus la faire chanter ; il a déjà dit tout ce qu'il savait. Peut-être regrettera-t-il sa décision quand il n'arrivera plus à payer son loyer. Cette pensée lui remonte un peu le moral. Après tout, bon débarras. Et puis elle n'a rien à craindre, au fond. Le temps que Reyes lance l'enregistrement, elle a réussi à se calmer.

— Votre petit ami a vendu la mèche, attaque Reyes.

— Ce n'est plus mon petit ami, dit-elle avec un sourire crispé.

— Il dit qu'il n'était pas avec vous la nuit des meurtres.

Jenna jette un coup d'œil à son avocat avant de répondre :

— C'est vrai. Je lui ai demandé de me couvrir. Mais je n'ai pas tué mes parents. Je l'ai conduit à la gare après le dîner, puis je suis retournée seule chez moi.

— Pourquoi avez-vous menti ?

— Pourquoi, à votre avis ? Pour que vous ne pensiez pas que c'était moi, la coupable. Même raison que mon frère et ma sœur.

— Vous êtes tous en passe de devenir millionnaires, souligne Reyes.

— Précisément. On savait qu'on allait nous suspecter.

— Jake nous a parlé de la dispute que vous avez eue avec votre père. J'ai cru comprendre qu'elle avait été houleuse. Il vous a annoncé son souhait de léguer la moitié de sa fortune à sa sœur, Audrey.

— Nous avons échangé des mots durs, c'est vrai, admet Jenna. Il m'a peut-être dit ça. Mais mon père balançait toujours ce genre de trucs quand il était en colère. Je ne l'ai pas pris au sérieux. Pour quelqu'un de l'extérieur comme Jake, ça semblait sans doute plus dramatique que ça ne l'était réellement.

— Pour l'instant, vous êtes la seule dont nous savons avec certitude qu'elle connaissait les intentions de Fred Merton.

Elle hausse les épaules.

— Ça m'étonnerait. S'il avait vraiment l'intention d'aller jusqu'au bout, maman a dû en parler à Catherine.

— Pourquoi Catherine, en particulier ?

— Ma mère ne lui a jamais rien caché, contrairement à Dan ou à moi. C'était sa préférée.

— Savez-vous que votre tante Audrey a été victime d'une tentative d'empoisonnement ? demande Reyes.

— J'ai entendu ça, oui. Je me demande qui elle a mis en rogne, cette fois.

Ellen Cutter fait quelques courses en ville lorsqu'elle aperçoit Janet Shewcuk sur le trottoir, marchant dans sa direction la tête baissée. L'amie de sa fille ne semble pas l'avoir vue, et Ellen s'en réjouit. Contrairement à Rose qui a été obligée de se lancer à son compte, la jeune femme a réussi à obtenir un emploi dans un prestigieux cabinet. Ellen n'a aucune envie de tailler le bout de gras alors que, bientôt, tout le monde connaîtra leur disgrâce. Mais au moment où elle s'apprête à passer à côté de Janet en l'ignorant, celle-ci lève les yeux et s'arrête net.

— Madame Cutter, dit-elle en lui posant la main sur le bras.

La voilà prise au piège. Et ce n'est que le début.

— Je suis tellement désolée, poursuit la jeune femme, les yeux remplis de larmes.

Ellen la regarde, confuse. Est-elle déjà au courant des agissements de Rose ? Sa fille lui a-t-elle parlé ? S'il y a bien une chose dont Ellen n'a pas besoin, c'est de sa pitié. Mais Janet n'en a pas fini.

— Je sais que Rose a des problèmes, et tout est de ma faute, précise-t-elle. Je n'aurais jamais dû lui dire qu'elle figurait dans le testament de Fred Merton.

Ellen sent ses genoux se dérober, mais elle se ressaisit : elle doit savoir la vérité.

Plus tard dans la journée, c'est le logement que Jenna loue dans la campagne d'Aylesford qui est perquisitionné, une petite maison en bois dont la façade mériterait un coup de peinture, au milieu de nulle part. Aucun voisin immédiat, personne pour remarquer ses allées et venues.

La jeune femme ne paraît pas surprise de voir les deux inspecteurs et l'équipe scientifique débarquer. Une surprise attend Reyes à l'intérieur, en revanche. Il s'attendait à un désordre d'artiste, des cendriers pleins, des mégots de joints et tout l'attirail d'une vie dissolue, or il découvre un logis parfaitement entretenu, lumineux, aux murs fraîchement repeints en blanc recouverts de tableaux chatoyants. S'agit-il des œuvres de Jake ? Peu probable, songe le détective ; elles auraient été décrochées et mises en lambeaux depuis. Toujours est-il que ce sont de belles toiles modernes, où l'abstraction enjôle le regard. À l'arrière du salon, une pièce ensoleillée donnant sur les champs alentour a été transformée en atelier. Reyes étudie attentivement les sculptures qui s'y trouvent, à commencer par une rangée entière de torses féminins sans tête, de toutes les formes et de toutes les tailles.

— Mes bustes, précise Jenna d'un air narquois.

Ailleurs, des organes génitaux féminins avoisinent d'autres créations plus conventionnelles. Peut-être est-elle en train de se diversifier. Toutes demeurent cependant très expérimentales, comme cette tête et ces épaules masculines, qu'elle a travaillées dans l'argile. L'œuvre est inachevée. Ou pas – il est incapable de le dire. Il ne comprend rien à l'art contemporain.

— Vous aimez l'art ? lui demande justement Jenna, que cette présence étrangère dans son antre ne semble pas perturber le moins du monde.

— Je ne sais pas. Je n'y ai jamais vraiment réfléchi, avoue-t-il.

Elle secoue la tête, comme navrée de tant d'ignorance. Il n'est peut-être qu'un ignorant, mais au moins il n'est pas un assassin, se dit-il.

Reyes sait que la jeune femme est intelligente. Si elle a tué ses parents, ils ne trouveront probablement rien. De fait, aucune trace de sang ne fait surface nulle part, ni aucun bijou de Sheila.

Sa Mini Cooper a également été emportée pour être passée au crible ; une voiture de location est déjà garée à gauche de la maison.

Alors qu'ils sortent pour examiner le jardin, Reyes reconnaît une silhouette familière, assise dans une voiture garée sur le chemin de terre devant la maison. Audrey Stancik.

— Qu'est-ce que tu fous ici ? s'écrie Jenna en déboulant de derrière Reyes.

— On est en démocratie, non ? rétorque Audrey avec un sourire méchant. Je suis libre d'aller où je veux.

— Va te faire foutre, s'emporte Jenna avant de se retourner vers Reyes pour l'apostropher : Vous ne pouvez pas vous débarrasser d'elle ?

— Ne t'inquiète pas, dit Audrey. Je m'en vais.

Ce qu'elle fait.

Reyes et Barr suivent l'équipe technique à l'arrière de la maison. Là, ils s'intéressent immédiatement au brasero dont ils récoltent les restes de bûches et jusqu'aux dernières cendres pour les envoyer au labo. Reyes sent Jenna s'approcher dans son dos.

— C'est un brasero, dit la jeune femme alors qu'il se retourne vers elle. Et alors ? Vous n'allez rien y trouver.

Ellen lui manque, se dit Audrey le samedi matin, alors qu'elle s'ennuie toute seule chez elle. Et qu'est-ce qu'ils attendent ces détectives ? De toute évidence, Fred et sa femme ont été tués par un des enfants et ils ne sont pas fichus de trouver lequel. Et on a essayé de la tuer elle aussi – qui peut dire que le ou la coupable n'essaiera pas à nouveau ? Si seulement elle pouvait parler à Ellen. Mais elle lui en veut toujours.

Comment a-t-elle pu ne rien lui dire au sujet de Rose, ni de sa relation avec Fred ? Alors même qu'Audrey lui a confié son plus lourd secret ! C'était peut-être une erreur, d'ailleurs. Et si ça se trouve, c'est la fille d'Ellen, la meurtrière. Qui qu'il soit, elle ne laissera pas l'assassin de son frère s'en tirer comme ça. Cette énigme l'obsède. C'est alors qu'elle réalise qu'à part le tueur, il y a une autre personne qui détient sûrement la vérité.

Assise à la table de sa cuisine, Ellen regarde dans le vide. Elle sait tout, maintenant, mais pas de la bouche de sa fille. Depuis qu'elle a croisé par hasard Janet la veille, elle est presque catatonique. Elle ne peut pas se résoudre à appeler Rose. Alors, le visage dans les mains, elle se met à pleurer : elle se sent brisée, envahie par la crainte. Rose lui a menti à plusieurs reprises et elle n'en savait rien. De deux choses l'une : soit sa fille est très bonne menteuse, soit Ellen est complètement idiote. Car elle a toujours cru sa fille honnête et sincère. Combien d'autres choses encore ignore-t-elle sur son compte ?

En lui racontant ses histoires sur Fred, Audrey a fait naître une peur terrible chez Ellen : quel noir secret renferme le cœur de sa fille ? Elle ne sait pas si elle pourra à nouveau la regarder dans les yeux un jour.

de sa fille ? Elle ne sait pas si elle pourra à nouveau la regarder dans les yeux un jour.

57

Audrey s'engage dans l'allée, décèle un mouvement de rideau à la fenêtre du salon. Maintenant qu'Irena a vu qui lui rendait visite, la laissera-t-elle entrer ? Les deux femmes se connaissent, évidemment, mais pas particulièrement bien. Elles ont pourtant des points communs : toutes deux sont des femmes fortes qui savaient tenir tête à Fred Merton. Et Audrey a toujours admiré Irena, à la différence de Sheila qu'elle méprisait – la première palliait les manquements de la seconde, tentant tant bien que mal de donner une éducation aux enfants. Mais les sentiments d'Audrey envers l'employée de son frère ne sont pas forcément réciproques. À mesure qu'elle a été mise à l'écart du domicile des Merton par sa belle-sœur, elle a moins vu Irena. Et elle n'a aucune idée de la façon dont l'ancienne nounou va réagir à sa venue, elle qui a toujours été si protectrice envers les enfants.

Audrey sort de sa voiture et se dirige vers le perron. Avant qu'elle n'ait eu le temps de frapper, la porte s'ouvre, révélant le visage pâle et méfiant d'Irena.

— Qu'est-ce que tu veux, Audrey ? demande Irena d'une voix lasse.

— Juste parler.

Irena la regarde longuement, puis finit par céder et la laisser entrer. *C'est déjà ça*, se réjouit Audrey. C'est plus qu'elle n'osait l'espérer, à vrai dire.

— Ça va ? Tu tiens le coup ? s'enquiert Audrey, pleine de compassion.

Mais en l'observant plus attentivement, Audrey remarque sa mine épouvantable : ses yeux cernés, sa queue-de-cheval grisonnante, trop sévère pour son visage ridé. Elle fait bien plus que son âge, mais Audrey ne se leurre pas : Irena doit penser la même chose d'elle.

— Je vais bien, je te remercie, répond Irena. Tu veux un café ?

— Volontiers, merci.

Audrey l'accompagne dans une petite cuisine immaculée. Pendant que son hôtesse remplit la cafetière, elle s'assied à la table de la cuisine et tente une ouverture.

— J'ai été très heureuse d'apprendre, pour le legs. Même si c'est la moindre des choses, après toutes les années que tu as passées au service de Fred et Sheila. Tu as tant fait pour les enfants, insiste-t-elle, un peu maladroitement.

— Merci, se contente de répondre Irena.

— Tu vas prendre ta retraite, maintenant ? demande Audrey, pour relancer la conversation.

— Je n'en sais rien. J'ai dit à mes clients que je prenais un peu de congés pendant que... tu vois. Ils comprennent.

Audrey acquiesce. Au moins, Irena s'est retournée pour lui faire face, en attendant que le café passe.

— C'est tellement horrible, ce qui s'est passé, souffle-t-elle. Je n'arrête pas d'y penser.

Sa propre voix sonne creux à ses oreilles.

— Pareil, admet Irena. J'en fais des cauchemars.

C'est alors qu'un gros chat tigré entre dans la cuisine et bondit sur la table.

— Oh, mais bonjour, toi ! Comme tu es beau, lance Audrey en caressant l'animal.

— N'est-ce pas ? sourit Irena, dont la voix retrouve soudain un peu de chaleur. Mais il n'est pas censé monter sur la table, fait-elle en déposant le chat sur le sol, qui vient se frotter contre ses jambes, puis celles d'Audrey.

Peut-être qu'Irena pourrait devenir une alliée ? se demande Audrey.

— C'est toi qui les as trouvés, reprend-elle. N'importe qui en ferait des cauchemars.

Audrey a besoin de gagner la confiance de la seule personne qui connaisse vraiment ses neveux. Elle balaie du regard la petite cuisine, son esprit évaluant la meilleure façon d'amadouer Irena pour qu'elle lui révèle tous ses secrets.

Plus tard dans l'après-midi, un agent frappe à la porte de Reyes pour lui annoncer du nouveau sur la piste de la camionnette.

— Une femme vient d'appeler, lance-t-il avec animation. Elle dit que la camionnette de son voisin correspond à la description. Et qu'elle a remarqué qu'il ne l'avait pas conduite depuis deux semaines. Elle n'a pas voulu donner son adresse. Ni son nom. Mais on a celle du propriétaire du véhicule, précise l'agent.

En moins de temps qu'il ne faut pour le dire, Reyes a enfilé sa veste et récupéré l'adresse, inscrite sur un morceau de papier. Puis il est passé chercher Barr et tous deux se rendent en voiture jusqu'à un quartier aux maisons délabrées, garages vétustes et jardinets en friche – le genre d'endroits où l'argent sert à survivre plutôt qu'à s'offrir des produits haut de gamme. Qu'est-ce qu'un habitant d'ici fabriquerait à Brecken Hill ?

— Pas de camionnette en vue, fait Barr alors que Reyes a stationné leur véhicule face au numéro indiqué sur le papier. Elle est peut-être dans le garage.

Reyes opine du chef. La porte du garage est fermée. Une vague d'excitation le traverse. Ils ont tellement besoin d'une percée dans l'enquête – et c'est peut-être le moment. Alors qu'ils s'approchent du perron, une femme ouvre la porte, la cinquantaine, l'air revêche.

— Je ne suis pas intéressée, lance-t-elle.

— Police d'Aylesford, dit Reyes en exhibant son badge. Pouvons-nous entrer ?

— Carl ! appelle la femme par-dessus son épaule, bien obligée de s'écarter.

Un jeune homme d'une vingtaine d'années, mal rasé, s'avance derrière elle.

— Qui êtes-vous ? demande-t-il.

Reyes se présente à nouveau.

— De quoi s'agit-il ? s'inquiète la femme, mais elle semble davantage s'adresser à Carl qu'aux détectives.

— Je sais pas, maman, dit Carl. J'te jure.

— Nous enquêtons sur les meurtres de Fred et Sheila Merton.

La femme se fige, le fils affiche une mine inquiète.

— Êtes-vous le propriétaire d'une camionnette foncée, avec des flammes peintes sur les côtés ? demande Reyes.

Carl hésite, puis hoche la tête.

— Nous aimerions la voir.

— Ce n'est pas celle que vous recherchez, s'interpose la mère.

— Elle est dans le garage, dit Carl en enfilant une paire de baskets.

Il passe par la cuisine pour les guider jusqu'au garage. Anxieuse, la mère ne les lâche pas d'une semelle. Carl appuie sur un interrupteur et le garage s'emplit de lumière. La camionnette est là et correspond bien à la description : de couleur sombre, des flammes sur les côtés. Exactement comme les petites voitures Hot Wheels...

Sans la toucher, Reyes observe l'intérieur par les fenêtres. Sale et encombré, l'habitacle n'a vraisemblablement pas été nettoyé depuis des siècles.

— Pouvez-vous nous dire où vous étiez la nuit du 21 avril ? interroge Reyes.

— Je ne me souviens pas, répond le jeune homme, saisi d'un tic nerveux. Je ne connais pas par cœur mon emploi du temps.

— C'était le dimanche de Pâques, précise Reyes.

— J'imagine que j'étais à la maison, pas vrai, maman ?

— Je… je ne suis pas sûre, répond cette dernière, à présent franchement paniquée, en cherchant ses mots. Nous avons dîné chez ma sœur. Puis nous sommes rentrés à la maison, précise-t-elle avant de se tourner vers son fils, un flottement dans la voix. Tu es sorti après ?

Elle sait qu'il est sorti, pense Reyes, mais elle lui laisse le soin de mentir. Elle regarde son fils comme si elle avait l'habitude d'être déçue – il vient juste d'enclencher la vitesse supérieure, et elle se prépare mentalement aux conséquences.

— Non, je suis presque sûr que je suis resté à la maison.

— Allons en parler au commissariat, suggère Reyes.

— Je suis obligé ? demande Carl.

— Non, on veut juste parler. Mais si vous refusez, je peux vous mettre en état d'arrestation, vous lire vos droits et vous emmener de force au poste. Et puis on reviendra avec un mandat de perquisition. Qu'est-ce que vous préférez ?

— OK, OK, lâche-t-il, maussade.

58

— Je vous explique, reprend Reyes alors qu'ils sont tous trois assis dans la salle d'interrogatoire, Carl, Barr et lui. Votre camionnette correspond à la description du véhicule qui a été vu s'éloignant de la maison des Merton la nuit du dimanche de Pâques, cette même nuit où Fred et Sheila Merton ont été assassinés. Nous savons en outre que vous l'avez gardée dans votre garage depuis que sa description a été transmise aux médias. Alors, que faisiez-vous à Brecken Hill cette nuit-là ?

— Ce n'était pas moi, assure le jeune homme en secouant la tête.

— C'était votre camionnette.

— Je n'ai tué personne.

— Qu'est-ce que vous faisiez là-bas, alors ? insiste Reyes.

— Et merde, lâche Carl.

Reyes attend.

— Je veux un avocat.

Et merde, pense à son tour Reyes.

— J'en connais un, poursuit le jeune homme. Je peux l'appeler ?

— Bien sûr, concède Reyes, se levant déjà pour quitter la pièce.

Une heure plus tard, l'avocat de Carl Brink débarque.

— J'étais là cette nuit-là, rectifie Carl en regardant nerveusement son conseil, qui lui adresse un signe de tête encourageant. J'ai pris un mauvais virage et je suis passé devant cette maison. Je suis allé jusqu'à la maison suivante – c'était un cul-de-sac –, j'ai fait demi-tour et je suis repassé devant.

— Quelle heure il était ? demande Reyes.

Carl secoue la tête.

— Je ne sais pas. 23 heures ? Minuit ?

— Vous ne pouvez pas être plus précis ? s'impatiente Reyes.

Carl regarde furtivement son avocat, comme pour lui réclamer de l'aide. Mais l'avocat reste muet.

— C'est le mieux que je puisse faire. J'étais peut-être un peu défoncé.

L'avocat secoue discrètement la tête.

— Je n'ai rien à voir avec ce qui s'est passé là-bas, répète Carl, se passant nerveusement la langue sur les lèvres.

— Foutaises, réplique Reyes. Alors pourquoi ne vous êtes-vous pas manifesté quand on a donné la description de votre camionnette ?

— Mon permis a été suspendu, souffle Carl en baissant la tête. Je n'étais pas censé conduire. Et je l'ai gardée dans le garage parce que je savais que vous la recherchiez et que je ne voulais pas me faire arrêter.

Pour l'amour du ciel ! se dit Reyes.

— Qu'est-ce que vous faisiez dehors ?

— J'avais rendez-vous avec un ami, déclare le jeune homme en détournant les yeux.

— Vous avez des amis à Brecken Hill ? Vraiment ? s'étonne Reyes. Ce n'était pas plutôt pour dealer ?

C'est alors que l'avocat se racle la gorge :

— Mon client détient des informations qui pourraient vous être utiles. Nous pourrions peut-être nous concentrer là-dessus et ne pas trop nous attarder sur ce qu'il faisait là-bas ?

— Quel genre d'informations ? soupire Reyes.

De nouveau, l'avocat encourage son client de la tête.

— J'ai vu quelque chose, lâche ce dernier. Dans l'allée de la maison où le couple a été tué.

— Quoi ? Qu'est-ce que vous avez vu ? le bouscule Reyes.

— Il y avait une voiture garée au bout de l'allée, près de la route, pas près de la maison. J'ai trouvé ça bizarre.

— Vous avez vu quelqu'un ?

— Non, fait Carl en secouant la tête. Juste la voiture. Il n'y avait personne à l'intérieur. Les phares étaient éteints.

— C'était quel genre de voiture ?

— Je ne sais pas. Une voiture toute simple. Mais elle avait une plaque d'immatriculation personnalisée. IRENA D.

Reyes et Barr sont déjà en route.

— Elle va recevoir un million grâce au testament, dit Reyes. C'est une sacrée somme, pour une femme de ménage. On n'a même pas fouillé sa voiture.

— Eh bien, on peut le faire maintenant, remarque Barr.

— Elle savait aussi pour les combinaisons dans le garage de Dan, se souvient alors Reyes, au moment où les deux inspecteurs arrivent à destination.

Quand Irena leur ouvre, elle semble abasourdie de les voir sur le pas de sa porte.

— On peut entrer ? demande Reyes.

Irena s'écarte, toute pâle.

— Vous devriez peut-être vous asseoir, suggère Barr en la guidant vers un fauteuil du salon.

— Nous avons un nouveau témoin, l'informe Reyes. Quelqu'un qui a vu quelque chose la nuit des meurtres.

Elle les dévisage, comme frappée de terreur.

— Lequel était-ce ? chuchote-t-elle.

Reyes est impressionné par ses talents d'actrice. Elle joue la comédie depuis le début. Il s'en veut de ne pas l'avoir remarqué plus tôt.

— C'était vous, Irena. Vous les avez tués.

— Moi ? Quoi ? s'écrie-t-elle, effarée. Non, je ne les ai pas tués.

— Quelqu'un a vu votre voiture au bout de l'allée des Merton cette nuit-là.

Elle secoue la tête.

— Je ne les ai pas tués. Vous faites erreur !

— Irena Dabrowski, vous êtes en état d'arrestation pour les meurtres de Fred et Sheila Merton, déclare Reyes tandis que Barr lui passe les menottes. Vous avez le droit de garder le silence. Tout ce que vous direz pourra et sera utilisé contre vous au tribunal. Vous avez le droit à un avocat.

Irena a demandé un avocat et c'est dans la soirée que l'interrogatoire en bonne et due forme peut débuter. Elle est bouleversée, presque en état de choc, mais Reyes n'éprouve pas la moindre compassion à son égard. Elle s'est jouée d'eux depuis le début. La façon dont elle a nettoyé le couteau quand elle est revenue « découvrir » les corps, pour leur faire croire qu'elle protégeait l'un des enfants. La façon dont elle a admis à contrecœur qu'il aurait pu s'agir de n'importe lequel des enfants Merton, alors que ça avait toujours été elle la coupable. Elle avait essayé de leur faire porter le chapeau.

— Qu'est-ce qui vous fait penser que ma cliente aurait assassiné ses employeurs ? demande l'avocat en considérant d'un air inquiet sa cliente affligée.

— Nous avons un nouveau témoin qui a vu sa voiture – avec une plaque d'immatriculation très reconnaissable, IRENA D – garée au bout de l'allée des Merton la nuit des meurtres, entre 23 heures et minuit.

— Je n'y étais pas, marmonne Irena.

— Vous recevez un million de dollars en vertu du testament de Fred Merton, dit Reyes. C'est exact ?

— Oui, admet-elle.

— C'est un legs assez raisonnable, avance l'avocat, compte tenu du patrimoine de ses employeurs et de la durée de son service auprès d'eux.

— Et un mobile suffisant pour un meurtre, rétorque Reyes. Des gens ont tué pour bien moins que cela.

— Ce n'est pas moi, répète Irena, d'une voix terrifiée. Je ne savais même pas qu'ils m'avaient laissé quelque chose. Pourquoi est-ce que je les aurais tués ?

— Quand vous êtes intervenue sur la scène de crime, vous l'avez fait pour diriger notre attention vers les trois enfants, insiste Reyes, et le visage d'Irena devient livide. Vous saviez qu'il y avait des combinaisons jetables dans le garage de Dan et qu'il le laissait toujours ouvert.

— Je pense que ça suffit pour aujourd'hui, intervient l'avocat. Vous aurez besoin de plus de preuves qu'un témoin oculaire douteux pour faire inculper ma cliente. À moins que vous n'ayez autre…

— Ne vous inquiétez pas, nous allons trouver, l'interrompt Reyes.

59

Dan apprend la nouvelle à la télévision le soir même. Il n'en revient pas. Il appelle sa femme à grands cris, laquelle débarque en courant de la cuisine.

— Ils ont arrêté Irena, souffle-t-il, partagé entre l'horreur et le soulagement tandis que Lisa braque deux yeux ahuris vers l'écran. Tu me crois, maintenant ? demande-t-il d'un ton amer, mais avec une note de triomphe.

Puis il fouille dans les poches de son jean à la recherche de son téléphone.

— Il faut que j'appelle Catherine.

Catherine est encore réveillée quand le téléphone sonne. Elle est en train de lire au lit à côté de Ted – ils ont des problèmes de sommeil, ces derniers temps.

Voyant s'afficher le numéro de Dan, elle est bien obligée de décrocher.

— Catherine, tu as entendu ? Ils ont arrêté Irena.

— Pourquoi ? demande-t-elle bêtement.

— Pour les meurtres.

Elle prend une grande inspiration.

— Irena ? articule-t-elle tandis que Ted s'agite à ses côtés.

— C'est aux infos. Regarde sur Internet.

Catherine cherche alors sur son smartphone l'application des actualités locales et découvre le titre suivant : « *Affaire du double homicide des Merton : l'ancienne nounou arrêtée* ». Ted lit par-dessus son épaule. Elle lance un regard à son mari tandis que la réalité de la situation lui apparaît enfin. Puis elle reprend Dan au téléphone et bafouille :

— Tu ferais mieux de venir. Je vais appeler Jenna. Il faut décider de la marche à suivre.

Son esprit s'emballe. Que faire maintenant ? Doivent-ils soutenir Irena, ne rien dire ou la vilipender dans la presse ? Elle raccroche et se tourne vers Ted, qui la fixe sans ciller.

— Je n'arrive pas à y croire, murmure-t-elle. Honnêtement, tout ce temps, je pensais que c'était Dan.

Ted la serre dans ses bras un long moment. Lui non plus n'arrive pas à y croire. Irena ? Mais les flics doivent avoir leurs raisons. Des preuves solides, sûrement. Dire qu'il avait commencé à se méfier de sa femme… Il lui embrasse le sommet du crâne, et la terrible tension qui l'habite depuis plus de deux semaines se relâche enfin. Bien sûr que Catherine n'est pas un monstre. Elle fera une mère merveilleuse. Maintenant, ils peuvent enfin avancer, se concentrer sur leur bébé.

Ses pensées se tournent vers Lisa, qui doit sûrement ressentir le même soulagement que lui en ce moment. Il songe à leur rencontre furtive sur le parking. Sans doute ne reparleront-ils jamais de leurs doutes.

Catherine se dégage de son étreinte pour appeler Jenna, puis ils se rhabillent tous les deux.

Les voilà tous dans le salon pour une nouvelle réunion de famille assez particulière. Lisa a l'impression de retenir son souffle. Elle souhaite de tout son cœur que la police ait raison et elle prie désespérément pour qu'Irena soit bel et bien coupable. Que son mari soit innocenté, ainsi que Catherine, qu'elle aime comme une sœur. Elle veut retrouver sa famille, elle veut l'argent et elle se moque d'Irena. Après tout, elle la connaît à peine.

En arrivant chez eux, elle a croisé le regard de Ted et ils ont tous deux détourné les yeux, honteux. Heureusement, Catherine n'a rien remarqué : elle était concentrée sur son ordinateur portable, à la recherche d'informations. Mais il n'y a pas grand-chose, sinon de nouvelles preuves qui placent Irena au mauvais endroit au mauvais moment.

— Je n'arrive pas à y croire, répète Jenna, exprimant ce qu'ils ressentent tous.

— Je me demande quelles sont les preuves, dit Dan.

— Il faut décider comment on va gérer la suite, prévient Catherine.

Les trois Merton se regardent, indécis. C'est Catherine qui brise le silence :

— Je propose qu'on tienne notre langue. Rien à la police, ni à la presse. On lui doit bien ça, non ?

Lentement, Dan se met à opiner du chef, imité par Jenna. Mais Lisa sait ce qu'ils pensent tous : *Grâce à Irena, nous allons devenir riches.*

Le lendemain, dès l'aube, Reyes et Barr emmènent l'équipe de la scientifique au domicile d'Irena. Celle-ci a passé la nuit en garde à vue. Reyes jette un œil rapide à l'intérieur de la voiture : à première vue, pas de signe de nettoyage récent. Mais ils devront procéder à un examen plus approfondi pour en être certains. Puis les détectives pénètrent dans la maison.

Le chat a faim. Reyes lui verse des croquettes et remplit son bol d'eau. Irena a demandé à ce que l'animal soit apporté à Audrey et cette tâche est confiée à un jeune officier. Pendant ce temps, les techniciens s'affairent méticuleusement. En vain. Reyes et Barr rongent leur frein.

Un peu plus tard dans la journée, heureusement, Irena fait savoir par son avocat qu'elle souhaite reprendre l'interrogatoire.

— Je me suis souvenue de quelque chose d'important, annonce la femme de ménage. J'ai reçu un coup de téléphone tard dans la nuit, d'un ami qui me souhaitait de joyeuses pâques. Je ne sais pas quand exactement, mais ce devait être après 23 heures. Nous sommes tous les deux des couche-tard et nous nous appelons souvent dans la nuit. Nous avons papoté un moment, sur ma ligne fixe. Si vous obtenez mes relevés téléphoniques, cela prouvera que j'étais chez moi cette nuit-là, n'est-ce pas ?

— Ces relevés ont déjà été réclamés, l'informe Reyes. Tu peux aller voir dans combien de temps on les aura ? ajoute-t-il à l'intention de Barr.

Cette dernière quitte la pièce et ils attendent dans un silence tendu.

— Je leur ai demandé de faire au plus vite, lance-t-elle à son retour.

— Je n'étais pas là-bas, insiste Irena.

— Nous avons un témoin qui a identifié votre voiture. Avec votre plaque d'immatriculation.

Blême, mais la voix plus assurée que la veille, Irena lance :

— Quelqu'un a dû emprunter ma voiture.

— L'un des enfants Merton ? dit Reyes.

Elle acquiesce.

— Ce serait commode, pas vrai ? Ils utilisaient souvent votre voiture ?

— Non, admet Irena. Mais s'ils l'avaient voulu, ce n'était pas bien compliqué : j'ai toujours un double de mes clés de maison et de voiture sur le patio à l'arrière, sous la jardinière. J'ai déjà perdu mes clés deux fois et j'en avais assez de me retrouver coincée dehors. Ils étaient tous au courant.

— Quelqu'un d'autre connaissait cette cachette ?

— Non, répond-elle en secouant la tête. Il n'y avait que Fred, Sheila et les enfants.

— Et où garez-vous votre voiture ?

— Dans la rue.

— Si je vous suis bien, vous dites que l'un d'entre eux aurait dérobé votre double de clés le dimanche de Pâques, pendant que vous étiez chez vous, aurait conduit votre voiture jusqu'au domicile des Merton, commis les meurtres, et serait venu remettre la voiture à sa place ni vu ni connu, c'est bien ça ?

— Je dis que c'est possible. Je ne vois pas d'autre explication. Je n'ai pas pris la voiture cette nuit-là.

Audrey ne s'attendait pas à voir un policier débarquer avec le chat d'Irena ce matin-là. À présent, elle le caresse en l'écoutant ronronner. Quels ingrats, ces chats, tout de même... Le matou n'a pas vraiment l'air de se languir de son ancienne maîtresse. Audrey regarde ses gamelles et sa litière, sur le sol de la cuisine, en se demandant combien de temps l'animal va rester en pension chez elle.

Elle n'arrive pas à croire qu'Irena a tué Fred et Sheila. Une femme si raisonnable. La police doit se tromper. Lors de leur discussion, Audrey et elle s'étaient accordées sur le fait que l'un des enfants était le coupable. Quant à savoir lequel...

Encore raté ! Reyes n'en revient pas. Les relevés téléphoniques ont confirmé les dires d'Irena : elle était au téléphone entre 23 h 11 à 23 h 43 le dimanche de Pâques et n'a donc pas pu s'absenter de chez elle à l'heure où Carl a vu sa voiture devant chez les Merton. Elle n'aurait pas eu le temps de les tuer. Sans preuve suffisante pour l'inculper, Reyes est contraint de la relâcher. En réalité, il n'a pas assez d'éléments pour poursuivre qui que ce soit. Éreinté, l'inspecteur regarde dans le vide, morose.

Si Carl Brink dit la vérité, quelqu'un a conduit cette voiture jusqu'à Brecken Hill la nuit des meurtres. Rose ne connaissait pas l'existence du double des clés. Mais les enfants légitimes, si. Et ce sont trois menteurs invétérés.

Aucun d'entre eux n'a d'alibi. Tous avaient un mobile. Reyes reporte son attention sur les photos macabres de la scène de crime accrochées au-dessus de son bureau et se demande pour la centième fois : *Qui a fait ça ?*

60

Le lendemain matin, lundi, la presse s'agglutine devant l'entrée du commissariat dans l'espoir d'obtenir des réponses. Mais Reyes n'a rien à leur dire.

— Pas de commentaire, lance-t-il en fendant la foule compacte.

Il a connu peu d'affaires aussi frustrantes. Et puis enfin, en milieu de matinée, une avancée. Des preuves physiques ont été découvertes.

Reyes et Barr échangent un long regard quand ils apprennent la nouvelle.

— Convoquons-les tous les trois, Dan, Catherine et Jenna, pour qu'ils donnent des échantillons d'ADN. Voyons si on réussit à trouver une correspondance.

Assis à la table de la cuisine avec une tasse de café, Ted regarde le journal. Il n'ira pas travailler aujourd'hui. Il a l'impression qu'une masse sombre pèse sur sa poitrine. Il pensait le cauchemar terminé quand Irena a été placée en garde à vue. Et puis elle a été relâchée, sans plus d'explications qu'à son arrestation. Catherine a essayé de l'appeler à plusieurs reprises, sans succès. Irena ne veut pas lui parler. Ils ont pourtant besoin de savoir ce qui se passe. Ted est presque tenté d'aller lui-même frapper à sa porte.

La main posée sur son ventre encore plat, Catherine entre dans la pièce. Il ressent un pincement de colère. Elle veut de la compassion et du soutien, mais il n'est pas sûr de pouvoir lui en donner, bébé ou pas.

Le téléphone sonne, rompant le silence. Ils ne se sont pas encore adressé la parole depuis leur réveil. Ted se lève, attrape le téléphone accroché au mur et son cœur manque un battement lorsqu'il reconnaît la voix de l'inspecteur Reyes.

— Pourrais-je parler à Mme Merton ?

— Je vous la passe, fait Ted en tendant le combiné à Catherine.

Puis, son pouls s'accélérant, il observe sa femme. Qu'est-ce qu'Irena a bien pu raconter aux flics pour qu'ils la libèrent ? Le visage de Catherine reste impassible, mais les doigts de sa main gauche s'agrippent au comptoir de la cuisine.

— Maintenant ? dit-elle. Entendu, à tout de suite.

— Qu'est-ce qu'il veut ? lui demande Ted une fois qu'elle a raccroché.

— Il dit qu'ils ont trouvé des preuves matérielles, répond-elle en évitant son regard. Ils veulent que Dan, Jenna et moi leur fournissions des échantillons d'ADN. Ted, chuchote-t-elle après un temps, et s'ils avaient trouvé la combinaison jetable, avec l'ADN de Dan ?

La masse sombre dans la poitrine de Ted accentue sa pression, plus lourde que jamais.

Lisa sait que tout sera bientôt terminé, d'une manière ou d'une autre. Les détectives ont mis au jour des preuves matérielles. Ils ont dû trouver les vêtements ensanglantés ou la combinaison.

561

Ils ont appelé Dan pour un échantillon d'ADN.

Une fois son mari parti, pâle mais étrangement calme, elle appelle Catherine. Mais c'est Ted qui décroche.

— Allô ?

— Ted. Catherine est là ?

— Non. Elle est au poste.

Lisa entend la panique de son beau-frère percer dans sa voix.

— Elle doit donner un échantillon d'ADN.

— Dan aussi.

— Et Jenna. Ils vont tous y passer.

— Qu'est-ce qu'ils ont trouvé, tu sais ? demande-t-elle anxieusement.

— Aucune idée.

Un long silence inconfortable s'installe sur la ligne, mais aucun des deux n'ose le briser ; ils sont bien trop effrayés.

— Au revoir, Ted, dit enfin Lisa avant de raccrocher.

Elle est soudain obligée de s'asseoir et de mettre sa tête entre ses genoux pour ne pas s'évanouir.

Dimanche de Pâques, 23 h 02

Sheila se redresse dans son lit, incapable de se concentrer sur son livre. Son esprit ne cesse de revenir aux événements de la soirée. À côté d'elle, Fred s'est déjà endormi, ronflant par à-coups. Elle le regarde, irritée. Elle a beau le savoir mourant, elle a du mal à éprouver autre chose que du dégoût à son égard. Il a été une telle ordure. Pourquoi l'at-elle épousé ? Il a pourri la vie de tout le monde. Et voilà qu'il compte modifier son testament en faveur de sa sœur, sous prétexte de mettre de l'ordre dans ses affaires. Il a toujours cherché à blesser les enfants. Et elle n'a jamais eu la force de l'en empêcher. Elle n'a pas été une très bonne mère.

N'empêche, elle est si anxieuse depuis que Fred lui a fait part de ses intentions. Elle a peur de la réaction des enfants quand Fred mourra et qu'ils l'appren-

dront. Ils seront tellement en colère. Mais elle ne peut rien y faire.

En bas, la sonnette retentit. Sheila sursaute. Qui pourrait leur rendre visite à cette heure ? Mais la sonnette retentit à nouveau, encore et encore. Elle est bien obligée de se lever. Elle repousse la couette, glisse ses pieds dans ses pantoufles, attrape sa robe de chambre et l'enfile en quittant la chambre, tandis que Fred continue de ronfler bruyamment.

Elle allume l'interrupteur à l'étage, éclairant la cage d'escalier et le hall d'entrée. La main sur la rampe, elle descend les marches moquettées. Cette fichue sonnette n'arrête pas !

Lorsqu'elle ouvre la porte, ses yeux s'écarquillent : un individu en combinaison de protection se tient sur le perron. Sa surprise est telle qu'il lui faut quelques instants pour reconnaître qui se cache à l'intérieur.

Elle remarque un cordon dans sa main droite. Tout se passe presque trop vite – après l'horreur et la compréhension soudaine de ce qui va se passer. Elle *se retourne et s'enfuit, mais déjà elle sent le cordon lui enserrer la gorge. Sheila tente d'attraper son téléphone portable sur la table d'appoint du canapé, mais elle ne fait que l'envoyer valser un peu plus loin...*

61

Deux jours plus tard, aux côtés de son avocat, Jenna est assise dans cette salle désormais familière, déterminée à ne rien dire, ne rien avouer. Ce n'est pas comme si elle se sentait coupable, ils l'ont bien cherché, après tout.

L'inspecteur Reyes la fixe comme s'il pouvait pénétrer dans sa tête et lire ses pensées. Bonne chance à lui. Il fait sombre là-dedans. Mais elle sait qu'ils n'ont pas de preuves matérielles, malgré leurs dires. Ils ne peuvent pas avoir trouvé la combinaison jetable, les gants et tout le reste. Ils bluffent.

— Avez-vous déjà conduit la voiture d'Irena par le passé ? demande Reyes.

Ils sont donc au courant pour la voiture. C'est sans doute pour ça qu'ils ont arrêté Irena. Mais pourquoi l'ont-ils laissée partir ? Irena n'a pas d'alibi. Jenna le sait parfaitement. Son ancienne nounou allait rentrer chez elle après le dîner de Pâques et se coucher avec un bon livre. C'est ce qu'elle a dit.

Ont-ils compris que quelqu'un d'autre avait pu utiliser sa voiture ? Irena leur a probablement parlé du double, pour sauver sa peau. Mais Jenna n'était pas la seule à être au courant.

— Avez-vous déjà conduit la voiture d'Irena ? répète Reyes.

Son avocat lui a dit de nier en bloc.

— Non.

— C'est intéressant, parce que nous avons trouvé des traces de votre ADN sur le siège du conducteur. Un cheveu.

— C'est impossible, s'empresse de rétorquer Jenna.

Elle a merdé : pourquoi diable a-t-elle dit qu'elle n'était jamais montée dans la voiture d'Irena ? Mais comment réfléchir sereinement dans cette minuscule pièce étouffante, avec tous ces yeux qui la scrutent ? Elle sent qu'elle commence à transpirer et se passe nerveusement la main dans les cheveux.

— Quel rapport avec l'enquête ? demande l'avocat.

— Nous avons un témoin qui a vu la voiture d'Irena garée en haut de l'allée des Merton la nuit des meurtres, répond Reyes.

L'avocat jette un rapide coup d'œil à sa cliente.

— On s'arrête là, plus de questions, ordonne-t-il. À moins que vous n'ayez autre chose ?

Reyes fait non de la tête.

— Allez, Jenna, on s'en va, fait l'avocat.

Mais la jeune femme prend son temps, gagnée par une assurance nouvelle.

— Il y a une raison parfaitement plausible pour que l'un de mes cheveux se soit retrouvé dans la voiture d'Irena. Je la serre toujours dans mes bras pour lui dire au revoir, elle a dû monter dans sa voiture juste après. C'est sûrement comme ça que ce cheveu s'est retrouvé là.

— Le fait est que nous savons qu'Irena était chez elle ce soir-là, riposte Reyes alors que Jenna s'est déjà levée. Elle était au téléphone avec un ami. Quelqu'un d'autre a donc utilisé sa voiture. Or, nous n'avons retrouvé que votre ADN. Et nous savons aussi que vous aviez découvert plus tôt dans la soirée que votre père allait changer son testament.

— Cela ne prouve rien du tout, et vous le savez, prévient l'avocat. Comme ma cliente l'a fait remarquer, ce cheveu aurait pu provenir d'une simple accolade.

Jenna sourit à l'inspecteur et suit son avocat hors de la pièce.

62

Depuis qu'Irena a été relâchée, Catherine est sur les nerfs. Ils n'ont jamais su pourquoi elle avait été arrêtée, ni pourquoi on l'avait relâchée. Et l'intéressée refuse de répondre au téléphone comme à la porte. Sans parler de l'échantillon ADN que Catherine a dû laisser au commissariat... Son sang ne fait qu'un tour lorsque sa sonnette retentit soudain. Vient-on l'arrêter ?

Ce n'est pas possible. Elle n'a rien fait. Mais elle sent la panique qui la prend à la gorge. Elle a surtout peur pour l'enfant qu'elle porte.

— Audrey, constate-t-elle avec surprise.

Sa voix se fait glaciale.

— Qu'est-ce que tu fais ici ?

— Je peux entrer ? demande Audrey.

Catherine hésite, mais finit par lui ouvrir grand la porte. Ted les a rejointes, et il affiche cette expression qu'elle commence à détester – une peur viscérale. Elle a envie de le secouer.

— J'ai parlé à Irena, commence Audrey, une fois installée dans le salon.

Catherine la dévisage, le cœur serré. Pourquoi Irena parle-t-elle à cette vieille bique et pas à eux ? Elle n'ose pas regarder Ted.

— Parce qu'elle te répond, à toi ? siffle-t-elle.

— Irena et moi nous connaissons depuis longtemps, répond Audrey. Nous nous comprenons. Je me suis occupée de son chat pendant sa garde à vue.

Sidérée, Catherine écoute alors sa tante lui parler de la voiture d'Irena qui aurait été aperçue devant chez ses parents.

— Irena pense que quelqu'un a subtilisé sa voiture ce soir-là, conclut Audrey.

Catherine essaie de parler, mais elle a la bouche sèche. Ted s'en charge pour elle, la voix blanche.

— C'est... c'est ridicule, n'est-ce pas ?

— En fait, la police en est convaincue, reprend Audrey, parce qu'Irena était chez elle, au téléphone. Ils ont des preuves.

Elle marque une pause, visiblement ravie de son petit effet.

— Elle dit que seuls vous trois saviez qu'elle gardait un double des clés dans le jardin.

Du coin de l'œil, Catherine voit Ted pâlir.

— Et ce n'est pas tout, poursuit sa tante. Ils ont trouvé des traces d'ADN – un cheveu – de quelqu'un d'autre sur le siège du conducteur. Pourtant, Irena affirme qu'aucun de vous n'est jamais monté dans sa voiture.

— Comment tu sais tout ça ? s'indigne Ted.

— Je connais une journaliste qui est amie avec un gars du labo. Elle me l'a raconté en échange d'un tuyau pour un prochain article.

— À qui appartient ce cheveu ? parvient à articuler Catherine.

— À Jenna.

Catherine s'enfonce dans le canapé, en proie à un tumulte intérieur. Jenna. Elle respire profondément. Jenna a su ce soir-là que leur père allait changer son testament, Jake l'a dit aux détectives. L'arrestation d'Irena avait troublé Catherine, car en réalité, elle avait toujours pensé que Dan était le coupable, qu'il est celui qui ressemble le plus à leur père. Elle connaît ses manies étranges, son goût pour les errances nocturnes et solitaires, son passé de harceleur. Il a hérité des pires pulsions de Fred, mais pas de son génie pour les affaires.

— Ils pensent donc que c'est Jenna ? demande-t-elle enfin. Ils vont l'arrêter ?

Audrey secoue la tête, manifestement déçue.

— Mon amie journaliste dit que ce ne sera pas suffisant pour l'inculper de meurtre. Apparemment, ils l'ont interrogée et l'ont laissée partir.

Catherine ne veut pas voir le nom de sa famille traîné dans la boue. Mais, presque soulagée, elle réalise que tout ira bien, au final : Jenna n'ira pas en prison, elle ne sera même pas arrêtée. Dan non plus. Ils peuvent respirer à nouveau, maintenant qu'ils savent la vérité. La vie peut continuer : le scandale finira par s'estomper et ils seront bientôt richissimes. La seule à aller en prison, ce sera Rose. Elle sent le terrible fardeau qu'elle portait sur ses épaules s'alléger d'un coup. Doit étouffer son envie de sourire.

— Merci, Audrey, de nous avoir tenus au courant, se force-t-elle à dire d'une voix lugubre.

— J'ai pensé que c'était de mon devoir. Je n'étais pas sûre que vous l'apprendriez, sinon.

— Tu dois être aux anges, pas vrai ? lâche alors Catherine, le regard mauvais. Tu as toujours détesté Jenna.

— Fred n'aurait jamais dû être assassiné, rétorque Audrey en se levant. J'aurais dû recevoir la part qui me revenait après sa mort. C'était une question de semaines.

Elle s'apprête à franchir le seuil lorsqu'elle lance :

— Tu sais ce qui me ferait vraiment plaisir ? Voir Jenna derrière les barreaux.

Lorsqu'il reçoit l'appel de Catherine, Dan est d'abord pris de court par ce que sa sœur lui explique à l'autre bout du fil, puis profondément soulagé. Les inspecteurs vont enfin lui foutre la paix ! Et c'est bon de savoir, enfin, laquelle de ses deux sœurs il doit garder à l'œil. Si on lui avait dit qu'un jour, il serait redevable à sa tante !

— Qu'est-ce qu'on devrait faire, à ton avis ? demande-t-il. Lui dire qu'on sait, ou… ?

Catherine met un temps avant de répondre.

— Je ne pense pas qu'on puisse la laisser s'en tirer comme ça, dit-elle enfin. Entre nous, je veux dire.

Dan garde le silence. Il ne veut pas que Jenna s'en tire tout court.

— Tu peux venir ce soir ? s'enquiert Catherine. Il faut qu'on lui fasse comprendre qu'on est au courant, tout en la rassurant sur notre silence.

— D'accord, répond Dan à contre-cœur. Si tu penses que c'est une bonne idée. Tu connais son caractère.

Ce soir-là, chez Catherine, la tension est palpable. La jeune femme recherche le soutien de son mari, mais il semble à bout de nerfs, lui aussi. Elle ne sait pas trop ce qu'elle attend de ce énième conseil de famille. Un déni glacial de la part de Jenna ? Quoi qu'il en soit, ils doivent la prévenir. Et par la suite, l'avoir à l'œil, afin d'éviter qu'elle s'en prenne à quelqu'un d'autre.

Après avoir enfin décroché, Irena a décliné son invitation. Elle ne veut plus rien avoir à faire avec les Merton et a annoncé à Catherine qu'elle prendrait sa retraite et s'installerait en Floride une fois touché son legs. Elle a toutefois promis d'envoyer une carte pour les fêtes. Puis elle a raccroché. Catherine ne peut pas l'en blâmer. Sa loyauté a failli la faire inculper de meurtre.

Catherine a déjà servi un verre de vin à chacun et sirote son faux gin tonic.

— Nous avons appris, Jenna, commence-t-elle de sa voix la plus neutre, que les inspecteurs ont trouvé ton ADN dans la voiture d'Irena et qu'ils pensent que c'est toi qui as assassiné papa et maman.

Le visage de Jenna s'assombrit, sa bouche se tord en une grimace furibonde.

— Mais tout va bien, assure Catherine. Ce cheveu n'est pas suffisant pour te faire arrêter. Tout va bien se passer.

— Comment oses-tu ? aboie Jenna après un silence chargé.

Catherine a un mouvement de recul. Elle a déjà vu sa sœur dans cet état – Jenna peut être terrible quand elle s'y met – et jette un regard aux autres pour obtenir leur soutien.

— Nous savons, Jenna. Ça ne sert à rien de nier, pas à nous. Mais on ne te dénoncera pas.

— Ils ne savent rien, rétorque Jenna d'un ton glacial. Ils ont trouvé un de mes cheveux dans la voiture d'Irena, c'est tout. Ils ne savent pas comment il est arrivé là, mais peut-être que tu le sais, toi, insinue-t-elle en fusillant sa sœur du regard.

Catherine n'en croit pas ses oreilles *Elle va donc essayer de me mettre ça sur le dos !* Elle lève rapidement les yeux vers Ted, mais ce dernier fixe Jenna comme s'il y avait un serpent prêt à jaillir du fauteuil.

— Ou peut-être que c'était toi, Dan, lance Jenna en se tournant vers son frère.

Dan en reste bouche bée.

— Je ne sais pas qui, mais l'un d'entre vous a tué les parents et a mis l'un de mes cheveux dans la voiture d'Irena.

— Tu dis n'importe quoi, objecte Catherine alors que la situation commence à lui échapper.

Jenna a assassiné leurs parents, c'est la vérité, mais maintenant, Ted ne sera jamais entièrement sûr de la bonne foi de sa femme. Catherine jette un coup d'œil à Lisa, et surprend sa mine hagarde – qui va-t-elle croire ? Enfin, elle se retourne vers Jenna, laquelle la dévisage calmement, complètement maîtresse d'elle-même.

— Je n'ai jamais quitté ma maison cette nuit-là, déclare-t-elle, même si je ne peux pas le prouver. Mais ce que nous savons tous, c'est que vous deux, oui. Que *vous* étiez dehors pendant des heures.

Cette putain de famille, pense Catherine, en proie à une panique silencieuse.

savons tous, c'est que vous deux, oui. Que
vous étiez dehors pendant des heures.
Cette putain de famille, pense Catherine, en proie à une panique silencieuse.

63

Tandis qu'elle s'engage sur les che-
mins de terre qui la ramènent chez elle,
Jenna repense à cette nuit de Pâques. Elle
était d'une humeur massacrante quand ils
sont partis. Elle a déposé Jake à la gare
– elle ne voulait pas de sa compagnie,
et lui n'a pas essayé de la faire changer
d'avis –, puis elle est rentrée chez elle et
a élaboré son plan.

Elle a roulé jusque chez Dan. La voiture de son frère n'était pas dans l'allée.
Munie de gants d'entretien, elle s'est fau-
filée dans le garage par la porte latérale
non verrouillée, pour constater que la voiture de son frère n'était pas là non plus. *Il
est sorti faire un tour*, a-t-elle pensé, *taré
comme il est*. Elle connaît ses petites habitudes. Elle a utilisé une lampe de poche
– elle a fait exprès de laisser son télé-

phone portable chez elle – pour récupérer la combinaison et les chaussons jetables.

Puis elle s'est rendue chez Irena. Comme prévu, sa voiture était garée dans la rue, et la maison, plongée dans l'obscurité. Jenna a garé sa Mini plus loin et s'est avancée à pas de loup jusqu'au domicile de son ancienne nourrice, puis jusqu'à la jardinière. Elle est montée dans la voiture d'Irena et est arrivée devant chez ses parents un peu avant 23 heures. Elle a éteint les phares et s'est garée au bout de l'allée.

La nuit était sombre et calme. Il était peu probable que quelqu'un aperçoive la voiture, mais si c'était le cas, il verrait la voiture d'Irena, pas la sienne.

Elle est sortie et a observé la maison un long moment. Une faible lumière émanait de la chambre parentale.

Jenna s'est dirigée vers l'arrière de la villa avec son sac de toile. Là, elle a enlevé ses chaussures et sa veste et enfilé la combinaison jetable, ainsi qu'une paire supplémentaire de chaussettes épaisses et les chaussons en plastique.

Ainsi affublée, la capuche serrée autour de son visage pour ne laisser échapper aucun cheveu, elle a éprouvé un curieux sentiment d'invincibilité. Elle a pris le cordon électrique qu'elle avait apporté avec elle et est retournée sur ses pas pour sonner à la porte. Personne n'est venu. Elle a sonné encore. Et encore. Enfin, elle a vu les lumières s'allumer dans l'escalier et le hall, puis sa mère lui ouvrir.

Pendant un moment, Sheila est restée là, sans comprendre. Peut-être ne l'avait-elle pas reconnue avec la combinaison. Et puis elle l'a enfin reconnue, et elle a su. Ce regard qu'elle lui a lancé...

Sa mère a reculé, s'est retournée et a trébuché vers le salon. Mais Jenna était juste derrière elle et a passé le cordon électrique autour de son cou sans même lui laisser le temps de crier.

Tenant fermement le cordon, elle a entraîné sa mère plus loin dans le salon en essayant de ne pas faire trop de bruit, serrant fort jusqu'à ce que cette dernière cesse de se débattre et s'affaisse. Cela a pris plus de temps que prévu. Ensuite, elle l'a allongée par terre.

Jenna n'a rien ressenti. Elle a fait demi-tour pour fermer doucement la porte d'entrée. Puis elle est retournée vers le corps et s'est débattue avec les doigts de sa mère pour lui arracher ses bagues. Pas une mince affaire, avec des gants. « Sheila, qui est-ce ? » a-t-elle entendu son père appeler à l'étage.

Jenna n'a pas eu le temps d'enlever les délicats diamants des oreilles de sa mère. Elle s'est rapidement dirigée vers la cuisine par l'arrière du salon, en évitant le hall d'entrée, où son père arriverait en descendant l'escalier.

Elle a posé le cordon électrique et les bagues sur le comptoir et sorti le couteau du bloc.

— Par ici, a-t-elle lancé en espérant qu'il ne regarderait pas d'abord dans le salon.

Si c'était le cas, elle improviserait.

Elle s'est tenue aussi immobile qu'une statue dans la cuisine plongée dans le noir et a attendu. Elle se souvient de l'avoir attrapé par-derrière alors qu'il passait devant elle et de lui avoir tranché la gorge d'un coup sec, le sang giclant sur sa main. Le reste est un peu flou – ce n'était pas comme tuer sa mère. Quelque chose en elle a pris le dessus. Quand elle en a eu fini, elle haletait, épuisée par l'effort et recouverte de sang. Elle s'est assise sur le sol une minute pour reprendre son souffle. Elle savait ce qu'elle devait faire ensuite, et qu'elle devait se dépêcher.

Elle a pris un sac poubelle sous l'évier et y a mis les bagues de sa mère et le cordon électrique. Puis elle est montée à l'étage, a vidé la boîte à bijoux et les portefeuilles, qu'elle a ensuite jetés par terre, laissant un sillage sanglant derrière elle, ouvrant les tiroirs, saccageant tout sur son passage. Elle est entrée dans le bureau sans toucher au coffre-fort. Enfin, elle a pris l'argenterie familiale dans la salle à manger et est ressortie par la porte de la cuisine.

Personne ne pouvait la voir – il faisait nuit noire et les autres maisons étaient trop loin, cachées par les arbres. Elle a placé l'argenterie dans son sac en toile à fermeture éclair. Ôté sa combinaison, ses chaussons et ses chaussettes épaisses qu'elle a soigneusement glissés dans le sac poubelle, avec le cordon électrique, les bijoux, les cartes de crédit et l'argent liquide. Jusqu'au dernier moment, elle a gardé ses gants. Puis elle s'est nettoyé le visage et les mains avec des lingettes, qu'elle a aussi jetées dans le sac poubelle. Elle l'a ensuite rangé dans le sac en toile, remis ses chaussures, sa veste et une nouvelle paire de gants en latex, et s'est redirigée vers la voiture d'Irena. Une fois cette dernière garée à sa place habituelle, elle a jeté le sac en toile dans sa propre voiture et remis le double des clés à leur place sous la jardinière.

Sur le chemin du retour, elle s'est débarrassée des preuves. Quelque part où personne ne les trouverait jamais. Elle a caché le sac de toile sur une parcelle agricole, le long de la même route de campagne isolée menant jusque chez elle, l'a enterré à un endroit où une dalle en béton allait être coulée sous peu pour construire une dépendance. Par chance, elle le savait par la propriétaire.

Chaque fois que Jenna passe devant, elle voit le chantier avancer. Cela lui procure une intense satisfaction. Les preuves ne seront jamais exhumées. Elle est la seule à savoir où elles se trouvent.

Catherine et Dan n'ont pas tué leurs parents, mais Ted et Lisa ne pourront jamais en être sûrs. Jenna sourit au volant. Si elle le voulait, Jenna pourrait raconter à Ted et Lisa des choses – des choses vraies – qui leur feraient se dresser les cheveux sur la tête.

Ces boucles d'oreilles, par exemple – celles qui ont été retrouvées dans la boîte à bijoux de Catherine, celles qu'elle a « empruntées ». Jenna sait que sa mère les portait au moment de mourir et que Catherine les a volées à un cadavre. Qu'en penserait Ted ? Quant à Dan, que dire de sa fâcheuse manie de rouler la nuit tombée ? Lisa n'essaie-t-elle jamais de l'appeler sur son portable ? *Un vrai comportement de tueur en série*, songe Jenna.

Son seul regret, c'est Audrey, qu'elle n'a pas réussi à empoisonner ce dimanche matin, quand elle s'est introduite dans sa cuisine en passant par l'arrière.

Mais au fond, est-ce si grave ?

Épilogue

Les semaines qui suivent, Audrey passe son temps à arpenter au volant la route qui sépare la maison de Fred et Sheila de celle d'Irena, puis de celle de Jenna. Elle est convaincue que Jenna a abandonné les preuves en chemin. Et à la différence de Catherine qui veut à tout prix sauver l'honneur de la famille, Audrey a bien l'intention de faire condamner sa nièce. D'autant qu'elle est persuadée que c'est également Jenna qui a tenté de l'empoisonner. Dan ne le dit pas, mais elle le soupçonne d'être du même avis qu'elle. Ça peut se comprendre. Aux yeux de l'opinion publique, il reste le coupable.

Audrey a aussi commencé à suivre Jenna, à bonne distance. Un jour, elle la voit s'arrêter brièvement chez des voisins le long de la route. Sa nièce ne reste pas longtemps, mais suffisamment pour qu'Audrey remarque, alors qu'elle attend sur le bas-côté, un nouveau bâtiment en construction. Quand elle ressort de la bâtisse principale, Jenna porte un paquet. Audrey n'arrive pas à distinguer de quoi il s'agit, mais en se rapprochant de l'entrée après le départ de sa nièce, elle lit sur un panneau : « ŒUFS FRAIS ».

Audrey sort de sa voiture et remonte la petite allée. C'est un vieux corps de ferme joliment rénové pour conserver son charme d'origine. Brique rouge, porche à colonnades. Audrey se verrait bien vivre dans un endroit comme ça : au vert, mais pas trop loin de la ville non plus.

Bien sûr, elle regrette de ne pas pouvoir s'offrir une adresse à Brecken Hill, mais elle adore vraiment ce petit coin de campagne – si charmant et paisible.

— Bonjour, lance Audrey à la femme qui sort par la porte moustiquaire. Quel bel endroit vous avez là !

— Merci. Vous voulez des œufs ?

— Une douzaine, merci !

Tandis que la femme empaquette les œufs, Audrey se lance :

— J'ai remarqué que vous construisiez une dépendance.

— En effet, oui, répond la femme. On a coulé les fondations juste après Pâques et maintenant, c'est presque terminé.

Audrey sourit et règle sa douzaine d'œufs. Elle a vu suffisamment de séries policières pour savoir que les cadavres compromettants finissent souvent sous des dalles de béton. Pourquoi pas des preuves ?

Ni une ni deux, elle se rend au commissariat pour faire part de son intuition à Reyes et Barr. Hélas, les détectives ne sont pas aussi optimistes qu'elle. On ne peut pas démolir la propriété d'un particulier sur la simple foi d'une intime conviction.

Une année passe. Audrey apprend que Catherine a donné naissance à une fille et que la petite famille s'est installée dans l'ancienne demeure de Fred et Sheila.

Récemment, Audrey a aperçu Ted au supermarché, poussant un caddie rempli de couches, l'air hagard. Elle a changé de direction avant qu'il ne la voie.

Et puis, un jour de grand soleil du début du mois de juin, Audrey passe à nouveau devant la belle propriété réhabilitée. Un panneau « À VENDRE » est affiché sur la façade. Elle pile devant le portail. Audrey vient de recevoir son héritage – un million de dollars. C'est sûrement plus qu'il n'en faut. Elle prend son téléphone portable et appelle l'agent immobilier.

Remerciements

Écrire un livre et le porter en librairie – le tout, en l'espace d'un an – requiert un vrai travail d'équipe, or j'ai la chance d'avoir la meilleure des équipes ! Nous voici arrivés au sixième livre et, une fois de plus, je remercie du fond du cœur toutes les personnes qui me permettent d'en livrer la version la plus aboutie possible.

Merci à Brian Tart, Pamela Dorman, Jeramie Orton, Ben Petrone, Mary Stone, Bel Banta, Alex Cruz-Jimenez, et le reste de la fantastique équipe de Viking Penguin aux États-Unis ; à Larry Finlay, Bill Scott-Kerr, Frankie Gray, Tom Hill, Ella Horne et tous les autres membres de la brillante équipe de Transworld au Royaume-Uni ; et à Kristin Cochrane, Amy Black, Bhavna Chauhan, Emma Ingram et toute l'équipe de Doubleday au Canada. Merci à tous, et un merci particulier à mes éditeurs en or, Frankie Gray et Jeramie Orton, de vrais bourreaux de travail !

Jane Cavolina a été une exceptionnelle relectrice. Personne d'autre ne pourrait aussi bien réviser mes textes.

Merci encore à mon agente bien-aimée, Helen Heller, qui a affronté avec héroïsme la pandémie et tous les problèmes que le Covid a engendrés. Vous m'aidez toujours à aller de l'avant, et je vous en suis reconnaissante. Merci aussi à Camilla et Jemma et à toute l'équipe de l'agence Marsh de m'avoir représentée dans le monde entier et d'avoir permis à tant de lecteurs de découvrir mes livres.

Merci encore à mon conseiller en matière de criminalistique, Mike Iles, du programme de sciences médico-légales de l'université de Trent, et à Kate Bendelow, enquêtrice criminelle au Royaume-Uni. Je vous sais gré de votre aide à tous les deux !

Comme toujours, j'endosse la responsabilité de l'entièreté de ce texte ainsi que de toutes les erreurs qui pourraient s'y trouver.

J'aimerais également remercier tous les représentants de la chaîne du livre qui ont participé à des événements virtuels lorsque nous ne pouvions pas les organiser en personne.

Merci à mes lecteurs. Je ne serais pas là, à faire ce que j'aime, sans vous.

Et enfin, merci à mon mari, à mes enfants et à Poppy le chat. Manuel reçoit une mention spéciale pour s'être attelé sans relâche à résoudre maints problèmes techniques pendant l'année écoulée.

Pour recevoir notre catalogue
et être informé de nos publications,
écrivez-nous à :
Éditions Gabelire
73 allée Kléber
34000 Montpellier

Mise en pages :
Patrick Leleux PAO

Dépôt légal : septembre 2024 - N° imprimeur : 062478868

Imprimé en France par Présence Graphique - Monts